Lise Charron

KATHY REICHS

DEADLY DÉCISIONS

roman

Traduit de l'américain par Viviane Mikhalkov

ROBERT LAFFONT

Titre original : DEADLY DÉCISIONS
© Kathy Reichs, 2000
Traduction française : Éditions Robert Laffont, S.A., Paris, 2001

ISBN 2-221-09330-5
(édition originale : ISBN 0-684-85971-8 Scribner, New York)
Publié avec l'accord de Scribner/Simon & Schuster, New York.
Printed in Canada

À la bande de la plage de Caroline

Avertissement

Les personnages et les événements dépeints dans ce livre sont purement imaginaires et relèvent de la fiction. L'action se déroule au Canada, à Montréal et ailleurs, ainsi qu'aux États-Unis, en Caroline du Nord, dans des lieux et des institutions dont certains existent réellement.

Chapitre 1

Nom : Toussaint, Emily Anne. Âge : neuf ans. Signes particuliers : cheveux noirs crépus, peau couleur caramel, longs cils. Renseignements annexes : des anneaux d'or aux oreilles, deux trous de Cobray 9 mm semi-automatique au milieu du front.

On était samedi, mais j'étais au labo à la demande expresse de mon patron Pierre LaManche. Cela faisait des heures que je répertoriais des tissus salement amochés dans la grande salle d'autopsie quand le sergent-détective Luc Claudel a fait irruption. Ayant déjà travaillé avec lui, j'avais pu me convaincre de son peu d'estime pour moi. Sa façon d'aboyer « Vous avez vu LaManche ? » ne m'a rien caché de son agacement à me découvrir là. Je suis restée de glace. Mieux vaut l'ignorer quand il est d'humeur massacrante. Son regard n'a fait que balayer le chariot devant lequel je me tenais pour se détourner, dégoûté.

— Le D^r LaManche est arrivé ? a-t-il répété en évitant soigneusement de regarder mes gants poisseux de sang.

— On est samedi, M. Claudel. Il ne trav…

Je n'ai pas terminé ma phrase. Michel Charbonneau venait de passer la tête dans la pièce et annonçait : « Le cadavre est arrivé. » Un chuintement suivi d'un déclic m'est parvenu par l'entrebâillement : la porte de service se refermait. De quel cadavre s'agissait-il ? Et que venaient faire à la morgue deux enquêteurs de la criminelle, un samedi ?

— *Hi ! Doc !* m'a lancé Charbonneau.

C'est un garçon plutôt corpulent avec des épis plein la tête qui lui donnent l'air d'un hérisson.

J'ai retiré mes gants et baissé mon masque :

— Que se passe-t-il ?

— Le D^r LaManche vous expliquera, il ne va plus tarder, a répondu Claudel.

La lumière dure des néons accusait son air tendu. Il avait le regard éteint. Ses lèvres pincées ne formaient qu'une ligne mince et la sueur perlait sur son front. Il a horreur des autopsies, Claudel ; il ferait n'importe quoi pour ne pas venir à la morgue. Il a ouvert en grand le battant de la porte et s'est précipité dans le couloir, sans s'inquiéter de bousculer son collègue. Charbonneau l'a suivi des yeux et s'est retourné vers moi.

— Il prend ça mal, il a des enfants.

— Des enfants ?

J'ai senti mon cœur se glacer.

— Les Heathens ont frappé. Ce matin. Vous avez entendu parler de Richard Marcotte ?

Le nom me disait vaguement quelque chose.

— Surnommé « l'Araignée ».

Ses doigts ont fait la petite bête qui monte, qui monte, qui monte, tandis qu'il expliquait :

— Un chic type, un haut placé dans le monde des gangs de motards. Lieutenant des Vipères. Mais d'avoir été élu à ce poste par ses petits camarades ne lui a pas porté bonheur aujourd'hui. À huit heures, des Heathens lui ont fait exploser la cervelle à partir d'une voiture, alors qu'il sortait de chez lui pour aller au gym. Sa copine a juste eu le temps de plonger dans les lilas.

Charbonneau s'est caressé les cheveux à rebrousse-poil, de la nuque jusqu'au front. Il a dégluti. J'ai attendu la suite.

— Une petite fille a hérité des balles perdues.

— Oh, mon Dieu !

Mes doigts se sont crispés sur les gants que je tenais encore à la main.

— On l'a transportée à l'Hôpital de Montréal pour enfants, mais elle n'a pas survécu. On va l'amener ici. Marcotte est mort pendant le trajet. Il est déjà là, au fond.

— Et LaManche va venir ?

Charbonneau a hoché la tête.

Les cinq médecins légistes du labo sont de garde à tour de rôle, de sorte qu'il se trouve toujours quelqu'un pour faire une autopsie d'urgence ou se rendre sur la scène d'un crime en dehors des heures de service, bien qu'il soit rare que cela se produise.

Une petite fille… Comme toujours, une tornade d'émotions a fondu sur moi. Il fallait que je quitte la salle au plus vite. Une heure moins vingt. J'ai roulé mes gants de caoutchouc et mon masque dans mon tablier en plastique et j'ai jeté le tout dans la poubelle à déchets biologiques. M'étant lavé les mains, je suis montée me réfugier dans mon bureau, au douzième étage. Là, je suis restée à fixer le Saint-Laurent, incapable de rien faire, même pas manger mon yogourt. À un moment, il m'a semblé entendre se refermer la porte de LaManche et coulisser les parois de verre qui séparent notre service du reste du département.

Sur le plan émotionnel, ma profession d'anthropologue judiciaire m'a, pourrait-on dire, immunisée face aux cadavres. En matière de corps mutilés, brûlés ou en état de décomposition avancée, j'ai tout vu, y compris le pire, car l'expert médical ne peut tirer de conclusions sans les informations que je suis seule en mesure de lui fournir. La salle d'autopsie étant mon terrain d'action, rien ne m'étonne plus chez un mort : ni l'odeur qu'il dégage, ni aucune des sensations que procurent les tissus sous la main ou le scalpel. Les chiffons tachés de sang mis à sécher sur l'égouttoir ou les organes baignant dans des bocaux me laissent indifférente, tout comme le vrombissement d'une scie Stryker dégageant un os. Pourtant, chaque fois que le mort est un enfant, je suis bouleversée. Bébé secoué comme un prunier, nourrisson battu, enfant que ses parents membres d'une secte ont laissé mourir de faim, adolescents agressés par des pédophiles, et j'en passe. Toutes ces violences infligées à des innocents me plongent immanquablement dans l'effroi.

L'une des affaires les plus pénibles que j'aie eu à traiter concerne deux tout-petits assassinés et mutilés, des jumeaux. Elle ne remonte pas à très longtemps et j'ai encore en mémoire les sentiments qu'elle a soulevés en moi. Sentiments qu'aujourd'hui je ne tenais pas à revivre, même s'ils s'étaient soldés pour moi par la satisfaction intense d'avoir accompli une œuvre de salut public quand j'avais appris l'arrestation du fanatique commanditaire de ces meurtres.

J'ai déchiré le couvercle d'un pot de yogourt.

L'image de ces deux bébés tournoyait dans ma tête. Je me revoyais à l'époque, saisie de panique en imaginant ma fille à leur place. Des flash-back de Katy à leur âge passaient devant mes yeux. Visions d'horreur. Seigneur, pourquoi tant de folie ? Et ces corps atrocement mutilés sur lesquels j'avais travaillé ce matin, n'étaient-ils pas, eux aussi, victimes de cette guerre des motards qui faisait rage ?

« Ressaisis-toi, Brennan. Fâche-toi. Durcis-toi, sois mauvaise. Contribue par tes compétences scientifiques à faire écrouer ces salauds ! » Voilà ce que je me disais tout bas et à quoi j'ai acquiescé à haute voix :

— C'est ça !

J'ai fini mon yogourt, bu mon verre d'eau et suis redescendue à la morgue. Claudel n'était nulle part en vue. Dans l'antichambre d'une des petites salles d'autopsie, Charbonneau, comprimé dans un fauteuil en vinyle, feuilletait son calepin à spirales.

— Comment s'appelle-t-elle ? lui ai-je demandé.

— Emily Anne Toussaint. Elle se rendait à un cours de danse, à Verdun.

Désignant du menton la pièce voisine, il a ajouté :

— LaManche a commencé l'examen.

Je suis passée devant lui pour pénétrer dans la salle. Un photographe judiciaire était en train de prendre des clichés que LaManche doublait au Polaroïd, notant entre deux prises ses observations dans un cahier. Soulevant l'appareil par ses poignées latérales, il l'avait positionné juste au-dessus du front de l'enfant et faisait la mise au point. L'objectif est sorti, puis s'est rétracté. Un petit point rouge est apparu sur l'une des blessures. Flou. Une fois son périmètre défini, LaManche a déclenché la prise de vue. Un carré blanc a jailli de l'appareil, qu'il a ajouté à sa pile de photos sur un coin de la table d'autopsie.

Le corps d'Emily Anne portait la marque des efforts intenses mis en œuvre pour la sauver. Un tuyau transparent saillait de son crâne en partie bandé, signe qu'on l'avait branchée sur un moniteur de pression crânienne. Deux sondes sortaient encore de sa gorge : l'une, endotrachéale, destinée à oxygéner ses poumons ; l'autre, introduite dans l'œsophage pour prévenir le refoulement gastrique. Des cathéters à injections intraveineuses demeuraient dans ses veines subclavières, inguinale et fémorale, et, sur son torse, les pastilles blanches des électrodes de l'électrocardiogramme n'avaient pas été décollées. Ce n'était plus une intervention médicale, c'était une agression en règle. J'ai fermé les yeux. Les larmes me piquaient l'intérieur des paupières.

Je me suis forcée à regarder de nouveau le petit corps. Emily Anne ne portait qu'un bracelet d'identification en plastique. À côté d'elle, s'entassaient une robe d'hôpital vert clair, des habits en vrac, un sac à dos rose et une paire de chaussures rouges à grosses semelles.

Lumière implacable des néons. Poli étincelant de l'acier et du carrelage. Instruments chirurgicaux stériles et glacés. Non, ce n'était pas un endroit pour une petite fille !

J'ai croisé le regard de LaManche. Triste. Bien qu'on ne parle jamais de la personne allongée sur la table, je savais qu'il pensait en cet instant : « Encore un enfant, encore une autopsie, et de nouveau dans cette salle ! »

Refoulant mon émotion, je lui ai exposé l'état d'avancement de mes travaux sur les deux motards, à savoir le réassemblage de leurs corps réduits en bouillie par leur seule bêtise. Je lui ai demandé quand nous disposerions des dossiers médicaux *ante mortem.* « Une demande a été soumise et nous devrions les recevoir lundi », m'a-t-il répondu. Je l'ai remercié et suis retournée à ma sinistre reconstitution.

Tout en triant les différents tissus, je me suis rappelé avec regret les forêts de Virginie d'où m'avait arrachée son coup de téléphone. Était-ce seulement avant-hier que LaManche m'avait demandé de revenir à Montréal ? La petite Emily Anne était vivante, alors.

Tant de choses peuvent changer en vingt-quatre heures.

Chapitre 2

Il y a deux jours encore, j'étais en Virginie à l'Académie du FBI de Quantico où je tiens tous les ans un séminaire sur les techniques de récupération des corps. Dans les sous-bois, je regardais mes étudiants en relevé d'indices tracer le contour d'un squelette avant de le dégager de terre, quand j'ai aperçu un agent spécial qui s'avançait vers nous pour m'annoncer qu'un certain D^r LaManche voulait me parler de toute urgence. Troublée, j'ai abandonné mon équipe et rejoint la route en coupant à travers le bois. Que pouvait bien me vouloir le patron du Laboratoire de sciences judiciaires et de médecine légale de Montréal ? Il me laisse rarement un message urgent. Les fois où cela s'est produit, ça n'a pas été une partie de plaisir.

C'est au début des années quatre-vingt-dix, à la suite d'un échange de professeurs entre l'Université McGill de Montréal et celle de Charlotte, ma ville d'origine, que j'ai effectué ma première mission pour ce laboratoire. Intrigué par mon statut de membre du Bureau américain des sciences médico-légales et par ce poste de consultante en anthropologie judiciaire auprès de l'expert médical en chef de Caroline du Nord, poste que j'occupe toujours, le D^r LaManche était curieux de savoir quels avantages ces deux qualités pouvaient présenter pour ses propres services. Le Québec, en effet, bien que doté d'un système judiciaire centralisé et de labos de recherche criminelle extrêmement pointus, ne disposait pas d'une académie chapeautant le travail des médecins légistes. Plus tard, lorsqu'un département d'anthropologie judiciaire avait été créé au labo, LaManche avait voulu m'avoir auprès de lui. Je m'étais donc dépêchée d'apprendre le français selon la méthode d'immersion totale. Maintenant, cela fait une bonne dizaine d'années que tous les squelettes et autres cadavres décomposés, momifiés, calcinés ou mutilés du Québec me passent entre les mains aux fins d'analyse et d'identification. Quand une simple autopsie ne débouche sur rien, c'est vers moi que l'on se tourne pour titiller les ossements et les forcer à livrer leurs secrets.

J'ai rapidement atteint la camionnette stationnée sur le bas-côté de la voie forestière. Ayant retiré ma barrette, j'ai fourragé dans mes cheveux pour en faire tomber les tiques qui auraient pu s'y nicher. Ce n'était pas le cas. J'ai refait ma queue-de-cheval, puis extirpé mon téléphone cellulaire de mon sac, à l'arrière du véhicule. J'avais reçu trois appels. Tous trois du labo de Montréal, à en croire les numéros affichés.

Comme je m'y attendais, la connexion était mauvaise. C'est d'ailleurs pour cela que j'avais décidé de laisser mon cellulaire dans la voiture. Même si, au bout de dix ans, je parle français couramment, bruits de fond et mauvaise réception continuent de me poser un problème au téléphone. Dans le cas présent, je n'allais rien comprendre à ce qu'on me dirait. Tant pis ! J'étais bonne pour un peu de marche à pied !

J'ai retiré ma combinaison de travail et l'ai fourrée dans une boîte au fond de la camionnette. Passant mon sac en bandoulière, je me suis élancée sur le chemin qui descend au quartier général. Très haut au-dessus des arbres, un épervier faisait des cercles à l'affût d'une proie. Le ciel, d'un bleu étincelant, était moucheté d'une kyrielle de nuages floconneux qui voguaient paresseusement. En programmant au mois d'avril ce séminaire que je tiens d'ordinaire en mai, j'avais craint la pluie ou le froid. Inutilement, car il avait fait dans les vingt-cinq degrés.

Je me suis laissé pénétrer par les sons alentour : crissement du gravier sous mes bottes, chant des oiseaux, bruissement des pales d'un hélicoptère volant bas, claquement des balles au stand de tir. L'activité est constante et menée avec sérieux dans ce camp de Quantico, que le FBI partage avec d'autres agences fédérales ainsi qu'avec les Marines.

La route de terre débouche sur Hogan's Alley — asphaltée, elle —, juste en dessous d'un décor de place publique servant de site d'entraînement à toutes sortes d'unités, du FBI à l'armée de l'air, en passant par la Brigade des stupéfiants. Pour ne pas tomber au beau milieu d'une libération d'otage, j'ai fait un large détour par la gauche. Ayant ensuite tourné à droite, j'ai descendu la rue Hoover jusqu'au premier module du complexe de béton brun et gris, dont les toits hérissés d'antennes ressemblent à une haie avant la taille de printemps. Arrivée là, j'ai traversé un petit stationnement et abouti enfin au centre de formation et de recherches médico-légales. Il ne me restait plus qu'à grimper la rampe de chargement et à sonner.

Une porte latérale a coulissé. Est apparu dans l'entrebâillement un visage jeune au crâne entièrement chauve, et qui l'était visiblement depuis un bon moment.

— Vous finissez plus tôt aujourd'hui ?

— Non, il faut que j'appelle mon labo.

— Vous voulez le faire de mon bureau ?

— Volontiers, Craig. J'en ai juste pour une minute.

Du moins, l'espérais-je.

— Prenez tout votre temps, je suis plongé dans des vérifications d'équipements.

En raison du labyrinthe de tunnels et de couloirs qui relie les différents bâtiments, on compare souvent l'académie à une cage de hamster, mais le dédale des étages supérieurs n'est rien, comparé au sous-sol. Nous avons traversé un hall en zigzaguant entre des empilements de boîtes et de caisses, des moniteurs usagés et des cantines en fer ; nous avons suivi un couloir qui n'en finissait pas, puis deux autres encore, et nous avons atteint un bureau grand comme un mouchoir de poche où s'entassaient tant bien que mal une table, un fauteuil, une armoire à dossiers et une étagère.

Craig Beacham travaille pour le NCAVC, le Centre national d'analyse des crimes violents, qui est l'un des départements les plus importants du CIRG, le Groupe de réponse aux incidents critiques, qui relève du FBI. Comme l'une des fonctions du NCAVC est de former les spécialistes en relevé d'indices, c'est son département qui supervise mon séminaire pratique. Pendant un temps, le NCAVC s'est appelé

CASKU, Unité des enlèvements d'enfant et des tueurs en série, mais il vient de retrouver son nom d'origine. Quand on fréquente le FBI, mieux vaut connaître son alphabet sur le bout des doigts.

Craig a fait un tas des dossiers éparpillés sur son bureau et les a fourrés dans l'armoire.

— Comme ça, vous aurez de la place pour prendre des notes. Vous voulez que je ferme la porte ?

— Non merci, c'est parfait.

Sur un petit salut de la tête, il a disparu. J'ai pris une profonde inspiration. J'ai branché mon cerveau sur le mode langue française et composé mon numéro.

— Bonjour, Temperance.

Seuls LaManche et le prêtre qui m'a tenue sur les fonts baptismaux s'obstinent à dire mon prénom en entier. Le reste du monde se contente de la version abrégée, Tempe.

— Comment ça va ?

J'ai répondu que j'allais bien.

— Je vous remercie de me rappeler. On patauge un peu dans le macabre par chez nous. Je vais avoir besoin de vos services.

Macabre, avais-je bien entendu ? Le patron ne donne pourtant pas dans l'exagération, d'habitude.

— Oui… ?

— Les motards. Deux morts de plus.

Depuis plus de dix ans, des bandes rivales s'entretuent pour le contrôle du trafic de la drogue au Québec. Pour avoir travaillé sur plusieurs affaires les impliquant, je sais que leurs victimes, abattues par balles et ensuite brûlées, sont impossibles à identifier.

— Oui… ?

— Pour le moment, la police sait seulement que trois Heathens se sont rendus la nuit dernière au repaire des Vipères, munis d'une bombe artisanale de forte puissance. Ayant repéré sur sa caméra de surveillance deux types portant un gros colis entre eux, le Vipère de garde a tiré sur le paquet. La bombe a explosé.

LaManche a marqué une pause.

— Le troisième comparse, le chauffeur qui avait conduit les poseurs de bombe, est dans un état critique. Des

21

deux autres, il ne reste que des morceaux, dont le plus gros ne pèse pas cinq kilos.

Ça promettait…

— Temperance, depuis ce matin j'essaie d'entrer en contact avec le constable Martin Quickwater, qui est à Quantico en ce moment, à une conférence.

— Quickwater?

Le nom ne sonnait pas très québécois.

— C'est un Amérindien. Un Cri, je pense.

— Du Carcajou?

— Oui.

Le Carcajou est une escouade spéciale constituée de policiers de différents services et mise en place pour traiter les affaires criminelles impliquant les gangs de motards au Québec.

— Qu'est-ce que je peux faire pour vous?

— Soyez gentille de lui demander de m'appeler. Je voudrais aussi que vous reveniez le plus vite possible. L'identification des deux Heathens risque de s'avérer difficile.

— On a des empreintes digitales, des fragments dentaires?

— Non, et il y a peu de chances pour qu'on en trouve.

— Des échantillons d'ADN?

— Cela aussi risque d'être compliqué. La situation n'est pas simple. Je préférerais ne pas en discuter par téléphone. Vous pourriez avancer votre retour?

Côté université, cela ne me posait pas de problème. Comme tous les ans, je m'étais organisée pour achever mes cours de la session de printemps à Charlotte à une date me permettant de tenir mon séminaire au FBI. Il ne me restait plus qu'à corriger les copies d'examen. Côté vacances, je comptais passer un moment chez des amis à Washington avant de rentrer à Montréal où je resterais tout l'été. Ce projet tombait à l'eau.

— Je serai là demain.

— Merci. Je crains le pire, Temperance.

Sa chaude voix de basse m'a paru bizarrement enrouée. Tristesse, lassitude?

— Les Heathens ne vont pas en rester là, enchaîna-t-il dans son français très précis. Ils se vengeront, c'est certain. Et les Vipères rétorqueront. Le sang va couler.

Je l'ai entendu prendre une longue inspiration et expirer l'air lentement.

— Je crains que la situation ne dégénère en une guerre véritable où des innocents périront.

Dès que nous avons raccroché, j'ai réservé une place sur le vol US Airways du lendemain matin. Je reposais le combiné quand Craig Beacham est réapparu sur le seuil. Je lui ai parlé de Quickwater.

— Un enquêteur de la GRC.

Par téléphone, il s'est enquis des faits et gestes dudit enquêteur.

— Votre homme assiste en ce moment à un séminaire sur la gestion des situations de crise, dans ce bâtiment-ci.

Il m'a tendu le papier sur lequel il avait griffonné le nom de la salle, et m'a expliqué l'itinéraire à suivre pour m'y rendre.

— Vous n'avez qu'à entrer discrètement et vous asseoir. Ils devraient faire une pause vers trois heures.

Je l'ai remercié. Au bout d'un entrelacs de couloirs, j'ai fini par localiser mon objectif. Il était deux heures vingt. La porte était close, on entendait des voix de l'autre côté. J'ai ouvert et me suis faufilée à l'intérieur.

La pièce était plongée dans le noir, éclairée seulement par le faisceau d'un projecteur et la lueur abricot qui émanait de la diapo à l'écran. Une demi-douzaine de silhouettes autour d'une table ronde se découpait dans l'obscurité. Des têtes se sont tournées vers moi tandis que je me glissais jusqu'à une chaise le long du mur, mais la majorité des gens est restée concentrée. Pendant la demi-heure qui a suivi, j'ai pu admirer dans leurs détails les plus atroces les craintes de LaManche une fois concrétisées : bungalow soufflé par une bombe ; murs éclaboussés de chair ; pelouse jonchée de membres ; torse de femme sectionné ; magma rouge tenant lieu de visage ; boîte crânienne reconstituée à partir de fragments, de sorte que le nombre d'os la composant était dix fois supérieur à la normale ; châssis de véhicule calciné ; main carbonisée pendant à une vitre arrière.

Assis à droite du projecteur, un homme faisait défiler ces diapos de Chicago en commentant la guerre des gangs. Je reconnaissais sa voix mais, n'arrivant pas à distinguer ses traits, je ne pouvais me rappeler son nom. Échanges de coups de feu, explosions, attaques au couteau se succédaient sans relâche. J'essayais en vain d'identifier les personnes autour de la table. Toutes sauf une avaient les cheveux ras. Enfin, les images ont cédé la place à une lumière blanche aveuglante. Le projecteur a continué à bourdonner et les acariens à faire des pirouettes dans le rai de lumière ; les fauteuils ont grincé sous les étirements et les changements de position ; l'intervenant s'est levé pour aller rallumer la lumière, et j'ai enfin reconnu Frank Tulio, un agent du FBI que j'avais eu comme étudiant, des années auparavant. En m'apercevant, il a eu un sourire épanoui.

— Tempe ! Comment ça va ?

Tout en lui est net et précis, de ses cheveux gris coupés au rasoir à ses souliers italiens étincelant de mille feux, pour ne rien dire de sa silhouette, puissante et solide. Un mordu de l'exercice physique, ce Frank. Toujours resté au mieux de sa forme, à l'inverse de nous tous, moi comprise.

— Je n'ai pas à me plaindre. Et toi, toujours au bureau de Chicago ?

— Jusqu'à l'année dernière. J'ai été transféré au CIRG.

En voyant tous les regards braqués sur nous, j'ai brutalement pris conscience du triste état de ma tenue.

— Quelqu'un ne connaîtrait pas le célébrissime docteur des os ? a lancé Frank en se tournant vers ses collègues.

Et d'entamer les présentations. Sourires et petits saluts. Je connaissais plusieurs personnes, dont deux qui ont évoqué en plaisantant des affaires où j'avais joué un rôle. Deux d'entre elles n'étaient pas du FBI. La première était Kate Brophy, dont j'avais repéré la chevelure dans l'ombre ; la seconde, un homme assis à côté d'une autre dame en retrait, une sténotypiste à en juger par l'appareil sur lequel elle tapait.

Kate dirige le service des renseignements du SBI de Caroline du Nord, c'est-à-dire le bureau d'investigation de l'État et non le bureau fédéral. Elle est experte en gangs de motards d'aussi loin que je me souvienne, plus précisément depuis le début des années quatre-vingt quand les Hells Angels faisaient la guerre à d'autres bandes dans les deux États de Caroline. C'est à l'occasion de l'identification de deux victimes des motards que nous nous sommes rencontrées.

Quant à l'homme, c'était Martin Quickwater. Visage large, pommettes saillantes, yeux légèrement bridés, teint couleur brique. Manifestement hypnotisé par l'écran de l'ordinateur portable ouvert devant lui.

— Et vous, les étrangers, vous vous connaissez forcément, a dit Frank.

— Justement pas ! ai-je répondu. Mais il se trouve que le constable Quickwater est la raison de mon intrusion. J'ai un message à lui transmettre.

Ledit Quickwater m'a fait la grâce de cinq secondes d'attention.

— Tu tombes à pic, a répliqué Frank en regardant sa montre. Nous allions faire une pause !

Il a éteint le projecteur.

— Retrouvons-nous à trois heures et demie, après avoir fait le plein de caféine !

Les membres du NCAVC ont quitté la pièce l'un derrière l'autre. En passant devant moi, l'un d'eux m'a dévisagée à travers ses index et ses pouces joints en viseur. Comme nous sommes copains depuis une bonne dizaine d'années, je me suis doutée qu'une blague allait suivre.

— Ravissante, ta nouvelle coupe, Brennan ! Tu as une entente avec le gars qui tond ta pelouse ? Les cheveux et la haie pour le même prix ?

— Il y en a, pas moyen de les arrêter, monsieur l'agent spécial Stoneham ! De vrais travailleurs infatigables !

Il s'est éloigné en riant, me laissant seule dans la pièce avec Quickwater. Tout sourire, j'ai voulu me présenter. Le constable m'a coupée d'un sec : « *I know who you are.* » Avec une pointe d'accent. Piquée, je lui ai retourné une amabilité. Mon aspect négligé me rendait peut-être susceptible, allez savoir ! Je n'avais pas fini de lui dire que LaManche cherchait à le joindre qu'il consultait déjà son téléavertisseur. Il l'a tapé contre sa paume d'un coup sec.

— Les piles.

Soupir et hochement de tête agacés, avant de le réinsérer dans l'étui pendu à sa ceinture, tout en me scrutant d'un regard intense. Il avait des yeux si noirs qu'on ne distinguait pas la pupille de l'iris. Quand j'ai terminé mon laïus, il a encore hoché la tête et tourné les talons.

J'en suis restée clouée sur place. Sympathique, le collègue ! Non seulement j'écopais de deux motards en bouillie à remettre bout à bout, mais voilà qu'on me flanquait d'un mufle pour associé. J'ai récupéré mon sac et suis repartie dans les bois. Ce cher Quickwater ne perdait rien pour attendre. J'en avais mâté de plus coriaces que lui.

Chapitre 3

Rien à signaler à propos du vol jusqu'à Montréal, si ce n'est le dédain manifeste de Martin Quickwater à mon endroit. Il ne m'a pas adressé un mot de tout le voyage et n'a pas davantage jugé utile de venir occuper l'un des sièges libres de ma rangée. En tout et pour tout, nous avons échangé deux hochements de tête : l'un à l'aéroport de Washington-Reagan, l'autre à Dorval dans la file à la douane. Son indifférence me convenait parfaitement, je n'avais aucune envie de devenir copain-copain avec cet individu.

J'ai pris un taxi jusqu'à mon appartement du centre-ville. Là, une fois mes bagages déchargés, j'ai fait son affaire à un burrito surgelé et j'ai filé au labo, dans l'est de la ville, à bord de ma vieille Mazda qui avait bien voulu démarrer à la quatrième tentative.

Le Laboratoire de médecine légale se trouve dans l'immeuble de la Sûreté du Québec. Pendant des années, nos divers départements de recherche criminelle en ont occupé le cinquième étage, la morgue et les salles d'autopsie étant reléguées au sous-sol. Les deux derniers niveaux abritaient un centre de détention. Mais depuis que celui-ci a été transféré ailleurs, à la suite d'une rénovation générale du bâtiment qui a coûté des millions à l'État, nos labos ont investi les douzième et treizième étages. Cela fait des mois que nous avons emménagé dans nos nouveaux locaux, mais je continue à m'ébahir de tout : de la vue spectaculaire sur le Saint-Laurent dont je jouis depuis mon bureau, comme des dernières merveilles technologiques qui équipent mon labo personnel.

Le vendredi à trois heures et demie, l'activité habituelle commence à se calmer. Les portes se verrouillent les unes après les autres et, bientôt, notre armée de savants et de techniciens en blouses blanches se réduit à quelques combattants. J'ai ouvert mon bureau et suis allée suspendre ma veste au portemanteau. L'une des trois feuilles blanches qui reposaient sur ma table portait la signature de LaManche : « Demande d'expertise en anthropologie ».

C'est souvent par ce formulaire que s'établit le tout premier contact entre une affaire et moi. Rempli par le médecin légiste, il comporte les données indispensables à l'archivage du cas. Colonne de droite : numéro du labo ; numéro de la morgue ; numéro du dossier de police. Colonne de gauche : nom du médecin légiste ; nom de l'officier judiciaire ; nom de l'enquêteur de police. C'est clair et net : le corps restera un numéro d'archives, tant que le couperet de la justice ne sera pas tombé.

Personnellement, je ressens le meurtre comme le viol ultime subi par un être de son vivant et je perçois tout fonctionnaire chargé de l'enquête comme l'ultime voyeur de sa profanation. J'ai beau faire moi-même partie du lot, je ne peux m'habituer à la froideur générale. Je ne nie pas qu'un certain détachement soit de mise si l'on tient à conserver un tant soit peu son équilibre mental, mais je trouve que l'on pourrait manifester un petit peu plus d'humanité envers les victimes.

Dans le cas présent, le résumé des faits ne différait que sur un point de ce que m'en avait dit LaManche au téléphone : le poids du plus gros reste humain. Des deux cent quinze fragments de chair et d'os récupérés à ce jour, le plus lourd pesait cinq kilos et demi.

Ignorant les autres papiers et messages qui s'amoncelaient sur ma table, je me suis mise en quête de mon patron.

Je ne l'ai pour ainsi dire jamais vu autrement qu'en blouse blanche ou en tenue verte de chirurgien. Son style, c'est le veston de tweed. L'imaginer en blazer écossais me serait impossible. Et encore moins riant aux éclats, car c'est un homme taciturne. Mais il est d'une vraie bonté. Surtout, il est, et de loin, le meilleur médecin légiste avec qui il m'ait été donné de travailler.

Par la cloison vitrée de son bureau, je l'ai aperçu, silhouette massive penchée sur des papiers. Livres et périodiques s'amoncelaient à côté de dossiers multicolores. J'ai cogné doucement à la porte, il a relevé la tête et, d'un geste, m'a invitée à entrer.

La pièce sentait un peu la pipe. C'est d'ailleurs souvent la seule odeur à prévenir de l'arrivée de LaManche, car il marche sans faire le moindre bruit.

— Je vous remercie infiniment d'avoir hâté votre retour, Temperance, m'a-t-il dit en accentuant la dernière syllabe de mon nom, comme s'il fallait absolument qu'il rime avec France. Prenez un siège, voulez-vous.

Il s'exprime dans un français châtié, sans jamais s'autoriser une expression argotique ou une contraction de syllabes.

Nous nous sommes installés à une petite table sur laquelle s'empilaient plusieurs grandes enveloppes brunes.

— Je sais que la journée est trop avancée pour commencer les analyses, mais peut-être accepteriez-vous de travailler demain ?

Quand il pose une question, sourcils levés en accent circonflexe, les rides de son front s'étirent en parallèle au-dessus de ses yeux pour obliquer brutalement vers les pommettes et rejoindre les profondes lignes verticales qui sillonnent son visage chevalin.

— Oui, bien sûr, ai-je répondu.

— Vous pourriez commencer avec les radios.

Il a désigné les enveloppes sur la table et fait pivoter son fauteuil pour en attraper d'autres sur son bureau, brunes elles aussi mais de taille plus petite, ainsi qu'une cassette vidéo.

— Vous trouverez ici des photos des lieux et de l'autopsie préliminaire. Les deux motards qui portaient la bombe ont été pulvérisés et leurs restes éparpillés sur une vaste étendue. La majeure partie de ce qu'on a récupéré a été grattée sur les murs et les buissons alentour, ou bien cueillie dans les arbres. Bizarrement, les plus gros morceaux ont été récoltés sur le toit du repaire des motards. Vous verrez qu'un fragment de thorax porte un bout de tatouage. Peut-être cela vous aidera-t-il à établir l'identité.

— On a appris des choses par le chauffeur ?

— Il est décédé à l'hôpital, ce matin.

— Et par celui qui a tiré ?

— Il est en garde à vue. Mais on n'obtient jamais rien de ces gens-là. Ils préfèrent aller en prison plutôt que de livrer un renseignement à la police.

— Même si cette information concerne un gang rival ?

— S'il parle, c'est un homme mort et il le sait.

— On n'a toujours pas trouvé d'empreintes digitales, ni de fragments dentaires ?

— Rien.

LaManche s'est passé la main sur le visage. Il a haussé les épaules et les a laissé retomber, puis il a croisé les mains sur ses genoux.

— Je crains que nous n'arrivions jamais à faire le tri parmi tous ces restes.

— Pas d'ADN non plus ?

— Avez-vous entendu parler des frères Vaillancourt ?

J'ai fait non de la tête.

— Le Clic et le Clac, Ronald et Donald Vaillancourt. Tous deux membres des Heathens et totalement dévoués à leur cause. Il y a quelques années, l'un des deux, je ne sais plus lequel, a été impliqué dans l'exécution de Claude Dubé, dit le Couteau.

— La police pense que ce sont eux les victimes ?

— Oui.

Ses yeux mélancoliques ont plongé dans les miens.

— Le Clic et le Clac sont de vrais jumeaux.

À sept heures du soir, j'avais passé en revue la documentation toute entière à l'exception de la vidéo. Armée d'une loupe, j'avais étudié des centaines de gros plans. Les fragments osseux et les chairs sanglantes étaient de toutes formes et de toutes tailles. Sur les plans larges, un rond rouge ou jaune assorti d'une flèche entourait les résidus, les uns dans l'herbe, les autres accrochés aux branches ou encore écrasés sur des blocs calcinés. Sur les plans rapprochés, les flèches pointaient vers des débris de verre et des lambeaux de papier goudronné, quand ce n'était pas vers des morceaux de tôle ondulée provenant de la toiture.

Les restes avaient été livrés à la morgue dans de grands sacs en plastique noir, contenant des kyrielles de sachets transparents à fermeture étanche, soigneusement numérotés. Ils renfermaient chacun un morceau d'être humain, un échantillon de terre, de tissu, de métal ou d'autre chose encore. La variété des matières était telle qu'un simple coup d'œil ne permettait pas de les identifier toutes.

Les photos présentaient d'abord les gros sacs scellés, puis les sachets transparents déployés sur la table d'autopsie et, enfin, leur contenu, classé par catégories. Sur ces derniers clichés, la chair humaine était répartie sur plusieurs rangées, comme de la viande à l'étal d'une boucherie. J'ai reconnu des morceaux de crâne, une partie de tibia, un col de fémur et une portion de tête munie de son oreille entière, la droite. Il y avait aussi des gros plans d'extrémités d'os brisés, de cheveux, de fibres, de lambeaux de tissu adhérant à la chair. Le tatouage mentionné par LaManche était clairement visible. Il représentait trois crânes dont les cavités des yeux, de la bouche et des oreilles étaient cachées par un squelette de main. Ironie incroyable, puisque son propriétaire ne pourrait plus ni voir, ni entendre, ni parler.

Des photos, je suis passée aux radiographies. Les rayons X révélaient un nombre de fragments osseux bien supérieur à ce qu'on pouvait voir sur les photos. LaManche avait raison : l'abondance de spécimens allait certainement me faciliter la tâche pour déterminer l'origine anatomique de certains tissus, mais l'imbrication des matières allait me la compliquer sérieusement quand j'en serais à répartir les morceaux entre les deux frères.

Séparer des corps enchevêtrés n'est jamais une tâche facile, surtout s'il s'agit de restes très abîmés ou incomplets. Toutefois, le travail est infiniment plus ardu quand les morts sont de sexe, d'âge et de race identiques. Une fois, j'ai passé des semaines à analyser les ossements et la chair décomposée de sept prostitués mâles, ensevelis ensemble dans une minuscule cavité sous la maison de leur assassin. Tous des adolescents blancs. C'est à la différence d'ADN que je dois d'avoir réussi à établir qui était qui. Dans le cas présent, si les jumeaux étaient monozygotes, c'est-à-dire formés à partir d'un même œuf, je risquais de me trouver en présence d'ADN identique. J'aurais alors peu de chances de rendre à chacun son nom.

Mon estomac m'a signifié par des gargouillis qu'il était l'heure de rentrer au bercail. J'ai attrapé mon sac, enfilé ma veste et quitté les lieux. Fatiguée et découragée.

Mon répondeur clignotait et n'indiquait qu'un seul message. J'ai pris le temps d'installer sur la table du salon mon repas japonais acheté chez le traiteur et d'ouvrir un Coke Diète, avant de l'écouter. C'était Kit, m'annonçant qu'il passerait demain avec son père pour me ramener mon chat. Partis du Texas, mon neveu et mon beau-frère faisaient route pour le Vermont, fermement décidés à pêcher tout poisson ayant l'obligeance de mordre à leurs hameçons en cette saison de l'année. Bonne façon de resserrer les liens familiaux. Comme Birdie préfère l'espace et le confort d'une caravane à la célérité des transports aériens, nous étions convenus qu'ils feraient un détour par Charlotte pour le prendre et me l'amener ici.

J'ai découpé mon rouleau maki, j'en ai trempé un morceau dans la sauce et je l'ai avalé. Je m'apprêtais à répéter l'opération avec la tranche suivante quand la sonnette de l'interphone a retenti. Intriguée, je suis allée consulter l'écran de contrôle.

Andrew Ryan s'y pavanait, adossé au mur du vestibule. Avec son mètre quatre-vingt-sept, ses yeux bleus et ses traits anguleux, vêtu comme il était d'un jeans délavé et d'un blouson d'aviateur sur un t-shirt noir, portant des chaussures sports, il m'a fait penser à un Cal Ripkin mâtiné d'Indiana Jones. Quant à moi, j'étais le portrait craché de Phyllis Diller avant qu'elle se maquille. J'ai poussé un soupir, mais j'ai ouvert néanmoins.

— Salut, Ryan ! Quoi de neuf ?

— J'ai vu de la lumière. Je me suis dit que tu devais être rentrée plus tôt que prévu…

Il m'étudiait d'un œil critique.

— La journée a été dure ?

— Un voyage en avion et des monceaux de chair à trier.

Nonobstant mon ton défensif, j'ai ramené mes cheveux derrière mes oreilles.

— Tu entres?

— Pas le temps.

J'ai noté qu'il portait son téléavertisseur et son arme.

— Je passais voir si tu avais des projets pour le souper de demain.

— J'ai peur d'être un zombie, je dois trier les victimes de l'attentat à la bombe. Ça me prendra toute la journée.

— Il faudra bien que tu manges.

— Il faudra bien que je mange.

Il a posé une main sur mon épaule et, de l'autre, s'est mis à tournicoter une mèche de mes cheveux.

— Si tu es fatiguée, on sautera la partie souper. On passera directement à la partie relax, m'a-t-il dit sur un ton de basse.

— Mmm.

— Tu ne trouves pas que ça élargit nos horizons?

Il a remis mes cheveux en place et m'a frôlé l'oreille de sa bouche.

— Que si! Ça mérite même que je porte un string!

— Tu sais que tu peux compter sur mon indulgence!

Je lui ai lancé un regard signifiant «Ben voyons!» pendant que mes lèvres articulaient:

— Ça te dirait, du chinois?

— Je n'ai rien contre…

Il avait rassemblé mes cheveux et les tournicotait en bouchon au sommet de mon crâne. Les laissant retomber, il m'a attirée contre lui. Avant que j'aie pu réagir, il m'avait serrée dans ses bras et forçait sa langue dans ma bouche.

Ses lèvres étaient douces, sa poitrine solide contre la mienne. J'ai commencé par le repousser, réaction qui était à l'exact opposé de mon désir, puis je me suis laissée aller avec un soupir. Mon corps s'est modelé au sien et les horreurs de la journée se sont évaporées. L'espace d'un instant, la folie des bombes et des enfants assassinés a cessé d'exister.

— Tu es sûr que tu ne veux pas entrer? ai-je réussi à proférer avant que nous ne mourrions asphyxiés.

J'avais fait un pas en arrière et me retenais au battant de la porte, les jambes soudain en coton. Comme Ryan regardait sa montre, j'ai insisté:

— Ce n'est pas une demi-heure qui va changer quelque chose.

Et voilà que son téléavertisseur n'a rien trouvé de mieux que de sonner. Après un coup d'œil à l'écran, il a replacé l'appareil dans son étui à la ceinture de son jeans en lâchant un « crisse ! » d'une voix de chien battu.

Ça oui, alors ! Crisse de crisse !

— Désolé a-t-il continué, je préférerais vraim…

— Vas-y, va…

De mes deux mains à plat sur sa poitrine, je l'ai repoussé. Gentiment, et avec le sourire.

— À demain. Sept heures et demie.

— Pense à moi, a-t-il dit.

Sur ce, il a tourné les talons et s'est élancé dans le couloir. Quant à moi, je suis retournée à mon repas. En pensant à qui ? Pas à mon sushi, on s'en doute.

Andrew est enquêteur à la section criminelle de la SQ, et il m'arrive de travailler sur les mêmes affaires que lui. Cela fait des années qu'il m'invite en toutes sortes d'occasions, mais je n'ai commencé à accepter ses propositions que depuis peu de temps. Et en me forçant. Après vingt ans de mariage et plusieurs autres de célibat plutôt chaste, l'idée de mener une relation suivie ne me tentait pas vraiment. De plus, j'ai la mauvaise habitude de m'en tenir à la règle « pas d'amour au bureau. » Toutefois, comme nous ne travaillons pas ensemble au sens strict du mot, rien ne m'obligeait à suivre cette consigne à la lettre, hormis mon bon vouloir. Et, comme j'aimais bien passer du temps avec Ryan, j'ai fini par me rendre à ses vues. Disons que j'ai décidé de tenter le coup. De m'étourdir. De « sortir avec lui », pour reprendre l'expression de ma sœur. Et je la déteste, cette expression !

Quoi qu'il en soit, cet arrangement avec mes principes me dérange un peu. Je ne cacherai pas que j'ai toujours trouvé Ryan fabuleusement sexy. Comme la plupart des femmes, d'ailleurs. Où que nous allions, je vois leurs regards le jauger. J'entends même les questions qu'elles se posent dans leurs petites têtes. Moi aussi, je m'interroge. Pour le moment, le bateau est encore au port, mais les moteurs ronflent déjà, prêts au départ. La preuve, ce flageolement dans les jambes que je venais d'éprouver. Oui, souper à l'extérieur était certainement moins risqué.

Le téléphone a sonné alors que je débarrassais la table.

— Mon Dieu, tu es là !

Voix de gorge profonde, accent à couper au couteau : Isabelle Caillé ! Bien que je ne la connaisse que depuis deux ans, nous sommes devenues très proches. Nous nous sommes rencontrées au cours d'une période mouvementée de ma vie, alors qu'en l'espace d'un seul été un psychopathe dangereux m'avait prise pour cible, que ma meilleure amie avait été assassinée et que certains événements m'avaient obligée à admettre que mon mariage était un fiasco. Débordant de pitié pour ma petite personne, je m'étais inscrite au Club Med dans l'intention de noyer mon chagrin dans la bonne bouffe et le sport. Le tennis, pour être exacte. Et c'est là que j'avais rencontré Isabelle, dans l'avion qui nous emmenait à Nassau. Après, nous avions fait équipe ensemble et remporté le tournoi en double. De fil en aiguille, nous avions découvert que nous nous trouvions au Club pour des raisons similaires, et nous avions passé une semaine délicieuse. De là, notre amitié.

— Je ne t'attendais pas avant la semaine prochaine. Je voulais te laisser un message, mais puisque tu es là, mangeons ensemble demain.

Je lui ai fait part de mes projets avec Ryan.

— Oh, tu as tiré le bon numéro avec ce chevalier servant ! Le jour où tu le laisses tomber, préviens les copines. Je lui refilerais volontiers deux, trois idées sur lesquelles plancher, à celui-là. À part ça, quel bon vent te ramène par chez nous ?

— L'attentat à la bombe.

— Ah, oui. J'ai lu ça dans *La Presse*. Dis donc, ça n'a pas l'air joyeux !

— Oui, les victimes sont plutôt moches à voir.

— Ces motards ? Si tu veux mon avis, ils n'ont que ce qu'ils méritent !

Jamais à court d'opinions, Isabelle. Et on ne lui reprochera pas non plus de ne pas les partager avec son entourage.

— La police devrait les laisser s'entre-tuer. Comme ça, tu n'aurais pas besoin de fouiller leurs sales cadavres, couverts de tatouages dégoûtants.

— Mouais.

— Je veux dire, ce n'est quand même pas comme d'assassiner des enfants !

— Non, bien sûr, ai-je répondu.

Le lendemain, samedi, Emily Anne Toussaint allait trouver la mort alors qu'elle se rendait tranquillement à son cours de danse.

Chapitre 4

Howard et Kit m'avaient ramené le chat à sept heures du matin et ils avaient repris la route. Birdie m'avait ignorée. À huit heures, il en était toujours à renifler l'appartement en quête d'une incursion canine perpétrée en son absence. Le laissant à son affaire, je suis partie pour le labo. J'ignorais encore que le corps d'Emily Anne arriverait à la morgue, un peu après midi.

Comme nous étions samedi, j'étais seule à travailler. Ayant besoin d'espace, de deux tables au moins, pour réassembler les corps des deux motards, je me suis installée dans la grande salle d'autopsie. J'ai commencé par trier les fragments contenant des os visibles à l'œil nu puis, en me fondant sur les radiographies, j'ai disséqué les chairs présentant du tissu osseux dans l'espoir d'y découvrir des marques quelconques. Chaque fois que je trouvais des éléments en double, je les répartissais entre les tables. Les deux tubercules pubiens gauches, les deux mastoïdes droites ou les deux condyles fémoraux de même côté m'ont confirmé que j'avais bien devant moi les restes de deux individus distincts.

La présence d'une ligne transversale sur un fragment de diaphyse m'a laissé présager qu'un des deux motards au moins avait subi une interruption de croissance. Ces marques, qui ne s'effacent jamais, apparaissent en effet sur le squelette dès qu'un enfant s'arrête de grandir, que ce soit pour cause de longue maladie ou de malnutrition. Les radios de nombreux fragments osseux, provenant aussi bien des jambes que des bras, révélaient une succession de bandes opaques transversales, signe que la croissance de cet individu ne s'était pas interrompue qu'une seule fois. J'ai réparti sur des tables différentes les os qui portaient ces traces et ceux qui n'en portaient pas.

Un amas de chair écrasée contenait de nombreux os de la main, dont deux métacarpes présentant des irrégularités au niveau de la diaphyse. Or, la radio révélait une densité osseuse plus importante à ces mêmes endroits. J'en ai conclu que le propriétaire de ces mains avait dû se casser des doigts à un moment de sa vie.

Les chairs dépourvues d'os sont une tout autre affaire. Il convient de les étudier, comme qui dirait, à l'envers, en partant du vêtement, d'examiner en même temps la chair et les lambeaux de tissu qui y adhèrent. Il s'agit d'assortir les fils et les fibres découverts sur des plateaux distincts ; autrement dit : d'effectuer un va-et-vient constant de l'un à l'autre. Ensuite, seulement, peut-on comparer entre eux les résidus appartenant au même groupe. Dans le cas présent, j'étais en bonne voie de reconstituer un tissu à carreaux, une grosse toile de coton assez typique des pantalons de travail, du tissu de jeans et du coton blanc. Plus tard, les analyses approfondies des spécialistes en cheveux et fibres valideraient ou non mes conclusions.

Après un dîner rapide, je me suis entretenue avec LaManche et j'ai repris le boulot. Vers cinq heures et quart, j'avais trié à peu près les deux tiers des éléments, mais je n'avais pas grand espoir, en l'absence d'ADN, de parvenir à déterminer à qui ils appartenaient. Enfin…, j'avais fait de mon mieux.

Surtout, je m'étais donné un but.

Tout en m'échinant à rabouter la bouillie qui restait des frères Vaillancourt, je m'étais surprise à éprouver non pas la pitié que je ressens d'habitude à l'égard des victimes, mais bien de l'agacement. Dans cette affaire, me disais-je, tel est pris qui croyait prendre. Finalement, la justice avait prévalu. De façon radicale, certes, mais le fait avait de quoi m'épater. Et si ma compassion allait vers quelqu'un, c'était vers la petite fille qui se retrouvait sous le scalpel de LaManche pour l'unique raison qu'elle s'était rendue à un cours de danse au mauvais moment. Face à cette réalité, mon émotion se teintait de colère. Je ne pouvais admettre qu'on se contente de porter la mort d'un enfant au compte des « dommages collatéraux », comme dans les guerres à outrance. Les Vipères pouvaient trucider les Heathens, et les Outlaws massacrer Bandidos, Pagans ou Hells Angels autant que ça leur chantait, ils n'avaient pas le droit d'assassiner des innocents ! Pour ma part, j'utiliserais tous mes talents d'anthropologue à débusquer les preuves susceptibles de conduire à l'arrestation de ces fous dangereux. C'était cela mon but. J'y consacrerais le temps qu'il faudrait, mais les enfants pourraient marcher en ville sans risquer d'être fauchés par une balle perdue. J'en faisais le serment.

Après avoir rangé les restes triés dans les frigos, je me suis nettoyée et changée pour aller trouver mon patron.

— Je veux m'occuper de cette affaire, ai-je déclaré d'une voix résolue, quoique paisible. Je veux coincer ces ordures qui assassinent des enfants.

Son regard vieux et fatigué m'a scrutée pendant une éternité. Cela faisait déjà un bon moment que nous discutions du cas d'Emily Anne Toussaint et de celui d'un autre adolescent, Olivier Fontaine, tué, lui, dans l'explosion d'une voiture piégée dans l'Ouest-de-l'Île alors qu'il se rendait à bicyclette à un entraînement de hockey. Mort sur le coup… Transformé en passoire, le jour de ses douze ans ! En décembre 1995. Le public s'était ému. Parce que l'affaire impliquait Hells Angels et Rock Machine, un groupe d'intervention multiple avait été créé pour combattre les crimes commis par les motards : l'escouade Carcajou.

— Temperance, je ne peux pas…

— Je ferai tout ce qu'il faudra. Au besoin, je prendrai sur mes jours de congé. Ne me dites pas que le Carcajou souffre d'un surplus d'effectifs, ce serait bien la seule unité dans ce cas. S'il le faut, je rentrerai des informations dans l'ordinateur, je fouillerai les archives, je ferai la liaison entre plusieurs départements. Tiens, avec les organismes américains en place…

— Ne vous emballez pas, Temperance. Cela n'est pas de mon ressort. Je vais en référer à M. Patineau, a-t-il ajouté en me tendant la main.

C'est en effet à Stéphane Patineau, directeur général du labo, qu'il revient d'entériner les décisions importantes.

— Je vous garantis que je ne laisserai pas ma collaboration au Carcajou interférer avec mon travail.

— Je le sais, et je vous promets de lui en parler lundi à la première heure. Maintenant, rentrez chez vous et bonne fin de semaine.

Je lui ai souhaité à mon tour un bon week-end.

* * *

La fin de l'hiver au Canada n'a rien à voir avec ce qui se passe à la même époque dans les contreforts montagneux de Caroline du Nord ou du Sud. Dans mon pays d'origine, le printemps s'introduit à pas feutrés. Vers la dernière semaine de mars, l'air s'adoucit et les fleurs commencent à éclore, alors que chez les Québécois, le temps reste gris et frisquet. La plus grande partie d'avril, rues et trottoirs brillent sous la neige fondue et les malheureux doivent encore attendre six longues semaines avant de pouvoir semer jardins et bacs à fleurs. Mais un jour, subitement, le printemps fait irruption avec une exubérance à couper le souffle. Et la population répond à cette explosion de verdure avec un enthousiasme inégalé sur toute la planète.

Pour l'heure, il faisait noir et il bruinait. Montréal aurait à subir encore quelques semaines de grisaille. J'ai fermé mon blouson jusqu'au col et, la tête rentrée dans les épaules, j'ai foncé jusqu'à ma voiture.

Le bulletin d'informations a débuté juste au moment où je m'engageais dans le tunnel Ville-Marie. L'affaire Toussaint y tenait la première place. Emily Anne aurait dû recevoir aujourd'hui un prix pour une rédaction intitulée « Que vivent les enfants ! » À la sortie du tunnel, j'ai éteint la radio, me réjouissant de passer la soirée avec quelqu'un qui saurait me remonter le moral. Nous ne parlons jamais du boulot, Ryan et moi.

Vingt minutes plus tard, à l'instant même où j'ouvrais ma porte, le téléphone s'est mis à sonner. Il était sept heures moins dix. Dans quarante minutes, Ryan serait là. Je n'avais que le temps de prendre une douche, ce qui n'était pas un

40

luxe. J'ai abandonné ma veste sur le canapé du salon. Déclic du répondeur. Je me suis entendue demander qu'on laisse un bref message. Birdie est entré me saluer au moment même où Isabelle s'écriait :

— Tempe, si tu es là, réponds ! C'est important !

Pause.

— Merde !

Je n'avais pas envie de lui parler, mais l'inquiétude qu'il y avait dans sa voix m'a poussée à décrocher.

— Allume la télé sur CBS ! m'a-t-elle ordonné, sans seulement répondre à mon bonjour.

— Si c'est à propos de la petite Toussaint, je suis au courant. Je rentre tout juste du labo.

— Allume, je te dis !

J'ai saisi la télécommande et j'ai regardé.

Pétrifiée d'horreur.

Chapitre 5

… lieutenant Ryan faisait l'objet d'une enquête depuis plusieurs mois. Mis en examen pour recel et commerce de substances illicites et relevé de ses fonctions sans indemnité jusqu'à la fin de l'enquête, il s'est rendu sans résistance aux agents du SPCUM venus l'arrêter cet après-midi devant chez lui, près du Vieux-Port. Et maintenant, en provenance des marchés finan…

— Tempe ! criait Isabelle.

J'ai reporté le combiné à mon oreille.

— C'est lui, n'est-ce pas ? Andrew Ryan. Crimes contre la personne, Sûreté du Québec ?

— Il doit y avoir une erreur, ai-je rétorqué en scrutant le répondeur.

Aucune lumière ne clignotait. Ryan ne m'avait pas laissé de message.

— Je te quitte, il ne va pas tarder.

— Il est en taule, Tempe !

— Faut que j'y aille, on se rappelle demain.

J'ai téléphoné à Ryan. Pas de réponse. J'ai essayé avec son téléavertisseur, même chose. J'ai tapé mon numéro pour qu'il me rappelle. Et puis, j'ai fixé le chat : il n'en savait pas plus que moi.

Vers neuf heures, j'ai fini par admettre que Ryan ne viendrait pas. J'avais téléphoné sept fois chez lui sans succès et n'avais pas davantage réussi à joindre son coéquipier. J'ai entrepris de corriger les copies d'examen que j'avais emportées de Charlotte. Mais j'étais incapable de chasser Ryan de mon esprit. Les minutes s'égrenaient et je relisais pour la centième fois la même page, sans comprendre un traître mot de ce qu'avait pondu l'étudiant. Birdie était venu se nicher au creux de mes jambes, infime réconfort.

Je ne pouvais y croire, je ne voulais pas y croire. Il y avait forcément une erreur.

À dix heures, je me suis plongée dans un bain chaud et mousseux où j'ai traîné longtemps. Ensuite, je me suis fait des spaghettis surgelés et les ai emportés au salon pour les manger au son de la musique. J'ai sélectionné les CD avec un soin extrême, en espérant qu'ils me redonneraient un semblant de gaieté. Birdie blotti contre moi, j'ai essayé de lire. Peine perdue. À croire que Pat Conroy avait écrit son bouquin en chinois.

J'avais beau avoir vu Ryan, les mains menottées dans le dos ; j'avais beau avoir vu des policiers lui courber la tête pour le faire entrer à l'arrière d'une voiture, mon esprit se refusait à admettre le fait. Andrew Ryan aurait été un trafiquant de drogues et je me serais trompée à ce point sur lui ? Mais quand s'était-il mis à ce commerce ? Avant que nous ne fassions connaissance ? Non ! Tout cela n'était qu'une monstrueuse erreur. Forcément !

Les spaghettis refroidissaient dans le plat. Les Big Bad Voodoo Daddy et le Johnny Favourite band auraient fait se trémousser un goulag tout entier, je demeurais prostrée. Le crachin s'était transformé en une pluie qui tambourinait sur les carreaux avec un bruit mat. Était-ce vraiment le printemps dans mon autre chez-moi ? Non, ma Caroline devait se situer dans un univers parallèle. Je me suis décidée à planter ma fourchette dans l'assiette et à tourner les spaghettis. Leur odeur m'a donné la nausée.

Andrew Ryan était un criminel. Emily Anne Toussaint était morte. Katy, ma fille, qui faisait le tour du monde à bord du *S.S. Universe Explorer* pour sa session de printemps, devait être quelque part sur l'océan Indien à cette heure, et elle ne serait pas de retour avant cinq semaines. À qui d'autre confier ma peine ? Les pensées se bousculaient dans ma tête comme la foule aux heures de pointe. J'ai emporté mon verre de lait dans ma chambre et j'ai regardé dehors par la fenêtre entrouverte. Arbres et bosquets se détachaient en ombres noires sur le brouillard sombre et luisant. Au-delà, des néons clignotaient et des faisceaux de lumière trouaient l'obscurité : l'enseigne du dépanneur du coin et les phares des voitures qui passaient à vive allure. Des piétons se hâtaient de rentrer, j'entendais leurs talons cliqueter sur le trottoir mouillé. C'était le spectacle habituel et normal d'une soirée pluvieuse comme le mois d'avril en connaît tant. J'ai laissé retomber le rideau. Mon monde à moi avait-il une chance de réintégrer la normale ?

Le lendemain, je me suis interdit d'allumer radio ou télé pendant que je déballais mes bagages et astiquais de fond en comble la maison. Ce n'est qu'en revenant du marché que je me suis autorisée à lire le journal. Et en diagonale seulement.

La *Gazette* titrait : « Une écolière tuée dans une sanglante fusillade ». En mortaise, un portrait d'Emily Anne en uniforme d'écolière, rubans roses au bout des tresses. Ce sourire édenté qui ne serait jamais comblé était poignant. La photo d'à côté l'était tout autant. Une noire fluette, soutenue par deux femmes imposantes, noires elles aussi, les mains jointes sous le menton, la tête rejetée en arrière, ses grosses lèvres pincées par un sanglot : la mère d'Emily Anne. L'article ne donnait guère de détails, si ce n'est que la petite fille avait deux sœurs de six et quatre ans, Cynthia Louise et Hannah Rose, que sa mère travaillait dans une boulangerie et que son père était mort dans un accident de travail, trois ans auparavant. Originaires de la Barbade, les Toussaint avaient émigré à Montréal pour offrir une vie meilleure à leurs enfants. L'enterrement aurait lieu jeudi au cimetière Notre-Dame-des-Neiges, après des obsèques à l'église catholique de Notre-Dame-des-Anges, à huit heures du matin.

Je n'ai rien voulu lire se rapportant à Ryan. Je voulais tout apprendre de sa bouche. Je lui avais laissé plusieurs messages dans la matinée. Il demeurait injoignable, tout comme Jean Bertrand, son coéquipier. Que faire de plus ? Appeler le SPCUM, la SQ ? Cela n'aurait servi à rien. Des parents ou des amis de Ryan ? Je n'en connaissais pas.

Je suis allée faire un tour au centre sportif et suis rentrée souper à la maison. Au menu : blanc de poulet aux pruneaux, riz au safran accompagné de carottes et de champignons. Mon félin aurait certainement préféré du poisson.

Le lundi matin, sitôt arrivée au labo, je suis passée chez LaManche. Étant en conférence avec trois enquêteurs, il m'a seulement priée de me rendre chez le directeur général sans attendre. J'ai suivi le couloir qui dessert les secrétariats des différents services — médecine légale, anthropologie, odontologie, histologie et pathologie —, puis celui qui sépare les sections Documents, à gauche, et Imagerie, à droite. Arrivée à l'accueil, j'ai tourné à gauche dans la partie de l'étage réservée aux services administratifs du labo. Le bureau de Stéphane Patineau se trouve tout au bout.

Il était au téléphone. J'ai pris un siège en face de lui. Sa conversation terminée, il s'est renversé dans son fauteuil et m'a fixée longuement. Il a des yeux bruns très sombres, des paupières lourdes et des sourcils touffus. En ce qui concerne la calvitie, il n'a pas à s'en faire.

— Le D^r LaManche me dit que vous souhaitez participer à l'enquête Toussaint.

— Je crois pouvoir me rendre utile au Carcajou. J'ai déjà travaillé sur plusieurs affaires de motards. D'ailleurs, c'est moi qui suis chargée de trier les restes des victimes de l'attentat à la bombe contre le repaire des Vipères. Je pourr…

Il a balayé de la main le reste de ma phrase.

— Le directeur du Carcajou souhaite justement que nous lui détachions quelqu'un pour faire la liaison entre nos deux services. Compte tenu de l'ampleur que prend la guerre des motards, il tient à ce que tout le corps médico-légal, y compris notre labo, soit sur la même longueur d'onde que ses enquêteurs.

Je n'ai pas attendu la suite pour m'écrier :

— Je m'en charge volontiers.

— Vous allez avoir du pain sur la planche, ici, quand le fleuve sera dégelé et que les randonneurs auront envahi les bois.

Il n'avait pas tort. Dès que le temps se réchauffe, les morts de l'hiver refont surface, les noyés, tout comme les cadavres en décomposition.

— Les heures supplémentaires ne me font pas peur.

— J'avais pensé à désigner Réal Marchand, mais puisque vous y tenez… Vous avez mon accord. De toute façon, ce n'est pas un travail à temps plein. Ils donnent une conférence cet après-midi à trois heures, a-t-il ajouté en me tendant l'adresse. Je les appellerai pour les prévenir de votre venue.

— Merci. Vous ne regretterez pas de m'avoir choisie.

Il m'a raccompagnée à la porte.

— Du nouveau sur les frères Vaillancourt?

— Nous en saurons plus dès que nous aurons reçu leurs dossiers médicaux. Aujourd'hui, j'espère.

— *Go get'em, Tempe!* a-t-il ajouté.

Et les deux pouces levés pour appuyer ses dires.

Je lui ai rendu son geste. Il a réintégré son bureau sur un haussement de l'épaule qui m'a révélé une musculature à faire pâlir d'envie bien des culturistes. Cela dit, Patineau possède un remarquable talent d'administrateur.

Au labo, de même qu'à la police judiciaire, le lundi est généralement jour de pointe. Celui-ci n'a pas fait exception. La réunion du matin n'en finissait pas, tant il y avait d'affaires à traiter.

Une petite fille décédée à l'hôpital, que sa mère reconnaissait seulement avoir un peu secouée. Or, quand un enfant de plus de trois ans présente des symptômes évoquant le syndrome «du bébé secoué», on est en droit de se poser des questions. Surtout s'il porte à la tête une lésion causée, à première vue, par un objet contondant. Ce qui était le cas.

Un homme atteint de schizophrénie paranoïde, retrouvé les boyaux répandus sur la moquette de sa chambre. Sa famille jurait ses grands dieux qu'il s'était ouvert lui-même l'estomac.

Deux chauffeurs carbonisés dans l'incendie de leurs camions, à la suite d'une collision du côté de Saint-Hyacinthe.

Un marin russe de vingt-sept ans, découvert mort dans sa cabine. L'événement s'étant produit dans les eaux territoriales du Canada, le capitaine du bâtiment avait remis son corps aux autorités canadiennes.

Une femme de quarante-sept ans battue à mort chez elle. Son mari, dont elle était séparée, avait disparu.

Donald et Ronald Vaillancourt enfin. Leurs dossiers médicaux avaient été livrés, accompagnés d'une enveloppe contenant des photos.

Celles-ci ont aussitôt fait le tour de la table. Sur un superbe tirage Kodak, Ronald Vaillancourt, torse nu et bombant les pectoraux, arborait sous la clavicule droite un tatouage à vous glacer le sang. Voilà qui confirmait que l'un des corps en compote gisant au rez-de-chaussée appartenait bien à l'un de ces jumeaux.

LaManche a désigné un médecin légiste pour chaque affaire. J'ai reçu les dossiers Vaillancourt.

À dix heures quarante-cinq, je savais lequel des deux frères s'était cassé les doigts : Ronald, dit « le Clic ». Fracture de l'index et du majeur gauches au cours d'une rixe dans un bar en 1993, indiquait le dossier médical, lequel faisait bien six centimètres d'épaisseur. Les radios montraient une blessure au métacarpe à l'endroit précis où j'avais moi-même relevé une anomalie dans la densité osseuse sur un fragment récupéré. Par ailleurs, ses os ne portaient aucun signe d'interruption de croissance.

Deux mois plus tard, le Clic avait écopé d'un traumatisme aux hanches et aux membres inférieurs, à la suite d'un accident de la circulation. Là non plus, aucune bande transversale sur les os. En 1995, le Clic avait encore été jeté hors d'une voiture et poignardé dans une bagarre de rue puis, en 1997, tabassé par un gang rival.

En conséquence, j'étais en droit de penser que le squelette présentant des anomalies de croissance était celui de son jumeau Donald, plus connu sous le nom du « Clac ». Son dossier à lui mentionnait justement qu'il avait été hospitalisé à plusieurs reprises dans l'enfance : tout bébé, pour des nausées et des vomissements prolongés dont on n'avait jamais déterminé la cause ; à six ans, pour une scarlatine qui avait failli l'emporter et, à onze ans, pour une gastro-entérite. Cependant, bien que de santé délicate, le Clac n'avait rien à envier au Clic, pour ce qui était des plaies et des bosses. Nez et pommette fracturés, poitrine tailladée, et traumatisme crânien après avoir reçu un coup de bouteille, comme l'attestait le volumineux paquet de radios joint à son dossier. J'ai souri :

en fin de compte, le destin ne faisait pas si mal les choses. La vie mouvementée des jumeaux s'étant répercutée sur leurs squelettes, je disposais de la carte idéale pour trier leurs restes. Lestée de ces documents, je m'en suis retournée à l'identification des fragments.

Revenaient à Ronald la partie de thorax tatouée et les éléments que j'y avais associés : la main fracturée et tous les morceaux de tissu osseux normal. Quant aux os du bassin qui présentaient des marques d'interruption de croissance, ils appartenaient à Donald.

J'ai montré à une assistante, Lisa, comment radiographier les restes dans la même position que sur les radios d'archives, car j'aurais besoin de ces clichés plus tard, quand j'en serais à étudier la forme et la microstructure des os.

L'unité de radiologie étant débordée, nous avons travaillé jusqu'à une heure et demie et cédé la place à nos collègues qui revenaient de dîner. Quant à moi, je devais filer à la conférence du Carcajou. Lisa m'a promis de finir le travail dès que la machine serait disponible.

Le groupe d'intervention Carcajou partage avec la police du port et les services administratifs des autorités maritimes un immeuble moderne de deux étages en bordure du Saint-Laurent, juste en face du Vieux-Montréal. Je me suis garée le long du fleuve dont l'eau grise charriait d'énormes morceaux de glace. À ma gauche, j'avais le pont Jacques-Cartier, qui enjambe l'île Sainte-Hélène et, à ma droite, le pont Victoria plus petit. En apercevant Habitat 67, le complexe construit pour l'Exposition universelle de Montréal et converti depuis en appartements, j'ai senti mon cœur se serrer. C'est là qu'habite Ryan. Dans cet enchevêtrement de petits cubes.

J'ai chassé le lieutenant de mes pensées et j'ai couru vers le bâtiment. Les nuages commençaient à se disloquer, mais le temps était encore froid et humide. Une brise glacée, chargée d'une odeur d'huile et de fleuve, s'est engouffrée dans mes vêtements.

On accède au QG du groupe d'intervention, situé au deuxième étage, par un large escalier, au sommet duquel un carcajou empaillé, symbole de l'unité, accueille les visiteurs, de l'autre côté des portes vitrées. On se trouve alors dans une vaste salle où de gros chiffres pendent du plafond au-dessus des bureaux, pour indiquer le numéro du poste. Aux murs, des articles de journaux célèbrent les succès de l'escouade ou détaillent les carrières de certains.

De rares têtes se sont relevées à mon entrée. Je me suis dirigée vers une secrétaire d'une quarantaine d'années, qui arborait des cheveux teints et fiers de l'être et, sur la joue, un grain de beauté de la taille d'un hanneton. Elle ne s'est arrachée à son classement que pour me désigner la salle de conférences.

Une douzaine d'hommes s'y répartissaient déjà autour d'une table rectangulaire, d'autres étaient adossés aux murs. Jacques Roy, patron de l'unité, s'est levé à mon entrée. Trapu et de petite taille, de teint rougeaud, ses cheveux gris séparés par une raie au milieu, on le croirait descendu d'un daguerréotype de la fin du XIXe siècle.

— Dr Brennan, quel bonheur que vous ayez accepté de nous prêter main-forte ! Votre concours nous sera bien utile. Je vous en prie…

Il m'a indiqué une place à la table. J'ai suspendu mon blouson au dossier de la chaise et me suis installée. Les collègues continuaient d'affluer. Cela n'a pas empêché Roy d'entamer son discours.

La réunion, a-t-il dit, n'était pas uniquement motivée par l'incorporation de nouveaux éléments au groupe, mais par le souci de rafraîchir la mémoire de tout le monde, y compris des agents qui en faisaient partie depuis longtemps. Elle allait donc débuter par un rapide historique de l'implantation des motards au Québec — exposé que Roy livrerait en personne — et serait suivie d'un topo sur les méthodes employées par le FBI dans la gestion des situations de crise, que ferait l'inspecteur Quickwater, tout juste rentré de Quantico. Roy lui céderait la parole dès son arrivée.

Chouette, alors ! Voilà que j'étais tombée dans une faille spatio-temporelle. Enfin, presque. Car cette conférence allait différer de celle à laquelle j'avais assisté en ceci : elle se tiendrait en français et le carnage décrit aurait pour cadre une ville que je connaissais et aimais.

Les deux heures suivantes m'ont fait découvrir un monde que la majorité des gens ne connaîtra jamais, et c'est tant mieux pour eux.

Pour ma part, ce coup d'œil dans l'enfer m'a terrifiée et m'a glacé le cœur.

Chapitre 6

— Tout d'abord, quelques éléments historiques pour vous donner un aperçu de la situation.

Roy parlait du haut d'une estrade, sans consulter les notes étalées devant lui.

— Les clubs, ainsi que les motards appellent leurs bandes, ont fait leur apparition sur la côte ouest des États-Unis peu après la Seconde Guerre mondiale, quand des soldats démobilisés, incapables de se réadapter à la vie en temps de paix, se sont mis à sillonner le pays en bandes fluctuantes, faisant vrombir leur Harley Davidson pour le seul plaisir de se rendre odieux aux populations. Il y avait ainsi les Booze Fighters, les Galloping Gooses, les Satan's Sinners et les Winos. On voit que dès le départ ces types ne postulaient pas à l'intronisation au collège des cardinaux.

Rires assortis de chuchotements.

— Le groupe promis à l'avenir le plus brillant s'appelait les POBOB, c'est-à-dire les Pissed Off Bastards of Bloomington. Un beau ramassis d'inadaptés sociaux. Ce sont eux qui se baptiseraient par la suite Hells Angels et prendraient pour symbole une tête de mort casquée, en souvenir d'une escadrille de bombardiers de la Seconde Guerre mondiale. À partir de leur chapitre fondateur de San Bernardino, en Californie...

— *Yahoo, Berdoo!* a lancé quelqu'un du fond de la salle.

— Exactement. À partir de ce chapitre, donc, ils ont essaimé dans toute l'Amérique du Nord. Après, d'autres bandes se sont implantées. Aujourd'hui, les quatre plus importantes sont : les Hells Angels, les Outlaws, les Bandidos et les Pagans. Toutes, sauf les Pagans, ont des chapitres en dehors des États-Unis, mais aucune ne peut rivaliser avec les Hells en nombre d'adhérents.

Un homme assis en face de moi a levé la main. Avec sa bedaine et ses cheveux clairsemés, c'était le portrait craché d'Andy Sipowicz de *NYPD Blue*.

— Ça donne quoi, en chiffres ?

— Ça varie selon les sources. Les plus fiables accordent aux Hells Angels mille six cents membres en Europe, en Australie et en Nouvelle-Zélande, leurs effectifs étant plus nombreux aux États-Unis et au Canada, bien sûr. À ce jour, ils sont répartis en cent trente-trois chapitres de par le monde, alors que les Bandidos n'en compteraient que soixante-sept, regroupant dans les six cents membres en tout. Ces chiffres sont ceux du rapport des Renseignements généraux canadiens pour l'année 1998. Mais d'autres sources leur prêtent jusqu'à huit cents adhérents.

— Sacrament !

— Que signifient exactement les termes « non affilié » quand on parle d'un club de motards ?

La question venait d'un jeune homme qui ne paraissait pas vingt ans.

— En gros, ça veut dire qu'il n'est enregistré ni auprès de l'AMA, ni auprès de la CMA, les deux seules associations d'Amérique du Nord — américaine et canadienne — à être membres de la Fédération internationale de motocyclisme basée en Suisse. Selon l'AMA, ces clubs non affiliés regroupent à peine un pour cent de l'ensemble des motards. Il n'empêche que cette frange est à l'origine de la mauvaise réputation de tous. À sa plus grande joie, est-il besoin de le spécifier. Personnellement, j'ai vu leur signe de reconnaissance commun à tous tatoué sur les épaules des types les plus affreux de la province.

— Ouais, le petit triangle qui identifie le vrai motard, le motard en règle.

La précision venait de l'enquêteur assis à ma droite, qui portait queue-de-cheval et boucle d'argent à l'oreille.

— Les vrais écœurants, tu veux dire !

Dixit Sipowicz, avec l'accent que j'aurais attendu de son personnage si *NYPD Blue* avait eu pour décor la ville de Trois-Rivières. Les rires ont repris de plus belle.

— Vous trouverez là-dedans des infos sur la structure de ces bandes qui sont de véritables organisations, a dit Roy en désignant des cahiers empilés au centre de la table. Lisez-les ; nous en rediscuterons. Aujourd'hui, je voudrais vous faire un topo sur la situation chez nous.

Il a allumé un projecteur. Un poing fermé a envahi tout l'écran : une swastika tatouée sur le poignet, le sigle FTW tatoué en rouge et noir sur les doigts, une lettre par phalange.

— La philosophie de base de ces bandes peut se résumer en une seule phrase…

— *Fuck the World !*

Le slogan avait jailli de nombreuses poitrines, comme un cri du cœur.

— C'est ça ! a souscrit Roy. Loyauté totale aux couleurs du gang et aux frères, qui passent avant tout. Inutile aux non-Blancs de remplir un bulletin d'adhésion, cela va de soi.

Diapo suivante, noir et blanc : seize types s'étageant sur trois rangs plus ou moins bien formés. Barbe et sale gueule de rigueur, gilets de cuir émaillés d'insignes et de badges, tatouages dignes d'un guerrier Maori.

— À la fin des années soixante-dix, les Outlaws et les Hells Angels des États-Unis se sont férocement battus contre des gangs québécois qu'ils voulaient contrôler. Résultat : en 1977, les Popeyes québécois, qui étaient à l'époque la seconde organisation de motards canadiens par le nombre, sont devenus le premier chapitre des Hells au Québec. Toutefois, sur leurs deux cent-cinquante ou trois cent-cinquante adhérents selon les estimations, seuls vingt-cinq ou trente ont été jugés dignes par les Hells de porter leurs couleurs. Les autres ont été rejetés. Les affreux que vous avez devant vous font justement partie des exclus. C'est l'abominable chapitre du Nord. Cinq d'entre eux ont été liquidés par leurs frères devenus Hells. Plus tard, leur chapitre s'est dissous.

— Pour quelle raison ?

— Désobéissance. Chaque club a un code de conduite qui s'applique à tous, sans exception. Dès les années quarante, au tout début de leur formation, les Hells Angels ont banni l'usage de l'héroïne et des aiguilles. Cette loi est encore plus stricte maintenant que nous sommes à l'ère de la commercialisation à grande échelle. Gardez bien en tête que les motards d'aujourd'hui n'ont rien à voir avec ceux de jadis. Ce ne sont plus des types en rébellion contre la société comme dans les années cinquante ni des tenants de la sous-culture hippie — drogue plus révolution — comme aux beaux jours des années soixante. Les motards actuels sont des hommes d'affaires avertis qui participent au montage d'opérations extrêmement complexes au côté du crime organisé. Or, drogue et drogués sont source de problèmes ; un club peut y laisser sa chemise.

Roy a montré l'écran.

— En 1982, par exemple, le chapitre de Montréal a passé une loi requérant la mort ou l'expulsion de quiconque transgresserait l'interdit. Mais les membres, trop accros, ont conservé leurs petites habitudes. La coke avait dû sacrément leur aplatir la bosse des maths, car la notion d'infériorité numérique ne leur a même pas traversé le cerveau.

Roy a pointé cinq gars sur la photo.

— En juin 1985, ceux-là ont été retrouvés faisant une sieste au ciment dans la voie maritime du Saint-Laurent. Un sac était remonté à la surface. Les autres ont été retrouvés en draguant les fonds.

— Voilà ce que j'appelle régler la question ! est intervenu Queue-de-cheval.

— Oui, une bonne fois pour toutes. Ils ont été tués à Lennoxville, au repaire des Hells Angels. Apparemment, ils avaient été invités sans être mis au courant du programme de la soirée.

— C'est pas correct de trahir la doctrine du frère, a commenté Queue-de-cheval en secouant la tête.

J'ai demandé :

— Et c'est ce qui a déclenché la guerre actuelle ?

— Pas tout à fait. L'année qui a suivi l'adoption des Popeyes par les Hells Angels, les Outlaws ont fait des Satan's Choice, un gang de Montréal, leur premier chapitre au Québec. Depuis, les deux bandes n'ont cessé de s'entre-tuer.

Roy a pointé un type sinistre, accroupi au premier rang.

— La chasse s'est ouverte quand ce gars-là, un Hells, a descendu un Outlaw à partir d'une voiture. Elle s'est prolongé pendant des années sans période de fermeture.

— Ben, tiens! «Dieu pardonne, pas nous!» comme le proclame le slogan des Outlaws, a lancé Sipowicz, sans relever le nez du cahier où il inscrivait son nom: Kuricek.

Je me suis demandée combien de fois par jour on lui donnait du Sipowicz par erreur.

— Exact, a repris Roy. Mais les Outlaws du Québec ont subi eux aussi de durs revers de fortune. Cinq ou six de leurs chefs sont derrière les barreaux, et leur repaire a été incendié, il y a quelques années. Aujourd'hui, la guerre voit plutôt s'affronter Hells Angels et Rock Machine, un club canadien. Mais pas directement, par clubs écoles interposés.

— Des gars qui ont de la vraie classe, ceux-là! l'a coupé Sipowicz-Kuricek.

Roy a ignoré l'intervention.

— Les Rock Machine, non plus, n'ont pas connu que des années de vaches grasses. Mais, ces temps-ci, ils semblent avoir repris du poil de la bête.

Nouvelle diapo: un homme avec un béret donnant l'accolade à un camarade en gilet de cuir, sur le dos duquel s'épanouissait un bandit mexicain version BD, un couteau dans une main, un pistolet dans l'autre. Des bannières rouge et jaune, en demi-cercle au-dessus et en dessous du dessin, identifiaient le propriétaire du gilet comme l'actuel vice-président des Bandidos.

— Apparemment, les Machine vivent une sorte de résurrection. Plusieurs de leurs membres ont été vus portant des badges qui les identifient comme des Bandidos potentiels.

— C'est-à-dire…? ai-je demandé.

— Qu'ils ont le droit de traîner dans les parages, le temps que les Bandidos se décident ou non à les adopter.

— Je comprends l'intérêt des Rock Machine dans l'affaire, mais pas vraiment celui des Bandidos, ai-je fait remarquer.

— Pendant des années, les Bandidos se sont contentés du marché local des amphétamines et des stupéfiants. Et puis la prostitution leur rapportait le beurre pour les épinards.

Leur capitaine national manquait un peu de poigne dans la conduite du navire; il a été changé. La nouvelle direction a compris qu'elle avait intérêt à tenir ses chapitres d'une main de fer et, aussi, à se développer. Regardez la bannière du bas.

Roy a désigné un type au fond de l'image.

— Le mot Québec a été remplacé par Canada. Si ce n'est pas une indication très claire des visées des Bandidos, je veux bien être pendu! Cela dit, ils vont avoir du pain sur la planche.

Autre diapo: un groupe de motards sur une route à deux voies.

— Albuquerque, il n'y a pas deux mois, alors que les Bandidos se rendaient à une réunion organisée par le chapitre d'Oklahoma. Plusieurs d'entre eux ont été arrêtés pour infraction au code de la route. Dont le président international. Vous imaginez bien que nos collègues du Nouveau-Mexique n'ont pas raté l'occasion de le questionner sur toutes les têtes non répertoriées qu'ils avaient dans leurs fichiers. Il a admis que les Bandidos menaient actuellement une étude à l'échelle mondiale de tous les clubs désireux d'adhérer. Mais à propos des Rock Machine, il n'a rien voulu dire sur l'état de ses négociations; l'affaire ne doit pas être encore conclue. Il revenait justement d'une réunion de la Coalition nationale des motards où il avait tenté de trouver un terrain d'entente avec les Hells Angels à propos des Machine. Les Hells, qui ne voient pas d'un très bon œil les menées expansionnistes des Bandidos, lui auraient proposé de ne pas monter de chapitre au Nouveau-Mexique si, de leur côté, les Bandidos acceptaient d'abandonner leurs pourparlers avec les clubs du Québec.

— Autrement dit, les Machine sont toujours dans le décor? a demandé Queue-de-cheval.

— Oui, mais si les Bandidos les adoptent, il risque d'y avoir un sacré changement dans l'équilibre des forces, a répondu Roy sur un ton sinistre.

— Les Rock Machine font encore figure de nouveaux venus, n'est-ce pas?

— En fait, ils existent depuis 1977, mais ce n'est qu'en 1997 qu'ils ont rajouté CM à leur nom. Avant cela, ils ne se considéraient pas formellement comme un « club de motocyclistes ». Ce fut le petit cadeau de Noël inscrit sur leur carte de vœux de cette année-là.

— Leur carte de vœux ? me suis-je écriée, croyant que Roy plaisantait.

Et Kuricek d'expliquer :

— Au sens propre du terme ! Des amoureux de la tradition, ces gars-là. Je vous dis que ça a fait jaser dans les parloirs des prisons !

Rires.

— Ils aiment bien s'envoyer leurs vœux, histoire de garder le contact, a renchéri Jacques Roy. D'un autre côté, le mauvais, ça permet aux bandes rivales de mettre à jour leurs fichiers.

Roy a fait apparaître à l'écran une carte de Montréal.

— À l'heure actuelle, Rock Machine et Hells Angels se battent pour contrôler le trafic de la drogue dans toute la province. Et je vous prie de croire qu'il ne s'agit pas de petite bière. D'après le procureur général, le marché canadien rapporte au crime organisé entre sept et dix milliards de dollars par an. Le Québec représente un gros morceau du gâteau.

Il a pointé deux quartiers de la ville.

— Les affrontements ont lieu dans le nord et dans l'est de Montréal, mais aussi à Québec. Depuis 1994, les attaques à la bombe et les incendies se chiffrent par centaines. Cent quatorze personnes ont déjà été tuées.

J'ai demandé :

— En comptant Marcotte, les jumeaux Vaillancourt et la petite Toussaint ?

— Vous avez raison, ça fait cent dix-huit. Et je ne parle pas des disparus ou présumés décédés.

— Il y en a combien de ces trous de cul sur les champs de bataille ?

La question venait de Kuricek.

— Selon nos fichiers ? Grosso modo, deux cent soixante-cinq côté Hells, cinquante côté Machine.

— C'est tout ?!

J'étais sidérée qu'un si petit nombre puisse créer un tel gâchis. La répartie de Kuricek m'a tout de suite rassurée :

— Faut pas oublier les seconds violons, bien sûr.

Il s'est laissé aller sur son dossier, et l'air contenu dans le rembourrage s'est échappé en chuintant.

— Les organisations de motards savent qu'elles peuvent compter sur leurs clubs écoles, a précisé Roy. Des bons à rien qui exécutent les jobs sales à leur place.

— Et c'est quoi, ces jobs sales ? me suis-je étonnée, ne voyant pas laquelle de leurs activités pouvait être jugée propre.

— Distribution et vente de drogue, recouvrement des dettes, achat d'armes et d'explosifs, intimidation, meurtre. Ces apprentis sont la lie du monde des motards. Prêts à tout pour prouver aux autres qu'ils ont des couilles. Ce qui fait qu'il est presque impossible de coincer les grosses pointures. Ceux-là, ils sont plus fuyants que des anguilles. Et ils ont toujours une arme au bout du bras.

— Si, par hasard, t'arrives à en épingler plusieurs d'un coup, ils font bloc et utilisent leurs babouins pour terroriser tes témoins, quand c'est pas carrément pour les éliminer.

L'explication de Kuricek m'a rappelé mes petits tas de chair écrabouillée dans la salle d'autopsie : tout ce qui restait des frères Vaillancourt.

— Les Heathens marchent avec les Rock Machine ? ai-je demandé.

— C'est ça.

— Et les Hells Angels avec les Vipères ?

— C'est ça.

— Il y a qui, encore ?

— Voyons… Les Rowdy Crew, les Jokers, les Rockers, les Evil Ones, les Death Riders…

À cet instant, Martin Quickwater s'est encadré dans la porte. Avec son costume bleu marine et sa chemise blanche amidonnée, il avait tout d'un avocat fiscaliste. Après un signe de tête à Roy, il a promené son regard sur l'auditoire. En m'apercevant, ses yeux se sont rétrécis, mais il a gardé ses commentaires pour lui.

— Ah bon ! M. Quickwater va pouvoir nous entretenir des positions du FBI sur la question.

Mais il était écrit qu'il n'en serait rien, car le constable avait des informations autrement urgentes à nous communiquer.

La liste des morts allait encore s'allonger.

Chapitre 7

Le lendemain à l'aube, j'étais à Saint-Basile-le-Grand. Le repaire des Vipères se dressait, isolé, sur un terrain d'environ cinq mille mètres, ceinturé par une grille électrifiée truffée sur toute sa longueur de caméras de surveillance et de puissants projecteurs. On y accédait par un portail actionné depuis la maison. Les grilles étaient grandes ouvertes et l'interphone est resté muet. Il y avait bien une caméra pointée sur nous, mais, de toute évidence, personne ne devait plus nous observer depuis le poste de surveillance. À en juger d'après les véhicules de la police, du coroner et de la recherche criminelle stationnés sur les bas-côtés de l'allée, le mandat de perquisition avait déjà été délivré. Quickwater a franchi le portail et s'est garé au bout de la file. Il m'a lancé un regard de côté sans daigner prononcer un mot. Je lui ai retourné son amabilité et, ayant attrapé mes affaires, je suis descendue de voiture.

Boisé derrière la maison, le terrain était totalement dégagé sur l'avant jusqu'à la grand-route, et coupé en deux par l'allée de terre que nous suivions, qui allait se fermer en boucle autour du bâtiment. Là, la chaussée était asphaltée et bordée de cônes de ciment hauts d'un mètre, interdisant tout stationnement à moins de quatre mètres cinquante des murs. On se serait cru en Irlande du Nord au début des années soixante-dix. Manifestement, les voitures piégées n'amusaient pas plus les motards du Québec que les habitants de Belfast. Une Ford Explorer noire était garée à la limite de l'asphalte.

Le soleil marbrait déjà l'horizon de plaques jaunes ou roses qui déteignaient sur le pourpre pâle de l'aube à peine naissante. Une heure plus tôt, quand Quickwater était passé me prendre, le ciel était encore d'un noir d'encre et mon humeur itou. Cette balade au repaire des motards ne m'enchantait pas. Le trajet en tête-à-tête avec M. Imbu-de-sa-petite-personne ne m'avait pas déridée et la seule idée de devoir déterrer des motards me donnait le cafard. Les révélations de Quickwater, la veille, à la réunion du Carcajou, s'étaient abattues sur moi comme une douche froide. Elles m'avaient brusquement fait comprendre que ma décision de collaborer avec l'escouade, prise dans le but de travailler sur l'affaire Emily Anne, ne serait pas une activité parallèle comme je l'avais supposé, mais bien une occupation à temps complet. Rien que de penser à l'immensité de la tâche, je me sentais aussi brave qu'à l'école, en face du tyran de la cour de récréation. Je me suis concentrée sur la petite fille de neuf ans qui gisait à la morgue et sur sa famille brisée à tout jamais : c'était pour elles que je me trouvais ici.

Le Vipère qui avait éliminé les frères Vaillancourt avait accepté de collaborer. Confronté à la perspective d'une troisième arrestation et d'une inculpation pour meurtre au premier degré, il avait proposé de révéler le lieu où étaient ensevelis deux corps, en échange d'une réduction de peine. La Couronne avait accepté de rabaisser l'inculpation d'un cran. Meurtre au second degré. D'où ma présence ici au point du jour.

Tandis que nous remontions l'allée d'un pas lourd, l'aube a cédé la place au matin. Le soleil n'avait pas eu le temps de réchauffer l'air et je pouvais voir l'haleine s'échapper de ma bouche. Le gravier crissait sous nos pas. De temps à autre, un caillou roulait avec des ricochets jusqu'au caniveau. Des oiseaux jacassaient et pépiaient, furieux de notre intrusion.

« Fermez-la, sacrées bestioles ! Pas même foutues de vous lever avant moi ! » ai-je grogné en moi-même, pour me faire aussitôt la leçon : « Quickwater est un con, d'accord, mais ce n'est pas une raison pour agir en bébé. Ignore-le et occupe-toi de ton boulot ! »

Juste à ce moment-là, le constable a déclaré qu'il devait retrouver son coéquipier, un nouveau temporairement détaché au Carcajou. Sans savoir de qui il s'agissait, Quickwater n'ayant pas jugé utile de m'apprendre son nom, j'ai été prise de pitié pour ce pauvre malheureux. Remontant mon sac sur l'épaule, j'ai emboîté le pas de mon compagnon.

Si une chose était claire, c'était que les Vipères ne remporteraient pas la médaille d'or en aménagement paysager, cette année. Le devant de la propriété était l'exemple type de ce contre quoi les écologistes se battent au Congrès américain. Le terrain, rasé jusqu'à la grand-route, n'était qu'un magma d'herbes mortes noyées dans une boue de dégel brun-rouge. Quant à la forêt de broussailles derrière la maison, son entretien était manifestement laissé au bon vouloir des quadrupèdes qui y avaient élu domicile.

Nous avons franchi la partie de route asphaltée. Dans la cour de la maison, l'intention artistique de l'architecte m'est apparue dans toute sa grandeur. Inspirée à coup sûr par les plus fameuses prisons d'Amérique, car ne manquait à l'appel aucun des éléments de base propres au style carcéral : ni les murs de brique de quatre mètres de haut hérissés de caméras, de détecteurs de présence et de rampes lumineuses ; ni la moquette de ciment d'un mur à l'autre de la cour ; ni les panneaux de basket-ball. Les lieux s'agrémentaient d'un barbecue à gaz et d'une niche pourvue d'une chaîne suffisamment longue pour qu'un molosse se dégourdisse les pattes. La porte de la maison avait été renforcée par des grilles d'acier et un blindage condamnait celle du garage.

Durant tout le trajet depuis Montréal, Quickwater n'avait desserré les dents que pour me faire un bref historique de la propriété. Construite par un New-Yorkais qui avait fait fortune dans l'alcool pendant les bonnes années de la Prohibition, la demeure avait été achetée par les Vipères à ses héritiers au milieu des années quatre-vingt. Cependant, avant d'y accrocher leur blason, les motards avaient encore sorti quatre cent mille dollars pour doter l'endroit d'un système de sécurité adéquat, faire blinder toutes les portes et poser des vitres pare-balles à toutes les fenêtres du rez-de-chaussée. Cet aménagement ne servait plus à grand-chose à cette heure, car, à l'instar du portail, la porte de la maison était grande ouverte. Quickwater est passé le premier. J'ai suivi.

Ma première réaction a été l'ébahissement, face à la somptuosité du décor. Ces types pourraient toujours organiser une vente aux enchères s'il leur fallait d'urgence trouver les fonds nécessaires pour verser une caution ou engager un avocat. Le matériel électronique à lui seul leur rapporterait de quoi s'assurer les services des ténors du barreau, comme l'avocat dans l'affaire Kennedy, F. Lee Bailey.

La maison s'agençait autour d'un escalier métallique en colimaçon, qui partait de l'entrée au dallage noir et blanc. Au premier étage, à gauche, une salle de jeux avec billard et football de table ainsi qu'une télé et une console de mixage, dignes de figurer dans la salle de contrôle de la NASA. Au-dessus du bar de luxe et de sa collection d'alcools, trônait, enroulé sur lui-même, un serpent au crâne réduit à l'état de squelette, mais doté de splendides crocs à venin et de loupiotes en néon orange au fond des orbites. Les lieux étaient gardés par un agent de Saint-Basile qui nous a salués d'un signe de tête, tandis que nous poursuivions l'ascension.

Au second, une salle de gym avec une bonne demi-douzaine de machines Nautilus, deux bancs de pesée à gauche et un assortiment de poids alignés par terre le long d'un mur en miroir. Nul doute que les Vipères faisaient grand cas de leur anatomie.

Au troisième étage, un salon meublé dans le style « rage de motard fin de siècle », où le rouge profond de la moquette à longs poils livrait une bataille sans merci au doré des murs et au bleu des fauteuils et des canapés. Les tables en cuivre et verre fumé croulaient sous des collections de serpents sculptés. Toutes sortes de reptiles, en bois, en terre cuite, en pierre et en bronze, se prélassaient sur les appuis de fenêtres, et d'autres serpents dévidaient leurs anneaux du haut de la télé la plus gigantesque que j'aie vue de ma vie. Les murs s'ornaient d'affiches et d'agrandissements de photos-souvenirs prises lors de charmantes réunions : motards en sueur faisant saillir leurs muscles à califourchon sur leur engin, ou brandissant en chœur bouteilles et cannettes de bière. Le quotient intellectuel quasi général se situait nettement en dessous de la barre où la courbe amorce un lent mais sûr déclin.

Nous avons repris notre petit bonhomme de chemin à travers cinq chambres et une salle de bains en marbre noir pourvue d'un jacuzzi. La douche, pour autant qu'on puisse en juger derrière ses parois de verre, aurait aisément servi de terrain de squash.

Nous avons enfin débouché dans la cuisine. À droite, un téléphone mural et son ardoise magique où s'étalaient un charabia de lettres — probablement un code —, ainsi que le nom d'un avocat du coin. À gauche, encore un escalier. J'ai demandé à Quickwater ce qu'il y avait au-dessus.

Aucune réaction.

— *It's another rec room, with an outside deck and ten-person spa!* m'a répondu un agent de Saint-Basile, de l'autre bout de la pièce.

Deux hommes assis à une table en bois se profilaient sur fond de fenêtre en encorbellement. L'un avait les cheveux en bataille, l'autre était tiré à quatre épingles. À la vue de ce dernier, le désarroi m'a saisie. J'ai lancé un coup d'œil à Quickwater qui a hoché la tête. Son mystérieux équipier était nul autre que le sergent-détective Luc Claudel. Ça, on pouvait dire que j'avais décroché le gros lot : *Dum* et *Dummer* ! Et c'est moi qui allais devoir me les taper tous les deux !

Claudel parlait en tapotant un document devant lui, le mandat de perquisition probablement. Son interlocuteur gardait les yeux fixés sur ses pieds nus, tout en croisant et décroisant ses mains qui pendaient entre ses genoux. Il avait un nez aquilin qui partait nettement à gauche juste sous la bosse et, sous cet appendice, une moustache plus fournie que celle d'un Gaulois. À en croire les regards furibonds que lançaient ses yeux noirs, il n'avait pas l'air content-content de nous voir débarquer à cette heure-ci.

— Cet homme de Cro-Magnon a pour nom Sylvain Bilodeau, m'a révélé Quickwater. Luc est en train de lui expliquer qu'on est venu faire un peu de jardinage.

Bilodeau nous a gratifiés d'un coup d'œil. D'abord à Quickwater, puis à moi. Prunelles dures, visage fermé, et il s'est de nouveau concentré sur ses doigts. Un serpent tricolore se déployait sur toute la longueur de son bras. Non, la métaphore de Quickwater ne rendait pas justice à nos cousins du Paléolithique supérieur.

Claudel a ajouté quelque chose et s'est tu. Bilodeau a bondi sur ses pieds. Malgré son petit mètre soixante, c'était

63

une réclame vivante pour les stéroïdes. Il est resté un moment sans rien dire, puis il a lâché :

— Wow ! minute bonhomme ! C'est d'la marde, ça ! T'as pas le droit de rentrer icitte pis de virer la place à l'envers !

Son joual était tellement prononcé que je n'ai pas bien saisi son discours. Mais je ne crois pas me tromper pour ce qui était du sens.

— C'est pourtant ce que ce papier nous autorise à faire, a répondu Claudel en se levant à son tour et en le fixant droit dans les yeux. Comme je te l'ai dit, tu as deux solutions : soit tu restes gentiment ici, sage comme une image ; soit on t'envoie, menottes aux poignets, dans une auberge gratis pour une durée illimitée. À toi de choisir, le Pif !

La chute avait été proférée sur un ton railleur. Somme toute, Claudel s'était plutôt bien tiré de la situation.

— Qu'est-ce tu veux que j'fasse, tabarnac ?

— Prévenir tes petits amis de ne pas rappliquer dans le secteur aujourd'hui, leur expliquer que c'est dans leur intérêt. En dehors de ça, tu te tiens tranquille. On ne te demandera pas de participer à l'activité générale. D'ailleurs, le caporal Berringer te tiendra compagnie et veillera à ce que tu ne te fatigues pas trop.

— J'fais juste m'occuper d'la baraque, moi. Pourquoi fallait que vous vous pointiez à matin, saint ciboire ?

— La vie, c'est toujours une question de *timing*, a rétorqué Claudel en lui donnant des petites tapes dans le dos.

— Mon osti d'chien sale ! a râlé Bilodeau en se dégageant d'une secousse pour aller se planter devant la fenêtre.

— Je te comprends, le Pif, a réagi Claudel, les mains levées en signe d'impuissance. J'imagine facilement que les frères ne sauteront pas de joie en apprenant que tu dors pendant ton quart de travail.

Bilodeau s'est mis à arpenter la pièce comme un animal en cage pour s'arrêter brusquement devant le plan de travail et se mettre à le marteler des deux poings.

— Tabarnac !

La rage faisait saillir les muscles de son cou. Au bout d'un moment, il s'est retourné et nous a dévisagés l'un après l'autre. Au milieu de son front, une veine a grossi comme un ruisseau sous la pluie. Son regard fixe, tandis qu'il pointait un doigt tremblant sur moi, m'a fait penser à celui de Charles Manson.

— L'osti de crosseur qui nous a vendus a d'affaire à tomber juste du premier coup, a-t-il bredouillé d'une voix étranglée par la rage. Parce que sinon, y'est mort !

À cent mètres de là, planqué à l'arrière d'une Jeep banalisée, le crosseur en question attendait de nous conduire sur la tombe, conformément à l'arrangement qu'il avait passé avec la Justice en échange d'une réduction de peine. Rien n'avait pu le convaincre de descendre de voiture tant que nous serions dans la ligne de mire de la maison : il serait sous bonne escorte ou il ne dirait rien.

Je me suis installée dans la Jeep à la place du mort, Claudel est grimpé à l'arrière. Quickwater est allé trouver l'équipe de récupération. Une fumée de cigarette à couper au couteau stagnait dans la voiture. Notre informateur avait la quarantaine et des cheveux roux et raides rassemblés en queue-de-cheval. Avec sa peau très pâle et ses yeux délavés couleur céleri en branche, il avait tout d'un reptile surgi des profondeurs marines. Son affiliation aux Vipères lui allait comme un gant. À l'instar de Bilodeau, il était de petite taille, mais, à l'inverse de celui-ci, il n'avait pas du tout envie de prendre racine dans le secteur.

— Tu as intérêt à ce que ça marche, Rinaldi, lui a lancé Claudel, sinon tes parents peuvent déjà envoyer les faire-part de ton enterrement. Tu as la cote de popularité à zéro dans les sondages, à ce qu'on dit.

Rinaldi a tiré sur sa cigarette et gardé la fumée dans ses poumons. Quand il l'a exhalée par le nez, ses narines ont blanchi sous l'effort.

— C'est qui, la bonne femme ?

Son intonation bizarre évoquait les voix qu'on déforme volontairement pour dissimuler l'identité de la personne interviewée.

— Le Dr Brennan. C'est elle qui va excaver tes trésors. Et toi, la Grenouille, tu feras tout ton possible pour l'aider.

Rinaldi a relâché l'air par la bouche avec un chuintement. Ses lèvres ont pâli à leur tour.

— Et tu te tiendras aussi tranquille qu'un cadavre à la morgue, compris?

— Envoye, crisse, qu'on en finisse!

— Je ne parle pas de la morgue pour le plaisir de faire un rapprochement, la Grenouille. Tu vas vite comprendre la comparaison si tu nous as monté un bateau.

— J'invente rien, osti. Y'a deux gars qui bouffent les pissenlits par la racine, que j'te dis! Ça fait que fais-moi pas chier! OK?

— OK.

— Faut contourner la maison, a repris Rinaldi en pointant un doigt osseux, et un bruit de raclement est monté de ses poignets. Y'a un sentier qui part à droite.

— Eh bien, voilà un début prometteur, la Grenouille.

Compte tenu du timbre coassant de sa voix, le surnom collait à merveille au prisonnier.

Claudel est descendu de voiture et a levé le pouce en direction de Quickwater, toujours près du fourgon technique, à une dizaine de mètres de nous. Je me suis retournée. Rinaldi avait les yeux rivés sur moi. À croire qu'il cherchait à déchiffrer mon code génétique. Voyant qu'il ne les détournait pas, j'ai fait ma têtue, moi aussi.

— Ma présence vous dérange, M. Rinaldi?

— Drôle de job pour une bonne femme.

— Forcément, puisque je suis une drôle de bonne femme! J'ai même pissé dans la piscine de Sonny Barger, une fois!

Que l'ancien chef des Hells Angels ait jamais possédé une piscine était un mystère pour moi. Qu'importe, la phrase sonnait bien. Du moins, à mes oreilles, car sur la Grenouille elle a paru faire un flop. Il a fallu plusieurs secondes pour que ses lèvres s'étirent en sourire et qu'il esquisse un hochement de tête. Comme il écrasait son mégot dans le cendrier entre les deux sièges de devant, j'ai eu tout le loisir d'admirer les deux éclairs sur son avant-bras accompagnés des mots «Les vrais écœurants».

Claudel est remonté en voiture. Sans un mot, Quickwater s'est mis au volant. Nous avons contourné la maison. Direction le bois. Rinaldi regardait par la fenêtre en silence. Nul doute que l'assaillaient de terribles démons.

La route indiquée par lui se résumait à deux ornières dans la gadoue. Véhicules et fourgon technique avançaient au pas. À un moment, Claudel et Quickwater sont descendus pour dégager une branche qui obstruait le chemin. Deux écureuils s'en sont enfuis, ahuris. Quickwater est revenu en nage et crotté jusqu'aux genoux ; Claudel, impeccable. On aurait dit qu'il se baladait en smoking. Je parierais qu'il garde son air guindé même quand il est en petites culottes et t-shirt, au cas où il lui arrive de se promener dans cette tenue, bien sûr.

Il a desserré sa cravate d'un bon centimètre et a cogné à la vitre de Rinaldi. J'ai ouvert ma porte. La Grenouille attaquait déjà une nouvelle cigarette. Claudel a frappé de nouveau. La Grenouille a donné un bon coup sur la poignée. Sa portière s'est ouverte en grand et de la fumée s'est échappée.

— Jette ça avant qu'on nous branche tous sur un poumon artificiel. Tu as les cellules grises qui fonctionnent ? Tu reconnais les lieux ?

— J'te l'dis qu'y sont là ! Ferme ta gueule pis laisse-moi le temps de m'orienter !

Il s'est extirpé de la voiture et a promené les yeux autour de lui. Quickwater m'a décoché un de ses regards impassibles que j'ai ignoré pour entreprendre ma propre inspection du terrain.

L'endroit avait servi de décharge : cannettes et sacs en plastique, bouteilles de bière et de vin jonchaient le sol. Il y avait même deux sommiers métalliques tout rouillés. On distinguait dans l'herbe de délicates empreintes de chevreuil qui s'entrecroisaient avant de s'enfoncer dans les bois.

— Je m'impatiente, la Grenouille, a lâché Claudel. Je vais faire comme avec les enfants et compter jusqu'à trois. Pour ne pas risquer de t'embrouiller avec des mathématiques trop avancées.

— Veux-tu ben la fermer, sacrament…

— Du calme ! a jeté Claudel sur un ton menaçant.

— Ça fait des années que j'suis pas venu par icitte. Y'avait une cabane là-bas, pis si j'la voyais, j'saurais tout de suite où vous emmener.

Et la Grenouille de s'enfoncer sous les arbres. Deux pas dans un sens, trois pas dans l'autre, comme un chien sur les traces d'un lièvre. On sentait ses certitudes décroître à chaque seconde qui passait. J'en venais moi-même à partager ses doutes.

Ce n'était pas la première expédition montée sur la seule foi des dires d'un indicateur à laquelle j'assistais. Bien souvent, le déplacement n'est qu'une perte de temps. Ce n'est un secret pour personne que les renseignements obtenus en garde à vue sont loin d'être sûrs ; soit que le délateur mente effrontément, soit que sa mémoire le trahisse. Par deux fois, LaManche et moi nous sommes ainsi lancés à la recherche d'une fosse septique censée renfermer un cadavre. Deux safaris sans la moindre fosse à l'horizon. L'indicateur est retourné derrière les barreaux, laissant la note aux contribuables.

Rinaldi a fini par revenir à la Jeep.

— C'est plus haut.

— À quelle distance d'ici ?

— J'suis pas géographe. J'le saurai quand j'verrai la cabane.

— Tu te répètes, a fait Claudel en consultant sa montre ostensiblement.

— Sacrament ! Si t'arrêtais d'me faire chier, hein ? Continue plus loin, tu vas les trouver tes cadavres !

— Je te conseille de ne pas te tromper si tu ne veux pas attraper le plus gros virus du millénaire.

Ils sont remontés en voiture et le cortège est reparti. Lentement. Vingt mètres plus loin, Rinaldi a agrippé mon siège à hauteur de mes épaules et s'est tendu vers le pare-brise.

— Arrête !

Quickwater a enfoncé la pédale de frein.

— Là ! On est rendu.

Il a désigné une masure en bois presque entièrement éboulée. Des morceaux de toit et des planches vermoulues étaient répandus çà et là. Tout le monde a mis pied à terre. Rinaldi a fait un tour complet sur lui-même. Après une hésitation, il s'est engagé dans le bois, selon une tangente formant un angle de quarante degrés avec la cabane. Claudel et moi lui avons emboîté le pas à travers les taillis, nous frayant un chemin dans un entrelacs de vigne vierge et de lianes à ras du sol. Sur les branches qu'il nous fallait écarter, les boutons étaient encore loin d'éclore. À présent, le soleil avait tout à fait émergé de l'horizon et les arbres jetaient sur le sol boueux de longues ombres inextricablement mêlées.

Rinaldi était planté en bordure d'une clairière, les mains pendant devant lui, les épaules arquées, tel un chimpanzé qui parade. Son expression n'avait pas vraiment de quoi nous rassurer.

— Osti que ça a changé ! Je m'rappelais pas qu'y'avait tant d'arbres. On venait icitte pour se défoncer autour du feu d'camp.

— Je me contrefous de tes réjouissances estivales. Tu nous fais perdre notre temps. Tu vas t'en prendre pour vingt-cinq ans ferme et, nous, on lira dans le journal que tu as été retrouvé sur le carrelage des douches avec un tuyau dans le cul.

C'était bien la première fois que j'entendais Claudel s'exprimer dans des termes aussi colorés.

Rinaldi a serré les mâchoires, mais il n'a pas répliqué. Bien que la température ait baissé sous zéro ce matin, il ne portait qu'un t-shirt noir et un jeans. Il grelottait. Les poils de ses bras minces et musclés se dressaient sur sa peau. Il a avancé jusqu'au milieu de la clairière. À droite, le terrain descendait en pente douce jusqu'à un petit cours d'eau. Coupant par un endroit recouvert d'épines de pins, Rinaldi a gagné la berge et, après avoir regardé des deux côtés, a longé le ruisseau à contre-courant. Quickwater, Claudel et moi avons entrepris de le suivre. Vingt mètres plus loin, il s'est arrêté et a désigné une crique au pied d'un éboulis de grosses pierres. La terre était parsemée de branchages, de sacs en plastique, de boîtes de conserve vides et de tous les détritus divers et variés que le courant charrie et abandonne à chaque crue des eaux.

— Sont là, vos crisse de tombes !

J'ai scruté son visage. Il s'était repris. Son incertitude avait cédé la place à une insolence arrogante.

— J'espère que tu as quelque chose de plus tangible à nous offrir parce que, sinon, le tuyau des douches a déjà ton nom dessus.

— Fais-moi pas chier, bonhomme, ça fait dix ans. Si la p'tite madame connaît son affaire, elle va les retrouver, tes cadavres.

Dix ans d'inondations répétées.

L'angoisse qui m'étreignait depuis que nous étions arrivés sur les lieux s'est accrue d'un coup. J'ai scruté les parages, persuadée de n'y découvrir aucun indice susceptible de me faciliter la tâche, comme une dépression de terrain, une abondance d'insectes ou des traces dans la végétation. Je n'avais pas de stratigraphie à ma disposition, ni rien qui puisse révéler la présence d'une cache sous la terre. Claudel m'a interrogée du regard. Le cours d'eau gargouillait doucement derrière lui. Un corbeau a croassé au-dessus de nos têtes, un autre lui a répondu.

— S'ils sont là, je les retrouverai !

Ma voix avait plus d'assurance que mes pensées.

Quant aux corbeaux, ils riaient bel et bien de moi.

Chapitre 8

Vers midi, nous avions totalement déblayé un carré d'une cinquantaine de mètres de côté, en suivant les indications plutôt vagues de Rinaldi. En fait, il n'avait jamais vu les corps de ses propres yeux. Il agissait sur la foi d'une information interne fiable, selon laquelle les victimes auraient été invitées à un pique-nique, puis abattues dans les bois d'une balle dans la tête. Génial.

J'avais délimité la surface à fouiller et l'avais fait entourer d'une bande de plastique orange en rajoutant un mètre cinquante sur les côtés. Les corps étant rarement ensevelis à plus de deux mètres de profondeur, j'avais demandé un magnétomètre et un détecteur de 500 MHz qui m'avaient été livrés une heure plus tard.

Travaillant de concert avec l'opérateur du radar, j'ai fait forer une carotte à l'extérieur de la zone de fouilles afin de connaître la densité générale du terrain, son degré d'humidité, les variations entre les strates, etc. Une fois scannées, ces données nous serviraient de base de travail.

L'opérateur effectuait sa dernière mise au point quand la Grenouille s'est avancé à pas feutrés pour une nouvelle petite visite, suivi de près par le garde attaché à sa surveillance. Le fait de se trouver toute une matinée sous protection de la police semblait avoir dissipé ses angoisses.

— Sacrament! C'est quoi, ça? s'est-il exclamé en montrant les instruments qui semblaient tout droit sortis du film *Retour vers le futur*.

Claudel qui venait de nous rejoindre a aussitôt réagi :

— Dis donc, la Grenouille, à ta place je m'achèterais un de ces livres qui enseignent un mot par jour. Histoire d'élargir mes horizons, côté lexique!

— Va donc chier!

Personnellement, ses gros mots ne me dérangeaient pas. Dans un sens, ils me donnaient l'impression de me retrouver chez moi, en terre étrangère. J'ai relevé les yeux pour voir s'il faisait le malin ou s'il s'intéressait vraiment à la question. J'ai lu de la curiosité dans son regard. Comme ce n'était pas davantage derrière les barreaux qu'il risquait d'approfondir ses connaissances scientifiques, je lui ai répondu :

— C'est un magnétomètre.

Il m'a regardée sans comprendre.

— Un appareil qui détecte les anomalies du champ magnétique.

J'ai désigné le détecteur-émetteur, sorte de traîneau à poignée, et le récepteur auquel il était relié par un gros câble, puis l'écran branché sur l'allume-cigares d'un des véhicules tout-terrain.

— L'ordinateur interprète les signaux émis par l'antenne qui est là-bas et les reproduit en graphiques ici.

— On dirait une tondeuse à gazon.

En jardinage non plus, il ne devait pas être le premier de sa classe.

— Si on veut. L'opérateur balaie le terrain à l'aide du détecteur qui émet des signaux. Ces signaux reviennent affaiblis au récepteur qui interprète alors les trois données obtenues : la puissance du signal original, la puissance de la résonance et le temps de réponse, c'est-à-dire celui qu'il a fallu à l'onde pour se réfléchir. Et l'imprimante sort les résultats.

Son regard me disait qu'il comprenait. Quant à Claudel, il faisait semblant de ne pas s'intéresser à mes explications, mais je voyais bien qu'il tendait l'oreille.

— Si un objet enfoui dans le sol fait obstacle à la pénétration de l'onde, la résonance est affaiblie. Cependant, l'objet n'est pas la seule chose à affecter la résonance, il y a aussi le champ magnétique, qui présente des différences entre l'objet lui-même et le terrain environnant. Plus un objet est enterré profondément, plus il faut de temps à l'onde pour effectuer l'aller-retour.

— Donc, cette machine-là peut te dire si y'a un corps mort dans la terre.

— Pas seulement des cadavres, mais tout objet faisant obstacle à la propagation de l'onde. L'appareil localise l'endroit exact où il est enseveli et donne des indications sur sa taille.

À présent, le regard de la Grenouille disait qu'il était perdu. J'ai recommencé :

— Quand on creuse un trou et qu'on y cache quelque chose, le terrain n'est plus jamais comme avant. Le fait de le combler l'a modifié : la terre de terrassement n'a plus la même densité que celle qui se trouve autour, ou bien c'est le champ magnétique qui est différent.

Cela avait beau être vrai, je doutais que ce soit le cas dans la situation. Dix années d'inondation tendent à égaliser les différences. Néanmoins, j'ai continué :

— Les objets enterrés, comme un câble, une mine qui n'a pas explosé ou un corps humain, n'ont pas les mêmes «signatures» que le sol autour. N'émettent pas les mêmes signaux, si vous préférez.

— Et poussière, tu retourneras à la poussière... Et le cadavre, il passe dans l'eau qu'on boira après ?

La question de Rinaldi n'était pas idiote.

— Un cadavre en putréfaction peut en effet altérer la composition chimique du sol et en modifier les propriétés magnétiques au point que les os et les chairs en décomposition qui y sont enterrés peuvent finir par réapparaître.

Ça aussi, c'était vrai, mais c'était loin d'être systématique. Néanmoins, j'ai préféré garder cette réflexion pour moi. D'ailleurs, l'opérateur du radar me faisait signe qu'il était prêt. J'ai crié :

— Quickwater ! Vous voulez bien tirer le détecteur ?

— Je m'en charge, est intervenu Claudel.

— OK. Ce n'est pas sorcier. Demandez à un gars de l'Identité de vous suivre en tenant le câble. Commencez là où se trouve le traîneau, juste en bordure de la zone de fouilles. Quand vous arriverez à la ligne de piquets la plus au nord, enfoncez deux fois le bouton qui est sur la poignée. C'est une télécommande. Ce double signal nous servira à établir le point de départ des lignes. Tirez l'appareil en marchant le plus droit possible, aux deux tiers de votre vitesse normale. Chaque fois que vous croiserez un poteau est-ouest, appuyez une fois sur le bouton, et appuyez deux fois, quand vous serez arrivé tout au bout du terrain. Pour indiquer la fin de la ligne. Ensuite, on ramènera le traîneau à son point de départ et on recommencera, en partant d'une parallèle, un peu plus loin sur le côté.

— On ne peut pas faire l'aller-retour dans la foulée ?

— Non, il faut balayer le terrain dans le même sens, sinon les données des parallèles seraient inversées et on ne pourrait pas les comparer. Nous allons balayer la surface selon un axe nord-sud, en faisant en gros trente passages. Ensuite, on répétera l'opération d'est en ouest.

Il a hoché la tête. J'ai repris :

— Je vais rester à côté du technicien et surveiller l'écran. Si je note quelque chose, je crierai au type qui vous suit de planter un fanion.

Une heure plus tard, le terrain avait été entièrement examiné et tout le monde déballait son sandwich près du fourgon technique. Douze fanions bleus flottaient à l'intérieur du champ de fouilles : trois sites avaient été repérés.

Les résultats étaient meilleurs que je ne l'espérais. De la ligne 3 à la ligne 13 de l'axe nord-sud, on notait des affaiblissements de résonance sur une longueur et une largeur sensiblement identiques. C'est surtout la ligne 11 qui m'intéressait. J'avais demandé une sortie sur papier des interprétations fournies par l'ordinateur et j'étudiais ces quadrillages tout en mangeant mon saucisson-fromage.

Les horizontales représentaient le terrain en coupe, tandis que les verticales représentaient le terrain en surface. Et nous disposions d'un calibrage des strates grâce à la carotte forée à l'extérieur du champ de fouilles. En raison des deux balayages effectués, nous avions un quadrillage nord-sud et un autre est-ouest. Les poteaux y étaient représentés par des pointillés.

À la verticale 11 du quadrillage nord-sud, apparaissaient des courbes en forme de cloche, imbriquées les unes dans les autres. Elles m'ont aussitôt évoqué les côtes d'un squelette.

J'ai examiné les horizontales. Celle tout en haut, qui représentait la ligne du sol, était plate. La suivante présentait un tracé légèrement plus sinueux. Quant à la ligne correspondant à une profondeur d'un mètre quatre-vingts environ, elle révélait un affaiblissement de résonance non seulement à la verticale 11 sur le quadrillage nord-sud, mais également à la verticale 4 sur le quadrillage est-ouest. Autrement dit, en comparant les deux graphiques : à l'intersection des lignes 11 nord et 4 est.

Comparaison qui me donnait une idée de la taille et de la forme de l'objet obstruant. À cette vue, j'ai senti mon cœur s'emballer : l'anomalie en question mesurait à peu près un mètre quatre-vingts de long sur un mètre de large.

La taille d'une tombe.

À la profondeur d'une tombe.

— Ça donne quelque chose ? m'a demandé Claudel que je n'avais pas entendu approcher.

— On brûle.

— On s'y remet ?

— Et comment !

J'ai fini mon Coke Diète et j'ai grimpé dans la Jeep. Suivi du fourgon qui cahotait fortement, Quickwater a mis le cap sur le site que nous avions déterminé comme le mien : l'intersection 11 nord 4 est. Nous avions convenu que Claudel et le constable se chargeraient respectivement des deux autres emplacements présentant des baisses de résonance sur les quadrillages. Ils pourraient commencer à creuser dès que leurs sites auraient été entourés d'une grille de protection. Ils retireraient la terre par couches très fines en examinant chaque pelletée selon la méthode que je leur avais apprise pour repérer les différences de couleur et de texture du sol, et ils m'appelleraient au moindre détail suspect. Chacune de nos équipes serait aidée par des techniciens de l'Identité judiciaire. Des photos seraient prises à différents stades de l'opération et les moments les plus intéressants seraient filmés en vidéo.

Et c'est ainsi que nous avons procédé.

Claudel travaillait au point 13 nord et 5 est, à quelque trois mètres de moi. Chaque fois que je relevais la tête, je l'apercevais, sanglé dans sa veste de sport, debout au-dessus de son équipe, donnant des ordres à ses hommes ou les questionnant sur la qualité de la terre.

Au bout d'une demi-heure, une pelle a tinté dans sa fosse. Le tranchant avait dû heurter quelque chose de rigide. Mon ventre s'est contracté, j'ai eu comme un étourdissement.

Aidée par l'équipe de Claudel — et sous son œil avisé —, je me suis chargée de gratter tout autour de l'objet.

Et voilà qu'il est apparu! Rouillé et couvert de boue, mais reconnaissable entre mille.

— Tabarnac! Un couvercle de barbecue! s'est écrié quelqu'un.

— M. Claudel! a lancé un autre technicien. Sortez les chaises et mettez la viande à griller, faut inviter des filles!

— Dis à Luc de pas se fatiguer, Jean-Guy! l'a coupé un autre. On trouvera tout ce qu'il faut au Wal-Mart du coin.

— À votre place, je ferais venir le sac à viande. Vous allez me faire mourir tellement c'est drôle, a répliqué Claudel sans se fendre d'un sourire. Creusez donc! Il faut dégager ce truc et s'assurer qu'il ne cache pas de surprise.

Abandonnant son équipe, il m'a raccompagnée à mon site, 11 nord 4 est. Je me suis remise à pelleter à partir du nord, laissant mon assistant s'activer aux pieds d'un Claudel qui jouait toujours les inspecteurs des travaux finis.

Vers deux heures de l'après-midi, nous avions creusé une fosse d'à peu près un mètre de profondeur sans découvrir quoi que ce soit. L'écran n'indiquait rien non plus. Et c'est alors que je l'ai vue. Une botte! Elle reposait sur le côté, le talon légèrement pointé vers le haut. Je l'ai dégagée à la truelle. Mon assistant est venu y jeter un coup d'œil et a repris son travail. Claudel continuait d'observer en silence.

Quelques minutes plus tard, j'ai repéré la seconde botte. En retirant la terre à la main, une poignée après l'autre, j'ai réussi à dégager la paire. Bien que le cuir en soit détrempé et déteint, les œillets de laçage tordus et rouillés, les bottes étaient dans un état de conservation acceptable. J'ai noté dans un cahier à quelle profondeur et dans quelle position je les avais trouvées l'une et l'autre, puis un photographe a immortalisé ma trouvaille. Les ayant décrottées toutes les deux, je les ai posées sur un drap de plastique.

Aucune ne contenait de pied. Ce n'était pas bon signe.

Le ciel était d'un bleu de faïence et le soleil ardent. Une petite brise agitait les arbres. On entendait les branches s'entrechoquer et l'eau bouillonner doucement en passant sur les rochers. Eux, cela faisait une éternité que des glaciers les avaient laissés là. Une goutte de sueur a dévalé ma nuque. J'ai retiré mon survêtement et l'ai lancé sur le tapis d'aiguilles de pin à côté de la fosse. Quant à savoir si c'était la chaleur ou le stress qui avait activé mes glandes sudoripares, je n'aurais su le dire.

C'est toujours comme ça, pendant les exhumations. Curiosité, attente, peur de l'échec. On se demande ce qu'on va trouver à la couche suivante. Et s'il n'y avait rien ou qu'on n'arrive pas à dégager l'objet, qu'on le détériore ? J'aurais bien attrapé une pelle et creusé tout droit. Mais forer un trou de mine n'est pas la solution. Aussi fatigante soit-elle, il faut utiliser la technique adéquate. Dans une affaire comme celle-ci, il était crucial de récupérer le plus grand nombre d'ossements et d'objets, de réunir toutes les informations possibles. Je me suis donc remise à la tâche, amollissant la terre avant de la transvaser dans des seaux afin de l'examiner plus tard. Du coin de l'œil, je voyais mon assistant accomplir les mêmes gestes que moi sous le regard d'un Claudel silencieux. Celui-ci avait toutefois laissé tomber son veston à un moment donné.

Nous avons repéré les particules blanches en même temps, lui et moi.

— *Hell-o !* me suis-je écriée, le devançant.

Il m'a regardée, sourcils levés. Je lui ai fait oui de la tête.

— Ça m'a tout l'air d'être de la chaux. En général, ça indique qu'il y a quelqu'un à la maison.

À cette couche de particules, succédait un lit de vase blanche et poisseuse. Et c'est alors que nous avons découvert le premier crâne. Il reposait, face tournée vers nous, comme s'il voulait contempler le ciel une dernière fois de ses orbites emplies de terre. Le photographe a hurlé la nouvelle et tout le monde est accouru.

Alors que le soleil entamait sa lente descente vers l'horizon, deux squelettes sont apparus. Allongés sur le côté, l'un en position fœtale, l'autre les bras et les jambes tordus en arrière. La chair des crânes, des jambes et des bassins s'était décomposée et les ossements avaient pris la couleur thé foncé de la terre. Des chaussettes pourries emprisonnaient encore les pieds et les chevilles, des lambeaux de tissu putréfié recouvraient les torses, des manches pendaient aux bras. On aurait dit des épouvantails bricolés à partir de squelettes. Des fils électriques entouraient les poignets et on apercevait des fermetures éclair et de larges boucles de ceinture, coincées dans les vertèbres.

À cinq heures et demie, mon équipe avait mis au jour la presque totalité des restes. Sur le drap de plastique, dents et cartouches corrodées tenaient maintenant compagnie aux bottes. Penchés au-dessus de la collection, les photographes étaient à l'œuvre. C'est le moment qu'a choisi la Grenouille pour s'offrir une petite visite aux squelettes, non sans avoir longuement palabré avec son garde.

— Allô ! Bonjour ! a-t-il lancé face à la tombe, la main levée à un chapeau imaginaire, avant de se retourner vers moi. Faut-tu que j'dise *Bone*-jour, pour toi, Madame ?

Je n'ai pas relevé son jeu de mot bilingue.

— Osti de câlice ! Pourquoi qu'y'ont que des bouts de chemise, leurs bas et rien d'autre ?

Je n'étais pas d'humeur à lui faire un topo détaillé.

— Ouais, évidemment, a-t-il ricané, les yeux rivés sur la fosse. Y les ont forcés à marcher nu-bas avec leurs souliers dans les mains. Mais où c'qui sont passés, leurs pantalons ?

— Vous l'avez dit vous-même : « Et poussière, tu retourneras à la poussière… »

— C'est plutôt : « Et marde, tu retourneras à la marde ! »

Sa voix en grésillait d'excitation, comme une radio de policiers branchée à plein volume. Sa dureté m'a agacée. Tout simplement, parce que la mort fait mal. Mal à ceux qui meurent, mal à ceux qui les aiment et mal à ceux qui les exhument. J'ai rétorqué durement :

— Vous faites erreur. La merde, c'est ce qui dure le plus longtemps. Les fibres naturelles comme le coton d'un Levi's se décomposent beaucoup plus vite que les tissus synthétiques. Vos copains devaient avoir un penchant pour le polyester.

— Osti qu'y sont dégueulasses ! Y'a rien d'autre avec eux ?

Il scrutait la tombe de ses yeux brillants de rat rongeant une carcasse. Il a encore ricané :

— C'était pas mal cave, d'aller à ce pique-nique-là ?

Oui, une *deadly* décision, me suis-je dit tout en passant mon énervement sur ma truelle. Et que je te gratte à tour de bras ! Deux corps étaient étendus à nos pieds et ce misérable ne tenait plus en place de joie. Je me détournais pour voir où en étaient les photographes, quand j'ai aperçu Quickwater s'avançant vers moi. Il ne manquait plus que lui dans le tableau. J'ai espéré bêtement qu'il cherche quelqu'un d'autre, mais c'était moi, forcément. Je l'ai regardé s'approcher avec le même enthousiasme que si j'avais attrapé des engelures.

Il m'a décoché un de ses regards aussi impénétrables que le roc. Il sentait le pin et la transpiration. J'ai réalisé soudain que tout le monde, sauf lui, avait fait des pauses pour voir comment se passait l'exhumation. Lui seul n'avait pas levé le nez de son ouvrage de tout l'après-midi. Peut-être était-ce sa façon de me marquer ses distances. Pour ma part, je n'avais rien à y redire.

— Vous devriez venir voir quelque chose.

Son calme m'énervait. J'ai attendu qu'il s'explique. Bien inutilement, car il a tourné les talons. Il était d'une arrogance, ce con ! Persuadé que j'allais lui emboîter le pas.

L'ombre des arbres s'étirait de plus en plus, la température baissait sensiblement. Presque six heures. Mon saucisson-fromage datait de la préhistoire. Quickwater avait intérêt à ce que son spectacle vaille le coup. Prenant tout mon temps, j'ai traversé le champ de fouilles.

Surprise ! Son équipe et lui avaient creusé la totalité du site délimité, 3 nord et 9 est, sur une profondeur d'environ deux mètres.

L'objet à l'origine de ses interrogations reposait sur une sorte de socle, à un mètre de fond. Conformément à mes instructions, rien n'avait été déplacé.

— C'est ça ? ai-je demandé.

Quickwater a acquiescé de la tête.

— Rien d'autre ?

Il est resté muet.

J'ai regardé autour de moi. Les hommes avaient fait dans la dentelle. La grille de protection, toujours debout sur ses supports, était flanquée de cônes de terre fine. À croire qu'ils avaient passé au tamis la province entière !

J'ai reporté les yeux sur le macabre objet.

Ce qu'ils avaient exhumé là n'avait aucun sens.

Chapitre 9

Des vaches meuglaient au loin. J'ai fermé les yeux et suis restée à les écouter. Quelque part, la vie s'écoulait, paisible et régulière. Elle avait un sens. Quand j'ai relevé les paupières, les ossements étaient toujours là. Je n'étais pas plus avancée pour autant.

Le soir tombait. Le paysage se dissolvait en fondu enchaîné comme dans les vieux films. On n'aurait pas le temps d'achever l'exhumation ce soir. Tant pis ! On allait extraire les ossements mis à jour et on s'en tiendrait là. C'est trop dangereux de travailler dans le noir ; on risque de piétiner des indices. Ces tombes étaient là depuis longtemps, elles pouvaient y demeurer encore jusqu'à demain.

Quickwater ne m'avait pas quittée des yeux. J'ai regardé autour de moi, Claudel avait disparu. J'ai lâché :

— J'ai un mot à dire à votre collègue.

Sur ce, j'ai voulu retourner à mon site, mais Quickwater a exhibé un téléphone cellulaire et a composé un numéro avant de me passer l'appareil. Claudel a répondu presque immédiatement.

— Où êtes-vous ?

— Au pied d'un peuplier. Il fallait vous soumettre une requête en trois exemplaires ?

J'avais raté une bonne occasion de me taire !

— Votre collègue a trouvé qu'on n'en avait pas assez avec deux squelettes ; il nous en a dégotté un troisième.

— Sacrebleu !

— En fait, ce n'est pas vraiment un squelette. Apparemment, il n'a que la tête et deux os longs. Et il est célibataire.

— Où est le reste de son corps ?

— Vous êtes d'une perspicacité, détective Claudel, j'admire ! Je me perdais moi-même en conjectures, voyez-vous.

— Qu'est-ce que vous comptez faire ?

— Emporter ce qui a été exhumé et fermer le site pour la nuit. Que Saint-Basile appose des scellés et poste un agent à chaque sépulture. Ça ne devrait pas être très compliqué, vu que l'endroit est mieux gardé que Los Alamos.

— Les propriétaires vont râler.

— Moi aussi, j'avais d'autres projets pour le week-end.

Emballer les ossements, étiqueter les pièces à conviction, expédier le tout au laboratoire puis bâcher les fosses nous a pris un peu moins d'une heure. Le site confié à la police de Saint-Basile, je suis rentrée à Montréal avec Quickwater. Comme il fallait s'y attendre, le trajet s'est effectué dans un silence sépulcral.

De retour chez moi, j'ai appelé Ryan. Toujours pas de réponse. « Pourquoi, Andy, pourquoi ? ai-je murmuré comme s'il était à côté de moi. Je t'en supplie, fais que tout cela ne soit pas vrai ! »

Après une soirée qui peut se résumer ainsi : bain, pizza et dodo, l'aube m'a retrouvée avec toute l'équipe dans la petite crique élue comme lieu de pique-nique par les Vipères. De même que la veille, le ruisseau gargouillait, les oiseaux s'en donnaient à cœur joie et ma respiration s'élevait en volutes dans l'air frisquet du matin. Toutefois, cette journée se distinguait de la précédente en deux points : Claudel était resté en ville sous prétexte d'enquêter sur d'autres pistes, et le secret de notre découverte avait transpiré durant la nuit. Cela, nous nous en étions rendus compte dès la grand-route, en apercevant des véhicules stationnés des deux côtés de la voie menant à la propriété. Au portail, la presse nous avait donné l'assaut en anglais et en français. L'ignorant dans une langue comme dans l'autre, nous avions présenté nos badges à l'agent en faction et avions pénétré sur les lieux.

J'ai retiré les draps de plastique qui recouvraient les tombes et je me suis remise au travail, en commençant par la double sépulture. J'ai creusé sur environ deux mètres de profondeur sans rien débusquer d'autre que des os de la main et une seconde paire de bottes. Je suis passée à la fosse de Quickwater. Là, je n'ai cessé de m'ébahir à chaque pelletée de terre retirée : le site était complètement vide ! Pas le moindre bijou ou lambeau de tissu, pas de clefs ou de papiers d'identité, pas un seul cheveu ou un quelconque résidu. Le sonar lui-même n'a rien repéré. Autre détail bizarre : l'absence totale de larves ou de diptères fossilisés dans ce site 3 nord 9 est, alors que la double tombe grouillait littéralement d'insectes. Qu'est-ce qui justifiait une telle différence ? Pour ma part, je ne voyais aucune explication.

À cinq heures, les fosses remblayées, j'ai chargé mon équipement dans le fourgon technique. J'étais sale, fatiguée et j'avais de la bouillie à la place du cerveau. Une odeur de mort collait à mes vêtements et à mes cheveux. Mon unique désir était de rentrer chez moi et de passer une heure en tête-à-tête avec de l'eau et du savon.

Mais à peine la Jeep conduite par Quickwater a-t-elle pointé le nez au portail qu'une équipe de télé nous a encerclés, fermement décidée à nous bloquer le passage. Nous avons dû nous arrêter tout à fait. Un type a tapé sur la glace, de mon côté. Sourire Colgate et cheveux gominés. Tandis que le caméraman derrière lui me choisissait pour cible, il m'a noyée sous un flot de questions. Mauvaise idée, car je n'étais pas à prendre avec des pincettes. Le corps à moitié sorti par la fenêtre, je leur ai crié de se fourrer caméra et micro dans un endroit bien précis de leur anatomie. Puis, roulant des yeux exorbités, j'ai réintégré l'habitacle et enfoncé le bouton qui remonte la glace. Quickwater a démarré dans un rugissement de moteur. Planté sur la chaussée, son micro à la main, le reporter avait l'air éberlué.

N'ayant aucune conversation à attendre de mon chauffeur, je me suis calée dans mon siège et j'ai fermé les yeux. Les questions se catapultaient dans ma tête comme les tourbillons d'une rivière en crue. Qui était cette troisième victime ? Comment était-elle décédée ? Les analyses m'apporteraient-elles une réponse ? Je l'espérais. Pourquoi cette tombe clandestine ne renfermait-elle qu'une partie du corps ? Les Vipères nous apporteraient-ils des éclaircissements ? Probablement. Mais qui ou quoi nous dirait où se trouvait le reste du squelette ?

Il va de soi qu'avant d'enfermer chacun des ossements dans un sac, j'avais recherché des signes d'intervention animale. Ours, loups, coyotes et autres prédateurs se mettent volontiers un petit en-cas humain sous la canine, pour peu qu'on ait la gentillesse de leur en offrir un, et leurs cousins chats et chiens ne font pas plus de manières. Pourtant, je n'avais relevé aucune trace pouvant me donner à penser que des charognards avaient joué les violeurs de tombe. Les fémurs et leurs articulations ne portaient ni creux ni éraflure et ils ne présentaient pas davantage de coupures ou d'entailles indiquant que le corps avait été démembré. La question demeurait donc entière : où était passé le reste du défunt ?

En ce mercredi soir, je m'attendais à rééditer le programme de la veille : bain, micro-ondes, Pat Conroy et dodo. En dehors du premier point, il s'est avéré totalement différent.

Je me désenroulais de ma serviette pour enfiler ma chemise de nuit en flanelle verte quand le téléphone a sonné. Birdie m'a suivie au salon.

— Mon Dieu ! J'ai intérêt à me méfier. Encore un peu et tu vas me rafler la vedette.

Isabelle !

Star de la scène et de la télévision depuis plus de vingt ans, adorée du public québécois, elle ne peut faire un pas dans la rue sans que les gens se retournent.

— Ne me dis pas que j'ai fait la une des infos ? ai-je demandé, paniquée.

— Et comment ! Si tu n'as pas l'Oscar après ta prestation ! Une colère brute, une passion véritable…

— À ce point ?

— Pire. Mais les cheveux, ça allait.

— On a dit mon nom ?

— Mais oui ! Docteur Brennan.

Je me suis laissée tomber sur le divan. Devinant que la conversation allait durer, Birdie a sauté sur mes genoux.

— On n'a rien coupé au montage ?

— Pas une seconde, et tu peux me croire, j'ai l'œil. Dis-moi, c'est ta maman qui t'a appris toutes ces jolies expressions ?

J'ai grogné une réponse inaudible. Inutile de me rappeler où j'avais dit aux journalistes de se fourrer leurs outils de travail.

— Mais ce n'est pas pour ça que je t'appelle, poursuivait Isabelle. Je voudrais t'inviter à souper samedi. Une cure de mondanités me paraît toute indiquée dans ton état. Pour te faire oublier tes abominables motards. Et Ryan.

Ryan…

— Je n'ai pas vraiment le cœur à rire, ces temps-ci.

— Mes oreilles n'entendent que les oui. Tu vas me sortir tes petites perles et t'asperger de parfum. Je me charge de te changer les idées.

— Tu ne t'es pas mise en tête de me jeter dans les bras de quelqu'un, j'espère ?

Pendant un moment, je n'ai entendu qu'un silence abyssal et, pourtant, j'avais l'oreille collée à l'écouteur. Puis :

— Je te jure, Tempe, ton boulot te rend vraiment soupçonneuse ! Il n'y aura que des amis. Et une surprise aussi.

Pitié !

— C'est quoi, la surprise ?

— Si je te le dis, ce ne sera plus une surprise.

— Dis quand même.

— Bon. Un monsieur qui voudrait te rencontrer. Et que tu vas adorer connaître, j'en suis sûre. En fait, tu le connais déjà, mais pas vraiment. Et il n'a aucune envie de démarrer une idylle, si ça peut te rassurer.

En deux ans, Isabelle m'a présenté un bon nombre de ses amis. La plupart sont homosexuels et pratiquent des métiers ayant plus ou moins trait à l'art. Ennuyeux ou boute-en-train, ils sont tous assez uniques dans leur genre. Oui, une soirée de frivolités ne pouvait que me faire du bien.

— Bon. Tu veux que j'apporte quelque chose ?

— Rien du tout. Tu rappliques sur le coup de sept heures et sur ton trente-six.

J'ai retiré la serviette que je portais en turban et je me suis coiffée, puis je suis allée enfourner un gratin de fruits de mer dans le micro-ondes. Je programmais la durée de cuisson quand l'interphone a retenti.

Ryan ? Je me suis précipitée dans l'entrée.

Oui, Ryan qui venait m'annoncer que toute cette histoire n'était qu'une monstrueuse erreur. Mais… et si elle était vraie ? Voulais-je revoir ce monsieur ? Voulais-je connaître le baratin qu'il allait me débiter ?

Oui. Follement !

Prolonger l'introspection était inutile, car la personne dans le vestibule dont l'écran de contrôle me renvoyait l'image n'était pas Ryan, mais Jean Bertrand, son coéquipier. J'ai déclenché l'ouverture de la porte et je suis allée dans ma chambre enfiler robe de chambre et pantoufles.

Au moment de franchir le seuil, Jean Bertrand a marqué une hésitation, comme s'il cherchait à se ressaisir. Il y a eu un instant de gêne et puis il m'a tendu une main. Glacée.

— Salut, Tempe. Désolé de te prendre à l'improviste.

Ces derniers temps, le monde entier semblait s'être donné le mot pour le faire, ai-je pensé en moi-même, tout en me contentant de hocher la tête. Bertrand avait les traits tirés et des cernes noirs. Pour un homme qui se pique d'élégance, il portait ce soir un jeans délavé et un blouson de daim. Il a voulu ajouter quelque chose, mais je l'ai coupé en lui proposant d'entrer au salon. Il a choisi le canapé, je me suis blottie dans le fauteuil en face. Il est resté un moment à m'examiner d'un air tendu, sans rien dire. Indéchiffrable. À la cuisine, le micro-ondes engrangeait de la chaleur à l'intérieur de mon poisson-riz-au-curry-carottes. Murée dans le silence, je me disais : « Ça va être ta fête, ma cocotte ! »

C'est lui qui a fini par craquer :

— C'est à propos de Ryan.

— Oui.

— J'ai eu tes appels, mais je ne pouvais pas te parler.

— De quoi s'agit-il, exactement ?

— Il est en liberté sous caution, inculpé de…

— Je sais.

— Ne te fâche pas, mais je ne savais pas quelle place tu tenais dans le tableau.

— Quoi ? ! Non mais tu rêves, Bertrand ! Tu me connais depuis combien d'années ?

— Je connais Ryan depuis bien plus longtemps. Alors, tu vois, je dois être nul pour juger les gens.

— Apparemment, je ne vaux pas mieux que toi.

Je m'en voulais d'être aussi glaciale, mais pourquoi ne m'avait-il pas appelée plus tôt? Il le savait, pourtant, que je ne pouvais compter que sur lui pour avoir des nouvelles. Et lui, il m'avait tout bonnement écartée de son chemin! Comme un mendiant qui bloque le passage.

— Je ne sais pas bien quoi te dire. L'affaire est surveillée d'aussi près que des nouveaux seins gonflés au collagène. À ce qu'on dit, Ryan ne trouvera même pas un emploi de livreur de journaux quand ils auront bouclé l'enquête.

— À ce point?

Je tournicotais la frange d'un coussin, les yeux rivés sur mon doigt.

— Ils en ont assez pour l'enfoncer jusqu'au cou!

— Et c'est quoi exactement, ce qu'ils ont?

— Des amphétamines. Ils en ont retrouvé chez lui plus qu'il n'en faut pour faire exploser tout un pays en voie de développement. Et aussi des manteaux volés. Pour plus de dix mille dollars.

— Des manteaux?

— Ouais, ceux de marque Kanuk qui font baver d'envie les gens.

— Quoi d'autre?

Je serrais si fort la frange que j'en avais des élancements dans le poignet.

— Des billets aux numéros fichés et d'autres cochonneries du même genre. Ils ont des témoins et des vidéos, a-t-il lâché d'une voix où vibrait l'émotion, et il a poussé un long soupir. Parce qu'il y en a tout un char, de merde! Mais je ne peux pas t'en parler. Essaie de comprendre, Tempe. Je m'excuse si je t'ai laissée mariner dans ton coin, ça m'a pris du temps pour digérer tout ça... Probablement qu'il n'a jamais tourné le dos à son passé, a-t-il encore ajouté d'une voix étouffée, comme s'il avait peur de croire à ses propres paroles.

Je savais qu'au collège Ryan avait plongé dans l'alcool et la drogue. Ayant abandonné ses études, il avait mené une vie de voyou jusqu'à ce qu'un défoncé manque lui faire la peau en jouant du canif. Après cela, il s'était reconverti en policier et avait gravi les échelons jusqu'à devenir lieutenant-détective.

— On sait qu'il a été vendu. Pour moi, ça pouvait aussi bien être toi, l'indicatrice. Mais ça n'a plus d'importance, à présent. C'est un salaud, il n'a que ce qu'il mérite.

Nous sommes restés longtemps sans échanger un mot. Je sentais ses yeux fixés sur moi. Je me taisais et ne le regardais pas. Le micro-ondes a lancé ses bips et s'est tu. Le silence s'éternisait.

J'ai fini par dire :

— Tu crois vraiment qu'il est coupable ?

Je devais être rouge comme une pivoine, car un incendie me dévorait juste en dessous du sternum.

— J'ai passé tous ces derniers jours à rechercher des preuves qui le blanchissent. Rien, néant. Pas le moindre indice, pas un seul témoin à décharge, pas même un petit doute de rien du tout. Voilà ce que j'ai trouvé !

De l'index et du pouce, il a formé un zéro qui tremblait légèrement et s'est passé la main sur le visage.

— Enfin, ça n'a plus d'importance.

Il a poussé un profond soupir. Désespéré.

— C'est moche, Tempe. Tellement, que je me demande où j'en suis et où va le monde. Et même si la vie vaut le prix qu'on la paye.

J'ai relevé les yeux sur Bertrand. Son visage exprimait une tristesse infinie. Je devinais ses sentiments : d'un côté, il s'efforçait de ne pas mépriser un coéquipier qui avait succombé à l'appât du gain ; de l'autre, il le haïssait d'avoir trahi et de laisser un vide glacé derrière lui.

Il m'a promis de me prévenir s'il apprenait du nouveau.

La porte refermée sur lui, je suis allée jeter mon poisson à la poubelle et inonder de pleurs mes oreillers.

Chapitre 10

Le jeudi, vêtue d'un tailleur bleu marine, je suis allée à Notre-Dame-des-Anges. Le vent soufflait en bourrasques et le soleil perçait difficilement à travers les nuages qui filaient dans le ciel. Je me suis garée près de l'église et j'ai joué des coudes dans la foule habituelle des curieux, des journalistes et des policiers, sans repérer Charbonneau, Quickwater ou Claudel dans l'assemblée réduite de parents et d'amis qui grimpaient les marches. Les Noirs étaient en majorité, les Blancs en couple ou avec un enfant au moins : les camarades de classe d'Emily Anne et leurs familles, sans doute.

Près de la porte, sur ma droite, une vieille dame aux mains déformées par l'arthrite s'évertuait à rabattre le bas de sa robe gonflée par le vent. Une rafale a emporté son chapeau que j'ai réussi à bloquer contre le mur de l'église. Quand je le lui ai rendu, la dame l'a serré contre sa maigre poitrine en m'adressant un petit sourire. Son visage tout ridé m'a rappelé les poupées qu'on façonne à partir de pommes sauvages dans les Smoky Mountains.

— Vous êtes une amie d'Emily Anne, m'a-t-elle demandé d'une voix cassée.

— Oui, madame…

Je ne me voyais pas lui détaillant mon implication dans l'affaire.

— Moi, je suis sa grand-mère.

— J'ai bien de la peine pour vous.

— J'ai vingt-deux petits-enfants mais, Emily Anne, elle était différente. Elle faisait tout bien, vous savez. Son école, sa danse classique, sa natation, son patin à glace. Je me disais qu'elle serait encore plus intelligente que sa maman.

— C'était une très jolie petite fille.

— C'est peut-être pour ça que Dieu l'a rappelée.

J'ai suivi des yeux la vieille dame tandis qu'elle avançait sur ses jambes vacillantes. Ses paroles m'avaient plongée dans mon propre passé. Je les avais entendues jadis, exactement les mêmes, et elles rouvraient en moi une douloureuse blessure. Je me suis durcie pour ne pas m'effondrer pendant la cérémonie.

L'église était fraîche et sentait l'encens, les cierges et l'encaustique. La lumière qui tombait des vitraux colorait toutes choses d'une teinte pastel. L'assistance avait délaissé les bancs les plus proches du chœur pour se masser au centre. Je me suis glissée dans une rangée au fond. Mains croisées, j'ai essayé de me concentrer. Les doigts moites et le corps parcouru de picotements, j'écoutais l'organiste enchaîner les morceaux.

Flanqué de cierges à l'avant et à l'arrière, un petit cercueil blanc couvert de fleurs reposait près de l'autel, des ballons accrochés aux poignées latérales. Et ces boules multicolores qui oscillaient doucement avaient quelque chose de choquant.

Au premier rang, j'ai aperçu Mme Toussaint entre deux petites têtes. Penchée en avant, elle mordait son mouchoir, les épaules secouées de sanglots. Une petite main lui a caressé le bras. À cette vue, ma douleur s'est attisée.

J'étais dans ma paroisse de St.Barnabas. Au pupitre se tenait le père Morrison et, dans le cercueil, c'est mon petit frère qui gisait. Ne pouvant supporter les sanglots de ma mère, je tendais la main pour la consoler. Elle ne réagissait pas à mon geste, elle serrait plus fort ma petite sœur contre elle, inondant de larmes ses cheveux. Désespérée, je regardais la tête de Harry se mouiller sous les pleurs. J'avais six ans, et si l'on m'avait demandé de dessiner le monde tel que je le voyais, je l'aurais peint d'une seule couleur : noir. J'avais été incapable de sauver de la leucémie celui que j'aimais le plus au monde, Kevin, mon petit frère cadeau de Noël. Ayant passé des heures à prier sans réussir à éloigner la mort, ni à faire naître un sourire sur les lèvres de ma mère, j'en étais arrivée à croire que c'était moi qui étais mauvaise puisque mes prières demeuraient sans effet.

Près de quarante ans se sont écoulés depuis la disparition de Kevin, mais je porte toujours la douleur en moi. Immanquablement, les messes d'enterrement avec leur odeur particulière et leurs cantiques font se rouvrir ma plaie, et le chagrin enfoui au fond de mon cœur remonte au seuil de ma conscience.

J'ai regardé l'assistance. Charbonneau se tenait près d'un confessionnal. À cet instant, le prêtre est entré dans le chœur. Jeune, athlétique, l'air tendu. Il ressemblait davantage à un champion de tennis au moment de lancer la balle de service qu'à un homme de Dieu s'apprêtant à célébrer l'office des morts. Au signe de la croix, l'assemblée s'est levée. J'ai fait des gestes jadis familiers, les joues brûlantes et le cœur battant la chamade. J'ai tenté de me concentrer, mon esprit résistait. Les images qui envahissaient mon cerveau me ramenaient à mon enfance.

Une Noire énorme, aux joues luisantes et aux cheveux rassemblés au sommet de la tête, est allée se placer derrière un lutrin, à droite de l'autel, et a entonné *Amazing Grace*. J'ai reconnu en elle la dame photographiée dans le journal. Ensuite, le prêtre a évoqué l'innocence des enfants puis, tour à tour, des membres de la famille sont venus rappeler les brillantes qualités d'Emily Anne et l'amour qu'elle portait aux siens. Un oncle a parlé de sa passion pour les gaufres, sa maîtresse a loué sa curiosité intellectuelle et a lu le devoir qui lui avait valu la médaille, et un élève de sa classe a récité un poème composé à son intention. Les cantiques ont repris. Le prêtre a distribué la communion et les pratiquants ont regagné leur place en file indienne. Sanglots étouffés. Encens. Bénédiction du cercueil. Pleurs étranglés de Mme Toussaint.

Enfin, le prêtre a demandé aux sœurs d'Emily Anne et à ses camarades de classe de venir le rejoindre sur les marches de l'autel où il s'était assis. Il y a eu un instant de paralysie générale, puis les parents ont poussé les enfants pour les faire sortir des bancs. D'un pas timide, les petits sont montés à l'autel.

Alors, le prêtre, s'adressant aux enfants, a dit qu'Emily Anne était au paradis, heureuse auprès du Bon Dieu et de son papa retrouvé, et que tout le monde devait se réjouir avec elle. Un jour, sa mère et ses sœurs iraient la rejoindre, ainsi que toute l'assemblée ici présente aujourd'hui.

Si le sermon ne brillait guère par l'originalité, ce que le père a fait ensuite était inattendu. Sur son geste, les enfants de chœur se sont éclipsés vers la sacristie pour en revenir les mains chargées de ballons.

— Ces ballons sont remplis d'hélium, a expliqué le prêtre aux petits, c'est un gaz qui leur permet de voler. Vous allez tous en prendre un et vous sortirez derrière Emily Anne. Dehors, nous réciterons une prière d'adieu et, tous ensemble, nous lâcherons les ballons. Comme ça, en les voyant monter au ciel, Emily Anne saura que nous l'aimons.

Il a regardé les petits visages solennels qui se tendaient vers lui.

— Trouvez-vous que c'est une bonne idée ?

Les têtes ont fait oui. Il a dénoué les ficelles qui retenaient les ballons et en a remis un dans chaque menotte. Puis, tandis que l'organiste entamait l'*Ave Maria* de Schubert, il a précédé les enfants au bas des marches. Les porteurs ont soulevé le cercueil et le cortège s'est ébranlé en direction de la sortie, se gonflant à mesure que se vidaient les rangs. Quand la file est arrivée à ma hauteur, je me suis glissée entre les bancs pour aller me placer au bout. Dehors, l'assistance avait formé un cercle tout autour des enfants. Mme Toussaint, soutenue par la choriste, se tenait derrière ses filles. Quant à moi, je suis restée au sommet des marches.

Les nuages s'étaient éparpillés en une multitude de moutons blancs. J'ai suivi l'envol des ballons, le cœur étreint d'un chagrin indicible. Rarement, au cours de ma vie, avais-je éprouvé de peine aussi profonde. Les joues baignées de larmes, j'ai réitéré dans mon cœur la promesse que je m'étais faite le jour où Emily Anne avait été tuée : oui, je retrouverais ces bouchers pour qui rien ne comptait et je les expédierais là où ils ne pourraient plus faire mourir les enfants ! N'ayant pas le pouvoir de ressusciter la petite fille, je procurerais au moins ce mince réconfort à sa mère.

Laissant Emily Anne aux siens, j'ai regagné ma voiture et pris la direction de la rue Parthenais. D'humeur à me noyer dans le travail.

Les enquêteurs du Carcajou avaient déjà identifié les squelettes trouvés à Saint-Basile : Félix Martineau, vingt-sept ans, et Robert Gately, trente-neuf, tous deux proches des Tarantulas, un club de motards aujourd'hui disparu mais actif à Montréal, dans les années soixante-dix, quatre-vingt. Gately en était membre en règle ; Martineau, recrue. Le soir du 24 août 1987, ils avaient quitté ensemble l'appartement de Gately, rue Hochelaga, pour se rendre chez des gens dont la copine de Gately ne connaissait ni le nom ni l'adresse. On ne les avait jamais revus.

J'ai passé la journée dans mon labo à recomposer leurs squelettes et à vérifier d'après les ossements l'âge, le sexe, la race et la taille de chacun. Crânes et bassins confirmaient qu'il s'agissait bien de deux individus de sexe masculin. En raison de la différence d'âge et de taille, l'identification était beaucoup plus aisée que pour les frères Vaillancourt.

L'examen des crânes et des mâchoires achevé, je les ai remis à Marc Bergeron. Lui non plus n'aurait guère de mal à mener à bien sa tâche, compte tenu du nombre de travaux dentaires. Quant à moi, je suis passée à l'étude des squelettes proprement dits. La plus grande des victimes présentait une fracture à la clavicule parfaitement remise. J'étais en train de la photographier quand Bergeron est entré dans ma salle, portant deux dossiers dentaires sous le bras.

De tous les gens que je connais, c'est incontestablement celui qui a l'allure la plus bizarre : tout en jambes, des cheveux pissenlit et l'air plus vieux que Mathusalem. Impossible de deviner son âge. Au labo, personne n'en a la moindre idée. Il a attendu que j'aie fini de prendre ma photo pour me confirmer que je ne m'étais pas trompée dans mon identification.

— Comment tu as fait pour obtenir tes dossiers aussi rapidement ? lui ai-je demandé.

— Je suis tombé sur des dentistes ravis de coopérer. Heureusement pour moi, ces messieurs prenaient soin de leurs bouches. Gately, du moins. Mauvaises dents, nombreux plombages. Martineau n'était pas aussi pointilleux, mais ça a quand même été du gâteau : ce gros méchant motard avait encore quatre dents de lait. C'est assez rare à son âge.

Comme j'éteignais le rail lumineux auquel est suspendu l'appareillage photographique, il a ajouté :

— Tu as commencé la troisième victime ?

— Pas encore, mais je peux m'y mettre tout de suite et finir ça plus tard. On y jette un œil ensemble ?

Depuis ce matin, je ne rêvais que de cela. J'étais ravie que Bergeron m'offre l'excuse de mettre mon envie à exécution.

— Et comment !

J'ai rendu sa clavicule au squelette de gauche et j'ai demandé :

— Tu peux me dire qui est qui ?

Après avoir lu les chiffres inscrits à l'arrière des crânes posés sur son plateau, puis les étiquettes placées à côté des squelettes, il a remis sa tête à chacun. D'un ample mouvement du bras, il a désigné l'homme à la clavicule cassée :

— Je te présente monsieur Martineau… Et voici Mister Gately, a-t-il conclu en reprenant son geste du bras droit.

— Un anglophone ?

— J'imagine. Son dentiste ne parle pas un mot de français.

— Je ne savais pas qu'il y avait des anglophones chez les motards québécois.

— Personnellement, je n'en ai jamais entendu parler d'un seul, a renchéri Bergeron.

— Tu transmets la nouvelle à Quickwater et à Claudel ?

— C'est déjà fait.

J'ai pris sur l'étagère la boîte contenant les ossements de la troisième victime et je les ai placés sur le tamis préalablement étendu au fond du bac de nettoyage. Ensuite, j'ai fait couler l'eau chaude. La terre est partie facilement des fémurs. Les ayant mis à sécher sur l'égouttoir, j'ai saisi le crâne. Son poids m'a surprise. Il devait encore contenir des matières cérébrales solidifiées. J'ai commencé par brosser la boue qui recouvrait l'arrière de la tête puis, ayant délicatement nettoyé le visage, j'ai posé le crâne à l'envers au fond du bac, de façon qu'il se remplisse d'eau par le cou. Après quoi, je me suis assise au bureau pour établir une fiche d'identification.

Revenue au bac, j'y ai découvert Bergeron faisant pivoter le crâne dans ses mains pour en avoir une vue latérale. Il en a étudié les traits un certain temps et a fini par lâcher tout bas « Oh là là ! », avant de me passer le crâne pour que je l'examine à mon tour.

Copiant ses gestes, je n'ai pu que répéter en écho :

— Oh là là !

Chapitre 11

Un simple coup d'œil a suffi à me convaincre que je m'étais trompée. La délicatesse du front et de l'occiput, l'étroitesse des pommettes, la petite taille des mastoïdes, tout dans ce crâne révélait que le squelette esseulé était du même sexe que moi. À l'aide de mon compas d'épaisseur, j'ai mesuré un des fémurs qui séchaient dans l'égouttoir. Sa tête, c'est-à-dire la boule qui s'insère dans la cavité pelvienne pour former l'articulation de la hanche, faisait trente-neuf millimètres de diamètre. Là encore, je pouvais grosso modo en déduire que son propriétaire était une femme. Et toute jeune, qui plus est ! Car une ligne transversale au sommet de l'os indiquait que le cartilage de croissance n'avait pas fini de se transformer en tissu osseux au moment de la mort.

J'ai repris mon examen du crâne : des sutures ondulées séparaient tous les os. Je l'ai retourné de façon à avoir une vue complète de la base. Juste en avant du foramen magnum, c'est-à-dire du trou occipital qu'emprunte la moelle épinière prolongeant l'encéphale, un espace entre le sphénoïde et l'occiput indiquait que la suture n'était pas refermée. Je l'ai montrée à Bergeron.

— C'était une enfant. Une adolescente.

Il a marmonné quelque chose, mais je ne l'ai pas écouté. Je venais de remarquer une anomalie sur le pariétal droit, au-dessus et légèrement en arrière du conduit auditif. Un rond d'un centimètre de diamètre environ, que je sentais parfaitement sous les doigts.

Sous le regard attentif de Bergeron, j'ai entrepris de frotter le crâne sous l'eau courante à l'aide d'une brosse à dents à poils doux, afin de le débarrasser de toute sa terre. Un petit trou n'a pas tardé à apparaître.

— Une blessure par balle? a demandé mon compagnon.

— Peut-être... Non. Je ne crois pas.

Si la cavité avait effectivement la taille d'une perforation causée par un projectile de petit calibre, ses arêtes, douces et lisses, rappelaient plutôt les alvéoles dans la pâte d'un baba au rhum.

— C'est quoi, alors?

— Un défaut congénital peut-être ou bien un abcès. J'en saurai davantage quand j'aurai évidé le crâne et jeté un coup d'œil à la texture endocrânienne. Et puis les radios me donneront une idée de la structure interne de l'os.

Bergeron a consulté sa montre.

— Préviens-moi quand tu auras fini. Je radiographierai la denture selon plusieurs axes. À première vue, la mâchoire n'a pas l'air d'avoir subi de correction. La canine droite n'est pas dans l'alignement, c'est déjà une caractéristique. Je ferais aussi une radio panoramique de la mâchoire inférieure.

— Je ferai mieux la prochaine fois.

Il a ri.

— C'est déjà pas mal comme ça!

Bergeron parti, j'ai reposé le crâne à l'envers sur son rond de caoutchouc. Ayant réglé le débit de l'eau de façon qu'un petit filet seulement pénètre dans le foramen magnum, je me suis remise à mes photos de Gately et de Martineau. J'en ai pris plusieurs, notamment les entrées de balles au bas du crâne.

À intervalles réguliers, j'allais nettoyer ma petite inconnue. La saleté s'évacuait par le cou. Un peu avant midi, alors que je retirais des sédiments, quelque chose a tinté dans la boîte crânienne. J'ai glissé mes doigts à l'intérieur. Un objet, mince et allongé, se prolongeant par un appendice, était encore enfoui dans le magma solidifié. Impossible de le déloger. J'ai replacé le crâne sous l'eau et je me suis absorbée dans la lecture du rapport Gately. Je brûlais de curiosité.

À une heure de l'après-midi, l'objet flottait presque librement à l'intérieur du crâne de la jeune fille, uniquement retenu par sa pointe effilée. J'ai immergé le crâne dans le bac et je suis descendue à la cafétéria.

À mon retour de dîner, les résidus de saleté s'étaient liquéfiés et j'ai pu évider le crâne sans encombre par le foramen magnum. Retenant mon souffle, j'ai extirpé l'objet en question. C'était un tube d'une dizaine de centimètres de long et pourvu d'une valve à un bout. Je l'ai nettoyé et posé sur un plateau. Qu'était-ce ? Je n'aurais su le dire, mais j'étais persuadée de son importance. Je me suis mise en quête d'un pathologiste susceptible d'éclairer ma lanterne.

LaManche se trouvant à une conférence sur la mortalité infantile d'après le bulletin de services, je suis allée frapper à la porte de Marcel Morin.

— Tu as une minute ?

— Mais bien sûr ! m'a-t-il répondu de sa voix chaude et passionnée qui rend hommage à ses origines haïtiennes.

J'ai déposé mon plateau devant lui.

— Ah, un implant chirurgical !

Derrière ses verres sans monture, ses sourcils se sont levés. Grisonnants, ses sourcils. De la même couleur que sa tignasse crépue qui commence à se dégarnir sur le front.

— C'est bien ce que je pensais. Tu peux m'en dire davantage ?

— Pas tellement, a-t-il fait, écartant les mains en signe d'impuissance. On dirait un shunt ventriculaire, mais je ne suis pas neurochirurgien. Tu devrais t'adresser à Carolyn Russell. On l'appelle parfois pour des consultations. Elle travaille à l'INM.

Il a fait défiler les cartes sur son fichier rotatif et m'a griffonné son numéro. L'ayant remercié, je suis retournée dans mon bureau appeler l'Institut neurologique de Montréal. Le Dr Russell était en rendez-vous. J'ai laissé un message. Je venais à peine de raccrocher quand le téléphone a sonné.

Claudel.

— Vous avez parlé à Bergeron ?

— Il me quitte à l'instant.

— Eh bien, ça en fait deux qu'on va pouvoir transférer de la liste des manquants à l'appel à celle des zigouillés.

J'attendais qu'il poursuive. Il gardait le silence.

— Et ?

Il a fait durer sa pause.

— On a commencé les recherches sur Gately et Martineau. Personne ne sait rien. Normal, au bout de dix ans. Surtout que nos gars avaient plutôt la bougeotte. Ça m'étonnerait que quelqu'un nous crache quoi que ce soit. On aurait retiré leurs grands-mères du trou qu'ils n'en diraient pas plus.

— Et Rinaldi ?

— La Grenouille s'en tient à sa version. Il prétend avoir appris ça de rumeurs qui circulaient au repaire et selon lesquelles ces deux-là auraient été invités à une fête sans savoir que c'était à leur propre enterrement.

— En chaussettes ?

— Affirmatif. Ces gars-là n'ont pas tendance à se mettre sur leur trente-six. La Grenouille n'y était pas, ce jour-là. Il devait faire sa tournée des bonnes œuvres, probablement. Et de votre côté, du nouveau sur le troisième larron ?

— C'est une larronne.

— Une fille ?

— Oui. La Grenouille ne vous en a rien dit ?

— Pas un mot. Mais il se taira tant qu'il ne verra pas un avantage sérieux à parler. D'autres détails ?

— C'était une blanche, dans les quatorze–seize ans.

— Si jeune ?

— Oui.

Un bruit de circulation me parvenait en arrière-fond. Claudel devait m'appeler de sa voiture.

— Je vais me procurer la liste des adolescentes disparues. Quelle date, approximativement ?

— Prenez toute la dernière décennie.

— Pourquoi remonter si loin en arrière ?

— Je dirais qu'elle est morte depuis au moins deux ans. Avec les éléments dont nous disposons, c'est difficile d'établir une date. Mais j'ai l'impression que cette tombe a été creusée plus tard.

— Qu'est-ce que vous voulez dire ?

— Je crois que la jeune fille a été enterrée ailleurs, puis exhumée et transférée là où nous l'avons trouvée.

— Mais pour quelle raison ?

— Décidément, votre perspicacité m'épate, détective Claudel !

Je lui ai mentionné l'implant chirurgical.

— Qu'est-ce que ça veut dire, ça ?

— Je vous le dirai dès que je le saurai.

À peine avais-je raccroché que le téléphone a de nouveau sonné : Carolyn Russell pouvait me recevoir à trois heures. J'ai regardé ma montre. À condition d'être dans les bonnes grâces des dieux du stationnement, je pouvais y arriver à temps. J'ai rangé l'implant dans un tube en plastique et inscrit le numéro du dossier sur le bouchon. Je suis passée en coup de vent chez Bergeron pour lui dire qu'il pouvait disposer du crâne et j'ai foncé jusqu'à ma voiture.

Construit à la fin du XIXe siècle, l'Hôpital Royal Victoria occupe un immense terrain au cœur de Montréal. Son complexe de pierres grises domine le campus universitaire McGill, tel un château médiéval la campagne de Toscane. Si l'Institut Allan Memorial, tristement célèbre pour les monstrueuses expériences sur la drogue menées en ses murs par la CIA à la fin des années cinquante, se trouve au bout de la rue Peel, l'Institut de neurologie, quant à lui, se trouve à l'est du Royal Victoria et borde la rue University. Ses unités de recherches et d'enseignement, à savoir : l'Hôpital neurologique de l'Université McGill, l'INM et le tout récent Centre de recherche sur les tumeurs cérébrales, jouxtent le stade de football, comme si la brique et le ciment de leurs murs tenaient à payer un tribut au gazon en cette ère où le sport et la recherche scientifique sont devenus les deux mamelles de l'éducation.

C'est dans les années trente que les Neuros, comme on les désigne, sont sortis du cerveau inspiré de Wilder Penfield. Hélas, ce neurochirurgien visionnaire n'était pas doté d'un génie comparable en matière de circulation automobile. Le sachant, j'ai préféré suivre à la lettre les indications du Dr Russell. J'ai donc payé dix dollars pour accéder au stationnement du Royal Vic et j'ai commencé à faire des tours. Au troisième passage, alors que j'allais me résoudre à syntoniser FM 88,5, pour connaître les emplacements disponibles, j'ai vu soudain s'allumer les feux arrière d'une Audi. Je me suis précipitée pour occuper sa place. Deux heures cinquante-cinq à ma montre. J'ai piqué un marathon le long de l'avenue des Pins.

Après une errance au pas de course dans les couloirs de l'hôpital, c'est à bout de souffle et en nage, la frange collée au front, que je me suis présentée au Dr Russell. Elle m'a dévisagée d'un air dubitatif avant de se lever, main tendue. Elle avait une poignée de main de déménageur, la soixantaine très ridée, des cheveux gris coupés court et coiffés sur le côté.

— Excusez mon retard. J'ai eu quelque difficulté à vous trouver...

C'était un euphémisme.

— Oui, on se perd facilement, m'a-t-elle répondu. Je vous en prie...

J'ai pris place dans le fauteuil qu'elle me désignait.

— Je n'aurais jamais imaginé que l'INM était aussi grand.

— Oh, si ! Nous y menons des activités très diversifiées.

— Le Centre de recherche sur l'épilepsie est célèbre dans le monde entier, ai-je renchéri en me débarrassant de ma veste.

— Oui, notre hôpital est le premier au monde pour le nombre d'opérations dans ce domaine. C'est ici qu'a été inaugurée la technique de résection de la moelle. Cela fait plus de soixante ans que nous travaillons sur les fonctions cérébrales et la cartographie corticale, grâce à nos patients épileptiques. Nos travaux ont ouvert la voie à l'IRM ainsi qu'à la TEP qu'on pratique aujourd'hui.

— Je connais l'imagerie à résonance magnétique, mais qu'est-ce que la TEP ?

— La tomographie par émission de positons. C'est une autre technique d'imagerie du cerveau permettant d'obtenir des informations sur la structure du cerveau et son métabolisme, consistant à injecter une substance radioactive émettant principalement des positons, à recueillir les rayonnements par un capteur externe et à reconstruire par ordinateur une image en coupe de l'organe. Notre centre McConnell est l'un des leaders mondiaux dans ce domaine.

— Quelles autres recherches mène-t-on dans ces murs ?

— Oh, l'INM a été à l'origine de bien des découvertes, tant en théorie avec le concept d'épilepsie généralisée et focale, qu'en pratique avec des améliorations notoires apportées à l'électroencéphalogramme par exemple ou, en chirurgie, avec de nouvelles méthodes stéréotaxiques sans cadre. Nous étudions aussi la rétroaction endocrinienne sur le fonctionnement du système nerveux et la localisation de la dystrophine dans les muscles, pour ne citer que ces recherches-là. Mais je pourrais continuer pendant des heures.

Mieux ne valait pas, même si mes sourires d'encouragement incitaient le Dr Russell à poursuivre. Ses propos, que j'étais loin de comprendre dans leur totalité, me convainquaient aisément de l'estime dans laquelle elle tenait son institution.

Elle s'est renversée dans son fauteuil en riant :

— Mais j'imagine que vous n'êtes pas venue pour m'écouter chanter les louanges des Neuros.

— Non, bien sûr, et je le regrette, car c'est passionnant. Vous êtes vous-même très occupée, je m'en voudrais de m'imposer plus que nécessaire.

Je lui ai tendu mon tube. Elle en a dévissé le bouchon puis, ayant fait glisser l'implant sur un papier posé sur son sous-main, elle l'a fait rouler à l'aide d'un crayon.

— Un vieux modèle. Cela fait des années qu'on ne le fabrique plus.

— Qu'est-ce que c'est ?

— Un shunt ventriculo-péritonéal. Utilisé dans le traitement de l'hydrocéphalie.

— L'hydrocéphalie ?

J'étais désarçonnée. Moins par le mot lui-même que par ce qu'il me révélait sur mon inconnue. Par combien de tragédies était-elle encore passée ? me suis-je demandé.

— On entend souvent dire que c'est de l'eau dans le cerveau. La formule n'est pas vraiment exacte, bien que ce soit effectivement la traduction littérale des termes grecs *hudôr*, qui signifie « l'eau », et *kephalê*, « la tête ». En fait, il s'agit du liquide céphalo-rachidien, qui est produit de façon constante dans des espaces du cerveau appelés ventricules. Normalement, il circule à travers les quatre ventricules cérébraux, baigne la surface du cerveau et passe dans la moelle épinière, où il est résorbé par le sang. Grâce à quoi, la quantité de fluide et sa pression à l'intérieur des ventricules demeurent dans une fourchette acceptable. Mais il arrive que le circuit se bouche quelque part, il y a alors accumulation de liquide. Les ventricules gonflent et compriment les tissus voisins.

— Si je vous comprends bien, l'hydrocéphalie est donc un déséquilibre entre la production et l'écoulement du liquide céphalo-rachidien ?

— Exactement.

— L'excès de liquide fait grossir les ventricules, et la pression à l'intérieur de la tête augmente.

— Vous avez tout compris. L'hydrocéphalie peut être acquise ou congénitale. Ce qui ne veut pas dire héréditaire, mais que les conditions nécessaires à son apparition étaient présentes au moment de la naissance.

— Le crâne dans lequel j'ai trouvé ce shunt était de taille normale. Je croyais que l'hydrocéphalie avait pour résultat de faire grossir la tête ?

— Seulement chez les nourrissons, et si la maladie n'est pas traitée, car, plus tard, les os du crâne sont soudés comme vous le savez.

— Quelle en est la cause ?

— Il y en a plusieurs. La prématurité du nourrisson, notamment. Là, le risque d'un mauvais écoulement du liquide céphalo-rachidien est très élevé. La plupart des bébés souffrant de spina-bifida sont atteints d'hydrocéphalie.

— Le spina-bifida est bien un défaut de fermeture du tube neuronal, n'est-ce pas ?

— Oui. Le problème apparaît au cours des quatre premières semaines de gestation, bien souvent avant même que la mère sache qu'elle est enceinte. Le tube neuronal embryonnaire, qui se développe en cerveau et en moelle épinière en même temps que se développe la colonne vertébrale, ne se forme pas correctement, et cette anomalie au niveau de l'extrémité de la moelle épinière entraîne de graves perturbations dans la circulation du liquide céphalo-rachidien. Les dysfonctionnements qui en résultent sont irréversibles.

— C'est courant ?

— Beaucoup trop. On estime qu'aux États-Unis un bébé sur mille est atteint de spina-bifida. Au Canada, la proportion est de un sur sept cent cinquante.

— Ne disposant pas des vertèbres de ma jeune fille, je n'ai aucun moyen de savoir si son arc vertébral s'était, ou non, correctement formé et si elle souffrait de spina-bifida.

Le Dr Russell a hoché la tête.

— Il y a bien d'autres causes à l'hydrocéphalie, a-t-elle repris, et elle s'est mise à compter sur ses doigts. L'hémorragie cérébrale, l'inflammation tissulaire, la présence d'un caillot comme cela peut arriver dans les infections cérébrales de type méningite, l'apparition d'une tumeur. Tout cela peut gêner l'écoulement du liquide céphalo-rachidien, provoquer un gonflement des tissus et diminuer considérablement le drainage dans le cerveau. Et puis, il y a aussi certains types de kystes. Enfin, l'hydrocéphalie peut être familiale.

— Héréditaire, alors?

— Oui, mais c'est rare.

— À quel moment ce shunt a-t-il été installé, diriez-vous?

— Laissez-moi d'abord vous dire qu'on utilise les shunts depuis une quarantaine d'années. À ce jour, c'est le seul moyen connu de prévenir ou de guérir l'hydrocéphalie. On les pose par intervention chirurgicale dans les ventricules cérébraux, en vue d'évacuer l'excès de liquide céphalo-rachidien. Le vôtre est un peu vieillot, mais tout à fait typique. Les shunts sont constitués en général d'un ensemble de sondes flexibles, munies de valves permettant de contrôler la vitesse d'écoulement du liquide et d'empêcher son reflux. Au début, on déviait le fluide vers une veine du cou, puis on a préféré l'atrium, l'oreillette droite du cœur. Ces shunts-là sont appelés ventriculo-atriens ou VA. On les utilise toujours, mais ils causent parfois des problèmes. D'infection notamment ou, plus rarement, d'arrêt cardiaque, quand un caillot de sang vient boucher l'extrémité du cathéter et que les vaisseaux sanguins des poumons ne sont plus irrigués proprement. À l'heure actuelle, on préfère utiliser le shunt ventriculo-péritonéal, le VP, qui dévie le liquide céphalo-rachidien vers le péritoine.

Elle a désigné le shunt que j'avais apporté.

— Celui-ci en est un, justement. Sur un patient vivant, vous pourriez sentir l'extrémité de la sonde sous la peau, à hauteur des côtes. Votre shunt n'est pas complet, il lui manque toute la seconde partie.

Elle a fait une pause, j'ai gardé le silence.

— Sauf de très rares exceptions, a-t-elle repris, la cavité du péritoine est suffisamment grande pour recevoir n'importe quelle quantité de liquide déversée par le shunt, c'est le premier avantage du drainage vers l'abdomen. Un autre est qu'en se contractant, les intestins déplacent l'extrémité du cathéter et empêchent qu'il se bouche ou reste coincé dans les tissus cicatriciels.

— À quel moment de la maladie les pose-t-on ?

— Aussitôt qu'elle est diagnostiquée. L'abdomen d'un nouveau-né peut contenir jusqu'à quatre-vingt-dix centimètres de cathéter qui se déroulera à mesure que l'enfant grandit. En même temps que son torse.

— J'ai découvert un petit trou dans le crâne, près de la jonction pariéto-temporale.

— C'est le trou d'insertion. Il est percé pendant la trépanation afin d'installer la partie supérieure du shunt dans le cerveau. On le perce en général sous les cheveux, au sommet du crâne, derrière l'oreille ou parfois à l'arrière de la tête.

Son regard a basculé vers la pendule de métal en évidence sur son bureau. Elle a fait un rouleau du papier sur lequel reposait le shunt et l'a incliné doucement pour lui faire réintégrer son tube. Je l'aurais volontiers interrogée sur les troubles causés par l'hydrocéphalie, mais je savais son temps compté. Tant pis, je ferais les recherches moi-même. J'ai récupéré ma veste. Nous nous sommes levées en même temps. Je l'ai remerciée de son aide.

— Vous avez une idée de l'identité de votre jeune fille ?

— Pas encore.

— Vous voulez que je vous envoie une documentation sur l'hydrocéphalie ? Cela pourrait vous être utile de connaître les problèmes liés à cette maladie.

— Oh, oui, j'aimerais bien. Merci beaucoup.

Chapitre 12

De l'Institut de neurologie, j'ai filé directement au Carcajou où Roy tenait une nouvelle réunion sur les motards. La conférence étant déjà commencée, je me suis glissée jusqu'à un siège libre dans le fond de la salle. Ma rencontre avec le Dr Russell avait soulevé en moi tant de questions que j'en avais la tête qui bourdonnait. Comment s'était déclarée l'hydrocéphalie de ma petite inconnue ? La maladie la handicapait-elle gravement ? Était-elle souvent malade, retardée mentalement ? Pour quelle raison une jeune fille dans cet état avait-elle été enterrée à côté d'un quartier général de motards ? Vivait-elle là de son plein gré ? Était-elle une victime innocente, comme Emily Anne Toussaint ?

Cette fois-ci, Roy avait choisi d'illustrer son exposé à l'aide de transparents. Je me suis concentrée sur la liste à puces apparue à l'écran.

— Les clubs de motards ont plusieurs caractéristiques en commun. La plupart ont repris la structure des Hells Angels. Nous y reviendrons plus en détail.

Il est passé au deuxième point.

— Le recrutement obéit à des critères hautement sélectifs. Les aspirants membres, également appelés « recrues », doivent prouver qu'ils sont dignes de porter les couleurs.

Il a pointé le bas de la liste.

— Les couleurs ou « plaque d'immatriculation du club », les deux termes étant employés indifféremment, sont le bien le plus précieux du motard. Tout le monde n'y a pas droit. Comme les sympathisants, par exemple, qui peuvent si besoin est, et sur autorisation express du gang, agir en son nom sans avoir été admis au sens strict du mot. Les gangs de motards mènent des activités criminelles et admettent toutes, dans leur règlement, le recours à la violence s'il y va des intérêts du club ou de ses membres. Le souci premier étant d'amasser toujours plus d'informations, les gangs rivaux mais aussi la police font l'objet d'une surveillance intensive.

Le crayon de Roy s'est arrêté sur le dernier point de la liste.

— Le repaire proprement dit, bâtiment souvent fortifié et décoré avec soin. C'est l'endroit où les membres se retrouvent, et à partir duquel ils dirigent leurs opérations.

À quelle tâche les Vipères de Saint-Basile avaient-ils pu employer une hydrocéphale de seize ans ? me suis-je demandée, tandis que Roy plaçait un nouveau transparent sous le projecteur.

C'était une arborescence. « Structure politique d'une organisation de motards au niveau national. » Chaque rameau représentait un échelon de la hiérarchie en vigueur dans les clubs.

— Une organisation de motards, comme les Hells Angels, est constituée de plusieurs chapitres nationaux. Ce sont eux qui décident, par vote de tous les membres au niveau national, d'adopter ou non un nouveau club. L'adhésion n'est en vigueur qu'une fois la charte approuvée par tous les chapitres. On voit donc que l'admission ne se règle pas en cinq minutes. Nous en reparlerons en fin de séance, si nous en avons le temps. Le chapitre opère sur un territoire géographique bien défini et obéit à un règlement intérieur. Toutefois, s'il jouit d'un certain degré d'autonomie, il est tenu d'observer les règles de la constitution communes à tous les chapitres. Règles et règlements définissent aussi bien les droits et les devoirs des membres que ceux du gang.

Un autre transparent est apparu. « Structure politique d'une organisation de motards : le chapitre. »

— Chaque chapitre est doté d'un corps exécutif qui comprend un président, un vice-président, un secrétaire-trésorier et un lieutenant, tous élus par les membres et chargés de maintenir l'ordre à l'intérieur du groupe et la paix à l'extérieur.

Kuricek n'a pas été long à lancer :

— Ça m'étonnerait que nos débiles locaux soient en lice pour le Nobel de c't'année.

Roy a calmé les rires d'un geste.

— Il y a aussi un capitaine de route, également élu en vue d'organiser les manifestations. Enfin, nous avons la base. L'infanterie…

— Ceux qui ont encore la couche aux fesses ! a de nouveau lancé Kuricek en se pinçant ostensiblement le nez.

— … qui a le droit de s'exprimer sur toute question relative à la vie du groupe dans son ensemble. Le président tranchera. Certains clubs se dotent aussi d'un responsable de la sécurité, lequel a pour tâche de tenir à jour les informations recueillies sur les bandes rivales, les journalistes, les avocats, les juges, les politiciens, les témoins et, vous vous en doutez, sur les fidèles serviteurs que vous êtes.

Ample geste du bras englobant l'assistance.

— Quel genre d'informations ? a demandé quelqu'un.

— Personnelles, financières, familiales. Blondes, chums, numéros de téléphone, anniversaires, adresses, immatriculation des voitures, lieux de travail, habitudes. N'importe quoi. Tout ce qui leur tombe sous la main. Les Archives nationales n'auraient pas assez de salles pour accueillir la totalité de ces renseignements. Si l'individu surveillé fait partie des gens à abattre, son dossier peut comporter une liste de lieux *ad hoc* pour l'exécution.

— Merde !

— Esti !

— Tout en bas de la hiérarchie, on trouve « Aspirants » : les recrues, les sympathisants et les femmes, a enchaîné Roy en désignant successivement de son crayon trois cases sur l'avant-dernière ligne du diagramme. Tout d'abord, la recrue. Elle doit obligatoirement être parrainée par un membre en règle. En attendant d'être admise, c'est elle qui se tape les jobs sales, au repaire et pendant les raids. La recrue n'a pas voix au chapitre et n'est pas autorisée à assister à la messe.

— Quelle messe ? a demandé Queue-de-cheval qui arborait aujourd'hui un crâne d'argent à l'oreille.

— La réunion hebdomadaire du chapitre à laquelle tous les membres sont tenus d'assister.

— Combien de temps dure la période probatoire ?

— En moyenne, de six à douze mois. On reconnaît les recrues au fait qu'elles ne portent que la bannière inférieure.

— Celle qui indique le lieu d'implantation du chapitre, a précisé Queue-de-cheval.

— C'est ça. Vous trouverez plusieurs blasons reproduits dans le manuel. Certains sont de pures œuvres d'art.

Le crayon s'est déplacé sur la case centrale.

— Les sympathisants doivent eux aussi être parrainés par un membre en règle. Certains postuleront par la suite, d'autres jamais. Quoi qu'il en soit, ils servent de soutien logistique au club là où il est implanté. Ils effectuent toutes sortes de boulots subalternes, mais ne participent à aucune des activités de l'organisation.

La case de droite, marquée « sympathisants femmes », était coupée en deux.

— Tout au bas de l'échelle, les femmes. Elles se divisent en deux catégories. Les « moitiés », épouses légitimes ou concubines, que les autres membres n'ont pas le droit de toucher sauf autorisation express ; et les « mamans » ou « brebis ». Celles-là, comment dire… Disons qu'elles ont des mœurs plus libres, a laissé tomber Roy, les épaules levées et les sourcils en accent circonflexe.

— Le cœur grand comme le monde. Le monde des motards, bien entendu.

Dixit Kuricek.

— Tout membre portant les couleurs a accès à leurs charmes. L'homme est le maître, quoi qu'il arrive ! Il peut vous paraître que les femmes de la case « moitiés » bénéficient d'une certaine protection, mais détrompez-vous ! C'est toujours et partout le règne du machisme absolu. Les femmes sont achetées, vendues ou échangées comme des marchandises.

Kuricek n'a pu se retenir d'apporter encore son grain de sel :

— La libération de la femme, c'est quand le motard lui retire ses menottes, une fois son affaire terminée. Et encore, la fille ne gagne pas à tous les coups.

— Assez bien vu, a fait Roy. Les femmes étant des objets d'utilité, on les use jusqu'à la corde.

— À quoi ? ai-je demandé.

— En premier lieu, à satisfaire l'appétit sexuel du mâle. Mais aussi à faire la danseuse érotique dans les boîtes de nuit ou à pousser les clients à la consommation. Elle peut également être placée dans la rue, à revendre de la dope ou à faire le trottoir. Dans tous les cas, on ratisse ses gains. Une forme de partage du salaire, si on veut. Une fille de Halifax a avoué qu'elle remettait quarante pour cent du montant de ses passes à son maquereau Hells Angel.

— Où est-ce qu'ils les pêchent, ces filles-là ? a demandé quelqu'un.

— Dans les bars, sur la route. Celles qui font du pouce, les fugueuses, le casting habituel, quoi.

— Un petit tour en Harley, princesse ?

Pour ma part, je n'avais pas le cœur à rire des singeries de Kuricek, j'avais l'estomac contracté. Le crâne et le shunt dansaient la sarabande devant mes yeux.

— Le plus incroyable, a poursuivi Roy, c'est que les volontaires ne manquent pas. Comprenez-moi bien : il y a des victimes, bien sûr, parmi ces filles. Qui sont retenues contre leur gré. Mais plusieurs d'entre elles sont ravies de vivre aux côtés de vrais durs. Drogue, alcool, amour à la belle étoile. La vie à cent kilomètres/heure, quoi ! Et elles s'y donnent à fond. Cela dit, les femmes ne sont pas que des sources de profit ou de satisfaction sexuelle. Bien souvent, elles font office de passeurs, qu'il s'agisse d'armes ou de drogue. Il faut reconnaître qu'elles sont expertes pour s'éclipser quand il y a une descente de police. Certaines font aussi des espionnes remarquables. Elles arrivent à se faire engager dans la fonction publique, dans les entreprises de télécommunications, au service des archives. En un mot, partout où il y a des informations à glaner. Un bon nombre d'entre elles enregistrent sous leur nom les armes de leur chéri, soit parce qu'il est interdit de port d'armes, soit pour empêcher que ses biens soient placés sous séquestre.

Roy a jeté un regard à sa montre.

— Sur ces belles paroles, nous allons en rester là. Des policiers du SPCUM nous ayant rejoints récemment, je ferai peut-être une troisième séance.

SPCUM. Le Service de police de la Communauté urbaine de Montréal. Dont relevait Claudel. Bizarre qu'il n'ait pas assisté à la conférence d'aujourd'hui.

— Je mettrai une note au tableau, a dit Roy en guise de conclusion.

J'ai repris le chemin du labo, des questions plein la tête. L'inconnue de Saint-Basile avait-elle été victime de la folie des motards ? Quelque chose en elle me touchait et j'essayais de tirer un sens de ce que m'avait appris le Dr Russell. Cette pauvre enfant était morte sans avoir eu le temps de devenir femme. Si, pour l'heure, ses ossements ne me révélaient rien sur sa mort, ils me laissaient entrevoir certaines choses de sa vie. Qu'elle ait été hydrocéphale allait certainement nous aider à l'identifier. D'après l'aspect du trou d'insertion, elle devait porter le shunt depuis un bon moment. Comment prenait-elle le fait d'avoir un tuyau dans le corps ? Se révoltait-elle ? Le soir, dans son lit, palpait-elle la sonde qui courait sous sa peau ? Souffrait-elle d'autres désordres ? Les enfants de son âge étaient-ils méchants avec elle ? Était-elle bonne élève ou spécialiste de l'école buissonnière ? Les dossiers médicaux des adolescentes disparues nous apprendraient-ils son nom ?

Contrairement à la plupart des morts non identifiés qui étaient passés entre mes mains, je n'arrivais pas à me faire une idée de cette adolescente. Je ne pouvais que la baptiser la Jeune Fille de la fosse aux Vipères. Le fait qu'elle soit enterrée chez des motards était troublant. Sa mort était-elle liée au meurtre de Gately et de Martineau ? Avait-elle été préméditée ou était-elle le fruit d'un tragique concours de circonstances ? Cette jeune fille avait-elle été, comme tant d'autres femmes, victime de la violence exacerbée des motards vis-à-vis de l'autre sexe ?

Tout en me frayant un chemin dans les embouteillages de cette heure de pointe, je sentais le chagrin et la colère monter en moi. Chagrin pour une vie à peine vécue, et colère à l'encontre de ceux qui l'avaient brisée.

Sentiments qui n'ont pas manqué de me ramener à Ryan. Andrew Ryan et son intense regard bleu. Andrew dont l'odeur seule m'inondait de joie. Comment avais-je pu ignorer cette autre face de lui ! Menait-il vraiment une double vie ? Ma tête répondait oui, Bertrand m'avait juré que c'était la vérité. Alors, pourquoi mon cœur se refusait-il à l'admettre ? Je tournais en rond. Ma nuque me tirait et j'avais une sensation de martèlement répété derrière l'œil gauche.

J'ai tourné dans la rue Parthenais et j'ai trouvé une place où me stationner. Moteur coupé, je me suis laissée aller dans mon siège. J'avais besoin d'un moment de répit. Ce n'était pas du luxe. Je me le suis octroyé.

Oui, je dirais à Claudel ce que j'avais appris et, après, interdiction de toucher au moindre ossement ou de penser à Ryan de toute la fin de semaine ! Interdiction de m'adonner à aucune occupation sérieuse avant lundi matin. À la rigueur, feuilleter le manuel des motards remis par Roy, mais c'est tout. Jusque-là, lecture, marché et mondanités chez Isabelle. Quand on serait lundi, je m'attacherais à remplir la promesse que je m'étais faite au sujet d'Emily Anne et j'y intégrerais mon inconnue.

Je retrouverais aussi ses meurtriers ! Je découvrirais le nom de ma Jeune Fille de la fosse aux Vipères !

Chapitre 13

Il était sept heures quand je suis arrivée à la maison. Au labo, après avoir rangé sous clef les ossements et le shunt, j'avais appelé Claudel pour lui faire part de ma visite chez le Dr Russell. Nous avions convenu que je passerais en revue toutes les affaires des dix dernières années impliquant des squelettes incomplets tandis que, de son côté, il continuerait d'éplucher la liste des adolescentes disparues. Si, lundi en fin de journée, ni lui ni moi n'avions de résultat, nous transmettrions l'affaire au CPIC puis, si cela ne donnait rien non plus, au NCIC. Ce sont les centres nationaux, canadien et américain, d'informations sur les crimes. Oui, le plan se tenait. En le suivant, on avait des chances d'avancer.

Après m'être changée, j'ai bavardé un moment avec Birdie et je suis allée au centre sportif, rue McKay. Une heure d'exercices plus tout le trajet à pied, escalier compris. Sur le chemin du retour, j'ai acheté un poulet rôti chez le boucher et fait provision de légumes et de fruits.

Ayant passé les haricots verts au micro-ondes, j'ai découpé mon poulet en deux et j'en ai rangé une moitié au réfrigérateur pour mon dîner du lendemain. Ensuite, j'ai sorti du placard ma bouteille de sauce barbecue Maurice's Piggy Park, mon trésor.

Si la ville de Montréal propose un éventail de toutes les cuisines du monde sans qu'aucun groupe ethnique ne manque à l'appel ; si elle peut se vanter de réunir les restaurants chinois, allemands, thaïs, mexicains, libanais parmi les meilleurs de la planète ; si elle peut offrir un en-cas sur le pouce à qui est débordé aussi facilement qu'un régal de plats rares au fin gourmet, elle a quand même un défaut : elle ignore tout de l'art simplisime d'accommoder une viande sur le grill. Au Québec, ce qu'on vous tend quand vous demandez de la sauce barbecue, c'est une soupe brunâtre, comparable au monoxyde de carbone pour ce qui est de l'odeur ou de la saveur. À condition d'être un explorateur chevronné, on parvient à mettre la main sur la version texane de cette potion, parfumée à la tomate celle-là. Dans ces conditions, je préfère importer la variante à base de vinaigre et de moutarde qui fait la gloire des régions orientales de Caroline du Nord ou du Sud. Une pure merveille ! À la vue de ce condiment doré, mes amis de Montréal font généralement la moue. Mais qu'ils en viennent à le goûter, ils en sont accros le reste de leur vie.

J'ai donc versé un peu de ma sauce Maurice dans un petit bol que j'ai transporté au salon en vue d'un repas-télé. Neuf heures du soir. Le week-end ne faisait que commencer. Quel match suivre ? Le choix était cornélien : sur une chaîne, les Cubs donnaient une raclée aux Braves, sur une autre on rediffusait les temps forts de la NBA. J'ai opté pour les Hornets et, en bon supporter, j'ai applaudi à leur victoire à 102 contre 87 sur les Knicks.

Le dilemme a été tout aussi douloureux pour Birdie, qu'attiraient les effluves montant de mon assiette autant que le chassaient mes gesticulations. Il a fini par se résigner à passer la soirée à l'autre bout de la pièce, le menton dans les pattes, ouvrant grand ses yeux chaque fois que je poussais un hurlement. À onze heures, il m'a suivie au lit. Après deux tours complets sur lui-même, il s'est roulé en boule entre mes genoux, sur la couverture. Quelques minutes plus tard, nous dormions tous les deux du sommeil du juste.

La sonnette de l'interphone m'a réveillée en sursaut. Son cui-cui, devrais-je dire, car elle a tout du pépiement d'un moineau pris de hoquets. La lueur au travers de ma fenêtre était gris pâle, le réveil affichait un gros huit et un gros quinze et Birdie avait déserté le creux de mes jambes. J'ai rabattu les draps, attrapé ma robe de chambre et me suis dirigée d'un pas mal assuré vers l'entrée.

Sur l'écran de contrôle, un œil vert, énorme. Involontairement, mes mains se sont portées à mon cou. J'ai fait un bond en arrière.

Cuiiiii-cuiiiiiiiii !

L'œil a cédé la place à des grimaces plein cadre. Mon neveu, face à la caméra, secouait la tête de côté en étirant sa bouche avec ses doigts. J'ai déclenché l'ouverture de la porte, tandis que le chat se frottait à mes jambes en levant vers moi des yeux jaunes tout ronds.

— Je n'en sais pas plus que toi, mon Birdie.

Kit a débouché du couloir, un sac marin dans une main et un paquet enveloppé de papier dans l'autre. Deux sacs à dos lui battaient les flancs. Un bonnet tricoté de toutes les couleurs était enfoncé sur sa tête. Assurément, du dernier chic au Guatemala.

— Tante T ! s'est-il écrié d'une voix forte, avec son accent traînant du Texas.

— Chut ! On est samedi matin.

Le doigt sur les lèvres, j'ai reculé en lui tenant la porte ouverte. Une odeur de feu de bois et de champignon m'a agressé la narine quand il est passé devant moi. Laissant choir armes et bagages, il m'a serrée dans ses bras. Lorsqu'il m'a enfin relâchée, ça a été pour me dire :

— Tes cheveux, tante T ? Super !

Non mais, faut pas se gêner ! Et de la part d'un type qui sortait tout droit des mains d'*Edward aux mains d'argent*, comme j'ai pu le constater quand il a retiré son bonnet.

— J'en connais de mieux placés pour faire ce genre de remarque, ai-je répliqué, tout en ramenant mes cheveux derrière les oreilles.

Il m'a tendu son paquet enveloppé de papier.

— Un petit souvenir des eaux du Vermont. Salut, Birdie ! Ça va la vie, mon vieux ?

Le chat est allé se réfugier dans la chambre, tandis que je scrutais le palier. Vide.

— Howard n'est pas avec toi ?

— Non. Il a rapatrié ses fesses dans le Sud.

— Ah bon ?

J'ai refermé la porte, non sans éprouver un chatouillis d'anxiété.

— Oui, mon commandant! Il ne supportait pas d'être séparé de ses hydrocarbures. Du coup, j'ai décidé de rester dans le secteur. Si tu n'as rien contre.

— Pas du tout, Kit. J'en suis ravie.

Cela, c'est ce que j'ai dit tout haut parce qu'en voyant ses bagages, je me suis rappelé le dernier séjour de sa mère chez moi. Harry, ma sœur. Prétexte : une conférence censée durer cinq jours. Total : des semaines d'angoisse pour moi. Le fils avait-il une conception du mot «moment» identique à celle de sa mère?

— Je suis crevé, a-t-il enchaîné. Ça te va si je prends une douche et pique un petit roupillon? On a décampé avant que le soleil ait seulement l'idée de se lever.

— Dors aussi longtemps que tu voudras, mais, après, tu me raconteras tes aventures. J'y compte.

J'aurais bien ajouté : «Surtout, passe-toi à la brosse d'acier avant de te mettre au lit!», mais je me suis retenue. Lui ayant sorti des serviettes et montré la chambre d'amis, j'ai sauté dans mon jeans et mon t-shirt pour filer acheter la *Gazette* au dépanneur du coin. À mon retour, la salle de bains était jonchée de serviettes trempées et la porte de la chambre d'amis, fermée.

Je suis allée renifler le cadeau de mon neveu, abandonné dans la cuisine. Du poisson, cela ne faisait aucun doute. Je l'ai enveloppé dans une couche supplémentaire de papier paraffiné et je l'ai fourré au réfrigérateur en attendant de plus amples instructions. M'étant fait du café, je me suis installée à la table de la salle à manger pour lire le journal. Là, mon week-end a basculé.

«Deux autres motards identifiés», titrait le journal. «120 victimes à ce jour». La suite était en page trois, première section.

Je m'attendais à un article plus ou moins circonstancié, mais certainement pas à tomber nez à nez avec moi-même, agenouillée devant une tombe, un crâne dans la main. La photo avait du grain. Prise au téléobjectif, certainement. N'empêche, j'y étais d'autant plus reconnaissable qu'elle s'accompagnait de la légende habituelle : anthropologue judiciaire américaine travaillant pour le Laboratoire de sciences judiciaires et de médecine légale. Impossible d'affirmer qu'elle avait été prise au repaire des Vipères, ma tenue et mon équipement varient peu d'une excavation à l'autre, et rien ne permettait d'identifier les lieux en toute certitude.

L'article, illustré de trois autres photos — comme de raison le portrait des deux victimes, mais aussi le portail de la propriété des Vipères —, relatait l'exhumation de Gately et de Martineau et rappelait les circonstances de leur disparition, avant de faire en conclusion le point sur la guerre des motards, liste des morts à l'appui.

Que toutes ces informations aient pu être obtenues par les canaux officiels, d'accord ! Mais certainement pas la suivante. À savoir qu'une mystérieuse troisième victime avait été découverte ou, plutôt, une partie de ses restes.

Où et comment avaient-ils pêché la nouvelle ?

Un début de fébrilité m'a saisie. Si je n'apprécie guère la curiosité des médias en général, je suis très vite à prendre avec des pincettes lorsqu'elle se porte sur une affaire à laquelle je travaille. Leur sollicitude risque de faire tout échouer.

En l'occurrence, qui pouvait leur avoir livré le tuyau ?

J'ai pris une inspiration. Longue et profonde. Après coup, je me suis levée pour aller réchauffer mon café.

Le secret avait transpiré. Et alors ? Ce n'était pas si grave. Sauf que cela n'aurait jamais dû se produire !

J'ai enfoncé le bouton du micro-ondes.

Cette fuite compromettait-elle d'une façon ou d'une autre le déroulement de l'enquête ?

La question demandait réflexion.

Les bips ont retenti, j'ai sorti ma tasse du four.

Non. À tout prendre, l'article pouvait même se révéler positif, inciter quelqu'un à livrer un nom.

Restait tout de même qu'une fuite de cette importance était inadmissible. À moins d'avoir été orchestrée d'en haut. Ce qui était peu probable, car on m'aurait tenue au courant de cette stratégie.

Donc, quelqu'un avait parlé à la presse. Quelqu'un au courant de la présence de ces mystérieux ossements. Mais qui ? Claudel ? Quickwater ? Un type de l'identité judiciaire, du labo ? Le Dr Russell ?

Arrivée à ce stade de mes réflexions, je me suis dit : « Brennan, ma vieille, tu ne vas certainement pas élucider la question pendant le week-end. Mieux vaut reporter la chose à lundi matin. » Et c'est ce que j'ai fait, en rebranchant mon cerveau sur les activités auxquelles j'allais me livrer d'ici là : lecture, marché et souper ce soir chez Isabelle.

Et Kit ! Zut, je l'avais oublié, celui-là !

Je suis allée au salon téléphoner à mon amie.

À peine avais-je dit « C'est moi » qu'elle s'est écriée :

— Tu n'as pas l'intention de me laisser tomber, j'espère ?

De la musique jouait en arrière-fond. *Le Sacre du printemps.* Autrement dit, Isabelle était déjà en train de préparer le repas. Elle ne cuisine qu'au son de Stravinsky.

— C'est-à-dire que...

— Tu n'as pas chuté d'un 747 en plein vol ? Parce que c'est la seule excuse que je pourrais accepter. Sors-moi la tienne pour voir...

— Mon neveu a débarqué ce matin.

— Oui...

— Ça m'embête de l'abandonner pour son premier soir ici.

— Tu n'as qu'à l'amener !

— Il a dix-neuf ans !

— Extraordinaire. J'ai comme le souvenir d'être moi-même passée par cet âge. Dans les années soixante, je crois. Oui, il a bien fallu que je vive ces années-là pour arriver aux années soixante-dix. Si j'ai bonne mémoire, j'ai même dû prendre du LSD. En tout cas, je portais des vêtements vraiment moches, dans ce temps-là. Je t'attends à sept heures et demie avec ton chevalier servant !

J'ai raccroché.

Étape numéro deux : convaincre mon neveu de passer son samedi soir à grignoter des côtelettes d'agneau au milieu d'un troupeau de vieillards.

Il s'est réveillé sur le coup de trois heures et quart, les cheveux en bataille et l'estomac dans les talons. Il a englouti le reste du poulet et demandé où faire sa lessive. Contrairement à mon attente, il n'a pas fait de chichis à l'annonce du souper. Me rappelant ma sœur Harry à son âge, je ne m'attendais pas à découvrir en lui un côté aussi bon enfant. Cela dit, il était à Montréal pour la première fois. Il ne devait pas trop savoir où aller traîner.

Je me suis gribouillé une note pour me rappeler de téléphoner à sa mère et j'ai passé les heures suivantes à finir une lettre de recommandation promise à un étudiant, à ranger ma chambre et à expliquer au jeune quel détergent utiliser avec quel tissu. Vers six heures, j'ai filé au Faubourg Sainte-Catherine acheter une bouteille de vin et un bouquet de fleurs.

Isabelle habite une étroite bande de terre au milieu du Saint-Laurent reliée à la Rive-Sud par le pont Champlain et à Montréal par deux autres ponts plus petits : l'Île-des-Sœurs. L'endroit, jadis peuplé par les sœurs grises, est désormais colonisé par l'ordre tout neuf des Yuppies. Classé « lieu à usage mixte », il présente un choix d'habitations varié. Immeubles luxueux en copropriété, gratte-ciel locatifs, hôtels particuliers et maisons individuelles s'éparpillent avec goût parmi les clubs de tennis, les centres commerciaux, les pistes cyclables et des espaces verts entretenus avec soin.

C'est à la suite de l'échec de son troisième mariage qu'Isabelle y a transporté ses pénates, au dernier étage d'un des immeubles jumeaux qui se dressent à la pointe nord de l'île. Résolue à entamer une nouvelle vie, elle a fait le grand ménage dans son passé — mari, maison et biens mobiliers —, pour n'emporter que ses trésors, ses photos et sa collection de CD. D'humeur je-m'en-foutiste, elle a exigé de son décorateur une atmosphère safari. Le résultat est à base de fibres naturelles et de peaux de tigre ou de léopard, dûment abattus avec l'accord de la Ligue mondiale de protection des animaux. Dans le salon, les gravures de bêtes sauvages font écho aux sculptures africaines, disséminées sur la table basse à plateau de verre et piètement en pattes d'éléphant. Dans la chambre à coucher, une moustiquaire ondule autour de l'immense lit à baldaquin.

Kit était emballé. Du moins, en a-t-il donné l'impression. Pendant qu'Isabelle nous faisait faire le tour du proprio, il n'a cessé de la bombarder de questions sur l'origine de ses merveilles. J'étais ravie. À défaut d'être convaincue de la sincérité de mon neveu, je n'ai plus douté de ses talents mondains.

Personnellement, le panorama m'attirait davantage et, sitôt présentée à la ronde et lestée d'un cocktail, je suis sortie sur le balcon. On attendait encore l'invité surprise. Il bruinait. La berge opposée scintillait de couleurs inimaginables. La montagne se dressait, noire et massive, au-dessus du centre-ville, et on apercevait à mi-pente la croix illuminée.

La sonnette de l'entrée a tinté, Isabelle m'a crié de venir. J'ai pris une dernière goulée de cette vision splendide et je suis rentrée à l'intérieur. Le dernier invité tendait son imperméable à Isabelle.

À sa vue, je suis restée bouche bée.

Chapitre 14

— Vous ! me suis-je écriée.

J'admets que mon entrée en matière n'était pas des plus originales. J'ai compensé en lançant à Isabelle une œillade assassine qu'elle a ignorée superbement pour s'exclamer, rayonnante :

— Oui ! Pour une surprise, c'en est une, hein, Tempe ? Je t'avais bien dit que vous n'aviez pas véritablement fait connaissance.

Le reporter que j'avais abreuvé d'injures devant le repaire des Vipères ! Journaliste d'enquête à CTV, je le replaçais très bien. Un sourire chaleureux effaçait l'air éberlué que j'avais gardé de lui. Et sa main était dépourvue de micro.

— Lyle Crease, que tu as forcément vu au petit écran, poursuivait Isabelle. Quant à vous, Lyle, je ne vous apprendrai que le prénom du Dr Brennan : Tempe, en étirant la dernière syllabe. Les gens ont souvent du mal à le prononcer correctement.

J'ai tendu la main. Il s'est penché pour m'embrasser à la mode québécoise, d'abord sur la joue droite, ensuite sur la joue gauche. J'ai vite reculé en marmonnant quelque chose, espérant qu'il prendrait ma phrase pour ce qu'elle était : une réserve polie.

Isabelle a présenté Crease aux autres invités. Poignée de main aux hommes, baiser sur les deux joues à la dame.

— En l'honneur de notre beau Texan, je trouve que nous devrions tous pratiquer notre anglais ce soir, a lancé Isabelle, levant son verre en direction de Kit.

Expression soulagée de mon neveu pendant que les verres s'entrechoquaient gaiement. Quant à moi, j'étais bien décidée à exposer entre quatre yeux ma façon de penser à Isabelle.

— Je peux t'aider ? lui ai-je demandé sur un ton glacial.

— Non-non, tout est prêt, m'a-t-elle lancé en battant en retraite vers la cuisine. S'il vous plaît, que tout le monde se mette à table. Des cartons indiquent les places.

Shit. À coup sûr, j'allais me retrouver à côté du journaliste. Ça n'a pas raté, j'avais Lyle à ma gauche et Kit à ma droite.

Nous étions sept en tout. En partant de mon neveu, il y avait un vieil acteur que j'avais rencontré plusieurs fois mais dont le nom m'échappait, bien qu'Isabelle l'ait redit en faisant les présentations, puis un couple que je ne connaissais pas. Madame antiquaire, Monsieur dans le cinéma.

Pendant qu'Isabelle faisait la navette entre cuisine et salle à manger, l'acteur a évoqué la dernière production du Théâtre du Rideau Vert, un Hamlet en français qui venait de quitter l'affiche et dans lequel il avait tenu le rôle de Polonius. Crease a raconté son interview d'un *hacker* canadien de seize ans qui, ayant infiltré le réseau de l'armée américaine, s'était dépêché de téléphoner à la GRC pour qu'on vienne l'arrêter.

— Voilà un garçon qui cherchait la célébrité, a décrété l'acteur.

— À sa place, j'aurais choisi le football, a rétorqué mon neveu.

Je me suis dit que sa répartie n'était pas si nulle.

— Et vous ? a demandé Isabelle au couple tout en servant le vin. Qu'avez-vous fait de beau, ces derniers temps ?

Elle était arrivée au verre de Kit et m'interrogeait du regard. D'un signe, j'ai donné mon accord. Après tout, quelle importance ! Boire à dix-neuf ans est légal au Québec et, de toute façon, c'est moi qui conduisais. Kit ne s'est pas fait prier pour tendre son verre.

Claude-Henri Brault, producteur de son état, revenait d'un tournage de trois mois en Irlande, tandis que sa femme Marie-Claire avait sillonné la Provence à la recherche d'antiquités pour sa boutique du Vieux-Montréal. À peine l'épouse a-t-elle pris la parole qu'elle ne l'a plus lâchée, et nous avons eu droit à l'histoire du royaume d'Arles, à la dynastie des Anjou et à tous les Louis — une douzaine au bas mot — qui, au fil des siècles, changèrent la face de l'ébénisterie.

Entre deux bouchées d'agneau, j'épiais mon voisin. Cheveux et dentition impeccables, vêtements sans un faux pli. Exactement comme dans mon souvenir. Seule fausse note : les pellicules sur le col du veston. Par ailleurs, un auditeur idéal, ce Crease. Les yeux rivés sur Marie-Claire, il hochait la tête comme si étoffes et marqueterie étaient en cet instant les choses les plus cruciales au monde.

Marie-Claire nous ayant fait la grâce d'une pause pour reprendre sa respiration, Isabelle a infléchi le cours de la conversation avec une maîtrise d'aiguilleur du ciel. Cela dit, je ne louerai pas son talent en ce qui concerne le choix du cap.

— Tu peux nous parler de ces affreux gangs de motards sur lesquels tu travailles actuellement, Tempe ?

— Les motards ? s'est écrié Claude-Henri.

— Oui.

J'aurais volontiers fusillé mon amie du regard si je n'avais craint de manquer de tact. Je l'aurais même étranglée de mes propres mains. Mais là, ç'aurait été carrément grossier.

— Vous avez participé à cette découverte dont parlait le journal ?

J'ai esquivé de mon mieux, tout en décochant à Isabelle un sourire acéré :

— Oui, mais comme le sait notre hôtesse, je ne peux…

— Qu'est-ce que tu fabriques avec des motards, tante Tempe ? m'a interrompue Kit, dont l'intérêt m'a paru s'aiguiser à la perspective d'abandonner le petit cours sur les meubles.

— Tu sais que je travaille pour le labo de médecine légale du Québec ?

Il a hoché la tête.

— La semaine dernière, j'ai été chargée par le directeur d'étudier plusieurs affaires de meurtres.

J'ai passé sous silence ma collaboration avec l'escouade Carcajou.

— Combien ?

— Un certain nombre.

— Plus que les Bee Gees ? a insisté Kit.

— Cinq.

— Cinq types refroidis en une semaine ? !

Il en avait les yeux ronds.

Le silence s'est fait autour de la table.

— Deux ont été tués en 1987, mais ce n'est que cette semaine qu'on a retrouvé leurs corps.

— C'est ça ! Je l'ai lu dans le journal, s'est écrié Claude-Henri, la fourchette braquée sur moi. Et c'était vous sur la photo !

— C'était qui, les autres ? a insisté mon neveu que j'aurais volontiers étranglé, lui aussi.

— Deux hommes tués par une bombe, et une petite fille abattue accidentellement par des types qui tiraient d'une voiture sur un motard, qui est mort lui aussi.

— Mon Dieu ! s'est exclamée Marie-Claire, trahissant à son tour la promesse de parler anglais.

J'ai regretté de ne pas avoir prêté plus d'attention à ses discours sur le vernis au tampon à l'époque de la Renaissance. Faute de ne pouvoir lui poser une question pertinente, j'ai opté pour le silence et je me suis rabattue sur mon verre de Perrier.

— Vous ne comptez pas la jeune femme dont les ossements ont été retrouvés à Saint-Basile-le-Grand ?

La question venait de Crease. Posée sur un ton indifférent que démentait l'éclat de sa prunelle. S'il comptait me soutirer des renseignements, il frappait à la mauvaise porte.

— Non.

— On connaît son identité ? a-t-il continué, en levant son verre de vin.

— Non.

— De quoi parlez-vous ? a voulu savoir Kit.

J'ai mentionné succinctement les ossements découverts près de la tombe des motards.

— Nous ne savons pas si elle avait ou non des liens avec les Vipères. Elle aurait pu être enterrée là, du temps de l'ancien propriétaire.

— C'est ce que vous pensez ? a demandé Crease.

— Je ne pense rien.

— C'est qui, ces Vipères ? a insisté Kit.

J'ai sur-le-champ révisé mon opinion sur ses bonnes manières.

— J'te crois pas ! a-t-il encore lâché, quand je lui ai expliqué qu'il s'agissait d'un club école utilisé par les Hells Angels pour exécuter leurs basses œuvres.

— Tu sais, au cours des cinq dernières années, les Hells et leurs petits camarades armés ont causé la mort de presque cent vingt personnes dans cette seule province. Et je ne compte pas tous les gens qui ont disparu.

— Tu veux dire que les motards s'entretuent ?

— Exactement. Pour le contrôle du trafic de la drogue.

Là-dessus, l'acteur y est allé de son couplet :

— On devrait peut-être les laisser se massacrer. Considérer cela comme une sorte d'autorégulation entre sociopathes.

— Pas tant que des petites filles de neuf ans trouveront la mort dans ces affrontements. Comme Emily Anne Toussaint.

— Et comme cette autre fille aussi, peut-être ? a dit Kit.

— Peut-être, en effet.

— Vous croyez que vous pourrez le démontrer ?

— Je ne crois rien du tout, M. Crease. Claude-Henri, parlez-nous donc de votre film.

Laissant le producteur se lancer, Crease s'est emparé de la bouteille de Chardonnay en vue de remplir mon verre. J'ai secoué la tête. Il a insisté. J'ai posé les doigts sur le bord. En riant, il les a écartés et m'a versé du vin d'autorité. J'ai arraché ma main à la sienne et je me suis rejetée en arrière, furieuse. Je ne supporte pas les gens qui forcent les autres à boire.

La voix de Kit m'a ramenée au repas. Isabelle venait de braquer les projecteurs sur lui.

— J'y suis allé avec mon père. Une idée à lui, pour qu'on se connaisse mieux. On a fait tout le trajet depuis le Texas à bord d'une vieille caravane Winnebago. Un détour par Montréal pour déposer son chat à ma tante et on a continué vers l'est. On a passé la frontière du Vermont à Derby Line. Comparé à un voyage planifié par papa, le débarquement en Normandie, c'était de la petite bière. Grâce à lui, je me rappelle les noms de tous les endroits par où on est passé. On a campé du côté de Westmore. Au printemps, à la fraie, les saumons remontent la Willoughby en masse. Après, on a filé vers Manchester et jeté nos lignes dans le Battenkill. Mon père n'a pas pu s'empêcher de faire une razzia chez Orvis. Tout ce matériel inutile qu'il a acheté, ça n'a pas de bon sens ! Des cannes pour la pêche au lancer, d'autres pour la pêche à la mouche, et tout le bataclan. Après, il a repris la route pour le Texas et, moi, j'ai atterri chez ma tante, une dénicheuse de motards à ce que j'apprends.

Sur ce, il a levé son verre pour me porter un toast et tout le monde l'a imité.

— Ça me fait un peu drôle, parce que mon père m'a justement acheté une moto, l'an dernier.

La nouvelle ne m'a surprise qu'à moitié. Howard, second mari de ma sœur dont il a divorcé quand Kit avait six ans, est un pétrolier texan qui a plus de fric que de plomb dans la cervelle, et qui souffre d'un priapisme aigu le rendant inapte à la monogamie. Son idée de la paternité consiste à inonder fiston de cadeaux et d'argent. À trois ans, c'était les poneys et les voitures à moteur, à dix-huit les voiliers et même une Porsche.

— Quel genre de moto ? a demandé Isabelle.

— Une Harley Davidson, la passion de papa. Moi, j'ai une Road King Classic. Lui, une Ultra Classic Electra Glide. Des Evo toutes les deux. Mais sa préférée, c'est sa vieille « knucklehead ». Une antiquité ! Ces bécanes-là, on les a construites uniquement entre 1936 et 1947.

— Qu'est-ce que c'est exactement ? Je m'y perds un peu dans tous ces termes.

— C'est juste des appellations d'après la forme du moteur. L'Evolution V2 a été lancée au début des années quatre-vingt. Au départ, on appelait ça une « blockhead », mais le terme n'a jamais pris. Tout le monde dit « Evo ». Les motos qu'on voit aujourd'hui s'appellent des « shovelheads ». Elles ont été fabriquées de 1966 à 1984. Avant, entre 1948 et 1965, il y avait les « flatheads », sorties pour la première fois de l'usine en 1929. C'est facile de reconnaître l'année de production. Il suffit de regarder la forme de la culasse.

Manifestement, la passion de mon neveu pour les deux-roues surpassait largement son intérêt pour les motards.

— En fait, toutes les Harley modernes descendent de la Silent Grey Fellow, la première moto à quitter le Milwaukee au tournant du siècle. Elle avait une puissance de trois chevaux pour un moteur de 400 centimètres cubes et, à l'époque, il ne fallait pas compter sur les poussoirs de soupape hydrauliques, les démarreurs électriques et autres moteurs à quatre cylindres en V! a-t-il ajouté en secouant la tête d'un air admiratif. Le moteur actuel, le Twin Cam, a une cylindrée de 1400 centimètres cubes. La vieille FLH de 1971, de 1200 centimètres cubes, avait un taux de compression de 8,5 à 1. De nos jours, on arrive à des taux de 9,5 à 1. Ah! on en a fait du chemin depuis la Silent Grey Fellow! Mais c'est quand même d'elle que descendent toutes les grosses américaines qui roulent aujourd'hui.

— Il y a d'autres fabricants de moto? s'est enquis l'acteur.

— Bien sûr! Yamaha, Suzuki, Kawasaki, Honda, mais c'est juste des roues pour se déplacer! a lâché Kit avec une moue de dédain. Il y a bien les Anglais, qui ont sorti des bécanes pas mal, à un moment donné: les Norton, les Triumph, les BSA. Mais toutes ces boîtes ont fermé boutique. Les BMW allemandes ont de la gueule, c'est vrai. Personnellement, je n'en donnerais pas un peso. Pour moi, les Harley, c'est le top.

— C'est cher? a demandé Claude-Henri.

Kit a haussé les épaules.

— C'est de l'équipement de luxe. Harley ne cible pas les petits budgets.

Mon neveu manifestait pour ses motos la même révérence et le même savoir que Marie-Claire pour les meubles anciens. Qui sait? Sa visite allait peut-être se révéler une bénédiction et m'aider à comprendre le monde étrange des motards dans lequel je m'apprêtais à entrer.

* * *

Il était presque minuit quand nous nous sommes retrouvés dans l'ascenseur, moi rêvant de mon lit, Kit excité comme une puce et prêt à disserter des heures encore sur les motos, les invités et le repas de ce soir. Effet du vin ou énergie de la jeunesse, je n'aurais su le dire. Quoi qu'il en soit, j'ai envié son allant.

La pluie avait cédé la place à un vent fort en provenance du fleuve qui malmenait branches et buissons et jonglait au ras du sol avec les feuilles mouillées. Kit a proposé d'aller chercher la voiture pendant que je l'attendrais à l'intérieur de l'immeuble. Je lui ai tendu les clefs, non sans avoir évalué son degré d'alcoolémie en toute impartialité.

Une minute plus tard, il s'arrêtait devant le perron. À peine étais-je assise au volant qu'il m'a jeté un rectangle brun sur les genoux.

— Qu'est-ce que c'est ?

— Une enveloppe.

— Merci. Tu l'as trouvée où ?

— Sous l'essuie-glace. Un admirateur, peut-être ?

Je suis restée à considérer l'objet. Matelassé. Du genre de ce qu'on utilise pour les envois fragiles. Fermé d'un côté par des agrafes et, de l'autre, par une tirette facilitant le décachetage. Mon nom s'y détachait, écrit au feutre rouge.

J'ai fixé les lettres, hypnotisée. Inquiète. Un tambour battait dans ma tête. Qui connaissait ma présence à l'Île-des-Sœurs, ce soir ? Qui avait reconnu ma voiture ? Aurions-nous été suivis, surveillés ?

J'ai tâté l'enveloppe d'une main méfiante. Elle renfermait quelque chose de dur.

— Qu'est-ce que t'attends pour ouvrir ? s'est écrié mon neveu.

Au son de sa voix, j'ai sursauté. Dans la lumière jaune et parcimonieuse qui venait de l'immeuble, son visage était blafard, sa silhouette noire et floue.

— Seigneur, Kit ! C'est peut-être…

Je me suis interrompue sans savoir vraiment ce que je voulais dire.

— Peut-être quoi ? a-t-il lancé en se tournant vers moi, calé contre la portière, un bras passé autour du siège. Ouvre ! Combien tu paries que c'est une blague d'un de tes copains policiers qui a repéré ta voiture et a décidé de te ficher la frousse ?

Possible. J'avais déjà fait l'objet de farces plus ou moins bonnes dans le passé. N'importe qui dans la police pouvait avoir reçu du central la confirmation que la voiture était immatriculée à mon nom.

— Allez! m'a encouragée Kit, et il a allumé le plafonnier. C'est peut-être juste des billets pour le match des Expos.

J'ai tiré sur la languette et glissé la main à l'intérieur de l'enveloppe. Mes doigts se sont refermés sur un petit pot de verre rond. Que j'ai extrait et approché de la lumière.

À sa vue, la bile m'est remontée dans la gorge.

— Oh! *Shit!* Qui a bien pu te faire ça?

J'ai à peine entendu jurer mon neveu. Des spasmes rythmés à hauteur du gosier m'avaient obligée à ouvrir ma portière.

Chapitre 15

Un œil blanchi et endommagé par endroits reposait, pupille tournée vers le haut, au fond d'un bocal hermétiquement fermé. Un reste de paupière déchiquetée flottait dans un liquide opaque, telle une larme demeurée en suspens. Une odeur de formol se dégageait du pot, sous lequel était collé un papier.

Kit l'a déplié.

— « On te surveille ! » a-t-il lu avec son drôle d'accent. Qu'est-ce que ça veut dire, tante Tempe ?

J'ai traduit. Les mains tremblantes, j'ai fourré bocal et message dans l'enveloppe et je l'ai posée au pied du siège arrière. L'odeur imprégnait l'habitacle tout entier. J'avais beau savoir que c'était un mirage olfactif, je ne pouvais contrôler mes haut-le-cœur. J'ai frotté mes paumes humides sur mon pantalon et empoigné le levier de vitesse. Ce n'est que lorsque nous avons tourné le coin du boulevard Île-des-Sœurs que mon neveu a demandé :

— C'est une blague, à ton avis ?

— Je ne sais pas.

J'ai eu l'impression de glapir. Kit a dû sentir que je n'étais pas dans mon état normal, car il n'a pas poussé plus loin ses questions.

De retour à la maison, j'ai emmailloté le bocal dans plusieurs sacs de plastique et l'ai enfermé dans un plat Tupperware avant de le ranger dans le bac à légumes du réfrigérateur, vidé au préalable. Kit me regardait faire en silence, d'un air intrigué. J'ai fini par lâcher :

— J'emporterai ça au labo lundi.

— C'est un vrai œil, hein ?

— Oui.

— Tu penses que c'est une farce ?

— Il y a des chances, ai-je répondu pour ne pas l'inquiéter.

Mais je n'y croyais pas.

— Excuse-moi d'insister, mais si c'est le cas, pourquoi tu veux l'emporter au labo ?

— Pour rendre au plaisantin la monnaie de sa pièce. Lui faire peur à mon tour. Ça marchera peut-être. Maintenant, moi, c'est dodo !

J'avais fait de mon mieux pour répondre sur un ton normal. Je l'ai embrassé et j'ai ajouté :

— Demain, on fera quelque chose de rigolo.

— Génial. Ça t'embête si j'écoute un peu de musique ?

— Pas du tout !

Kit parti dans sa chambre, j'ai vérifié par deux fois que portes et fenêtres étaient bien fermées et l'alarme branchée. Dans ma chambre, je me suis interdit de regarder sous le lit ou dans les placards. Kit avait mis Black Sabbath. Jusqu'à deux heures et quart du matin, allongée dans mon lit, je suis restée à me demander combien d'appels scandalisés ces boum-boums métalliques se prétendant musique allaient générer de la part des voisins. Mais ce qui m'angoissait le plus, c'était de savoir qui pouvait être suffisamment monté contre moi pour m'adresser un message sous forme d'œil humain. Une douche de vingt minutes n'avait pas réussi à me laver le cerveau, et c'est avec une odeur persistante de formol dans les narines que j'ai fini par sombrer dans le sommeil, l'estomac barbouillé et les poils hérissés sur la peau.

La matinée était bien avancée quand j'ai ouvert les yeux le lendemain, épuisée par une nuit coupée de réveils en sursaut. L'œil dans le bocal m'est aussitôt revenu en mémoire. Qui m'avait fait cela et pourquoi ? Était-ce en rapport avec mon travail, était-ce l'œuvre d'un psychopathe qui m'avait prise pour cible ? Quoi qu'il en soit, il s'agissait de rester sur mes gardes. D'être hyper vigilante et, en même temps, de ne plus y penser jusqu'à lundi matin. Mon poivre de Cayenne se trouvait toujours à sa place, chacun des téléphones et le système d'alarme avaient en mémoire le numéro 911. Bien. Dix heures du matin. Un soleil vif brillait. Le thermomètre du patio indiquait cinq degrés Celsius, quarante degrés Fahrenheit : la canicule, pour un Québécois. Kit ne se lèverait pas avant midi sonné. J'ai passé mon survêtement et je suis allée au centre sportif. À pied. Les nerfs à fleur de peau et l'œil aux aguets.

Au retour, j'ai fait provision de bagels, de fromage à tartiner et de bonnes choses à rajouter par-dessus. En voyant une charrette de fleurs, l'idée m'est venue d'offrir un pot d'herbe à chat à Birdie, histoire de rentrer dans ses bonnes grâces puisqu'il m'ignorait depuis l'arrivée de Kit.

Mes achats n'ont pas remporté le succès escompté.

— Interdiction de prononcer les mots « lève-tôt » ou « aurore » ! a marmonné Kit en guise de bonjour, quand il a débarqué dans le salon aux alentours d'une heure et quart, suivi du chat qui se traînait d'un air apathique.

— Et « bagel » ?

— Ça peut aller.

— Fromage à tartiner, saumon fumé, citron, oignon et câpres ?

— Efface câpres et envoie le programme.

Kit s'est assis à table. Quant à Birdie, il a considéré son herbe sans daigner m'adresser un regard de gratitude.

J'ai proposé :

— Des activités en plein air, ça te dit par ce temps ?

— Accepté.

— On peut visiter le Jardin botanique et faire une virée sur la montagne ou, si tu préfères, on se dégote des vélos et on va dans le Vieux-Port. Ou bien on longe le canal Lachine.

— Les patins à roues alignées sont autorisés sur ta piste cyclable ? On pourrait en louer.

— J'imagine…

— Néophyte, hein ? a lancé mon neveu à qui mon peu d'enthousiasme n'avait pas échappé. Tu sais que Harry est super douée ?

— Mmm… Pourquoi dis-tu toujours Harry en parlant de ta mère ?

Kit, en effet, ne l'avait jamais appelée maman. Cela m'avait toujours étonnée.

— Je ne sais pas. Disons qu'elle n'a rien des mères de famille de *La Petite Maison dans la prairie.*

— Mais tu fais ça depuis que tu as deux ans !

— Comme maîtresse de maison accomplie, on repassera. Déjà à cette époque. Mais ne change pas de sujet, tu veux ? Tu es partante pour le patin ?

— Bien sûr.

— Tu es une vraie soie, tante Tempe. Le temps de passer sous la douche et on y va.

* * *

Journée idyllique. Après des débuts un peu chaotiques, j'ai vite attrapé le rythme et je me suis retrouvée à glisser comme si j'étais née des roulettes aux pieds. Ça m'a rappelé l'époque où, petite fille, je patinais sur le trottoir, n'évitant les piétons que pour me retrouver sur la trajectoire d'une voiture. Le soleil avait fait sortir des flopées de sportifs, les allées grouillaient de cyclistes, de planchistes et d'autres patineurs comme nous. Sans tourner encore avec beaucoup d'assurance, je suis néanmoins parvenue à louvoyer entre les gens. La seule chose que je n'ai pas réussi à apprendre, c'est à m'arrêter net. De mon temps, on n'avait pas inventé les patins à freins. Quoi qu'il en soit, à la fin de l'après-midi, je me suis vue voguer avec la légèreté de *Black Magic I* dans la coupe America. Kit, lui, m'a trouvé la grâce d'une crotte dévalant les égouts. Qu'importe, j'étais plus rembourrée qu'un bonhomme Michelin.

Vers cinq heures, nous avons rapporté patins et protections pour nous rendre *Chez Singapour* prendre un délicieux repas asiatique. Après, à la suggestion de Kit, nous avons loué des cassettes en version française. *La Panthère rose* et *Quand l'inspecteur s'en mêle,* choix de mon neveu, persuadé que rien ne valait l'immersion totale pour accélérer son adaptation à la vie québécoise. Nous avons ri aux éclats aux discours de l'inspecteur Clouzot pour démontrer qu'on peut à la fois être partie du problème et partie de sa solution. Ce n'est qu'une fois dans mon lit, éreintée et moulue, l'estomac tendu par un excès de maïs soufflé, que je me suis rappelé l'abominable bocal. « L'œil était au réfrigérateur et regardait

Brennan…» J'avais beau me tourner et me retourner, impossible d'y échapper ! Qui donc m'en voulait au point de laisser un colis semblable sous mon essuie-glace ?

Lundi, il faisait doux encore malgré les nuages noirs qui plaquaient le brouillard au ras du sol. Il fallait rouler phares allumés. Au labo, j'ai porté le bocal au département de biologie. Je n'ai pas spécifié l'origine de l'échantillon puisqu'on ne me la demandait pas, et lui ai attribué un numéro fantaisiste. J'avais ma petite idée sur sa provenance et j'espérais me tromper, car ce que cela impliquait était trop horrible. En attendant les résultats de l'analyse, que la technicienne me communiquerait sitôt reçus, je me tiendrais tranquille.

La réunion du matin n'a pas duré longtemps : un concessionnaire Volvo pendu dans son garage, un mot épinglé à sa veste justifiant son suicide ; un pilote tué dans l'écrasement de son monomoteur du côté de Saint-Hubert ; une femme poussée sous une rame de métro à la station Vendôme. Rien pour moi. J'allais pouvoir m'attaquer à l'identification de ma jeune fille de la fosse aux Vipères.

À partir des mots clefs «anthropologie», «squelette», «inconnu», «femme» et «partiel», j'ai lancé une session de recherches en vue d'obtenir la liste de toutes les affaires comportant des corps incomplets et non identifiés de sexe féminin. Les dix dernières années, période de ma collaboration au labo, comptaient vingt-six affaires codées LML. Celles remontant à une date antérieure précisaient seulement : squelette complet ou incomplet, sans autre détail.

À partir de cette liste, j'en ai appelé une seconde, regroupant les corps privés de tête. Puis, j'ai voulu faire de même pour les fémurs. Impossible. Les données entrées dans l'ordinateur indiquaient seulement «présence» ou «absence» de crâne. Tant pis. J'allais devoir consulter les dossiers.

Sans perdre une seconde, je suis descendue aux archives. Une femme mince, que je n'avais jamais vue, trônait au bureau d'accueil. Jeans et blouse paysanne, des cheveux décolorés, une peau blafarde, des yeux couleur machine à laver. Monochromie parfaite que rompaient quelques mèches rouge cerise près des tempes et des taches de rousseur sur le nez. Aux oreilles, une ribambelle d'anneaux et de boucles dont j'aurais été bien incapable de faire le décompte.

— Bonjour, je m'appelle Tempe Brennan.

Je lui ai tendu la main. Elle s'est contentée de hocher la tête sans même me dire son nom.

— Vous êtes nouvelle ?

— Remplaçante.

— Excusez-moi, je ne crois pas vous avoir rencontrée.

— Vous voulez savoir mon nom ? Jocelyne Dion.

Un haussement d'épaules a ponctué sa phrase. Devant son amabilité, j'ai ramené ma main.

— J'ai besoin de consulter ces dossiers, Jocelyne.

Je lui ai remis ma liste où des numéros se détachaient en gras. Quand elle a tendu le bras pour la prendre, le léger tissu de sa blouse ne m'a rien caché de ses biceps. De toute évidence, cette Jocelyne n'allait pas au gymnase uniquement pour tenir compagnie aux copines.

— Ça en fait beaucoup, je sais, mais c'est urgent. Vous pourriez me les sortir rapidement ?

— Pas de problème.

— J'ai besoin du dossier complet, pas seulement du rapport anthropologique.

Un infime changement d'expression, aussitôt volatilisé, est passé sur son visage et elle a baissé les yeux sur le papier.

— Vous les voulez où ?

Je lui ai indiqué le numéro de mon bureau et je suis partie. Au bout de quelques pas, je me suis aperçue que je n'avais pas mentionné les photos. Je suis revenue dans le bureau. Le nez collé sur ma liste, Jocelyne remuait les lèvres en descendant les colonnes de son ongle laqué. Un côté de la feuille, puis l'autre. Au son de ma voix, elle a fait un saut de carpe.

— Je m'en occupe tout de suite ! m'a-t-elle lancé, en se laissant glisser de son tabouret.

Bizarre, cette fille !

Je l'ai plantée là et m'en suis retournée à mes rapports Gately et Martineau. Une heure plus tard, elle m'apportait les dossiers. J'ai passé les trois suivantes à les éplucher.

En tout, depuis mon arrivée à Montréal, j'avais travaillé sur six affaires de femmes sans tête. Deux d'entre elles n'avaient pas non plus de fémurs, mais elles étaient trop âgées pour être ma jeune fille de la fosse aux Vipères. Auparavant, sept squelettes de femme sans tête n'avaient pu être identifiés. Deux correspondaient en âge, mais les ossements retrouvés n'étaient pas recensés dans le détail et aucun dossier ne comportait de photos.

Je suis retournée à l'ordinateur. J'ai commencé mes recherches par l'affaire la plus ancienne. Découverts à Salluit, un village du Grand Nord tout au bout de la péninsule d'Ungava, à deux mille kilomètres d'ici, les restes avaient été conservés cinq ans, rephotographiés, puis remis à qui de droit aux fins d'enterrement ou de destruction. Aucune photo non plus dans l'ordinateur. Étrange.

Je suis passée à l'affaire la plus récente. Lieu de récupération du corps : Sainte-Julie. À moins de vingt kilomètres de Saint-Basile-le-Grand ! Mon cœur s'est mis à battre plus vite. Retour au dossier : là non plus, pas de photos. Et rien dans les annexes n'indiquait que l'affaire ait été résolue. Les dieux étaient-ils à ce point avec moi ? Cela valait la peine d'aller jeter un coup d'œil à ma réserve.

Ce petit local tout en longueur m'a été attribué à mon arrivée au labo. J'y conserve sous clef tout un tas de dossiers dont j'ai hérité, ainsi que des ossements dont je n'ai pas voulu me défaire pour une raison ou pour une autre.

Des boîtes de carton s'alignaient le long des murs, rangées par ordre chronologique. Les affaires les plus anciennes étaient classées tout au fond. Celle que je cherchais se trouvait sur l'étagère du haut. Grimpée sur une chaise, j'ai descendu la boîte. L'ayant portée jusqu'à la table, j'ai enlevé la poussière et soulevé le couvercle. À gauche, un gros tas de vertèbres et de côtes dont les articulations portaient des traces de morsure d'animaux. Les fémurs étaient là. Pas de doute là-dessus.

Damn ! J'ai tout sorti pour vérifier que le contenu correspondait à l'inventaire. Apparemment, rien ne manquait. Déçue, j'ai remis la boîte à sa place. Après m'être lavé les mains, j'ai réintégré mon bureau de l'autre côté du couloir. Il me fallait bien un sandwich au thon et un pudding Jell-O pour me ragaillardir.

« La vie est incertaine, commence par le dessert ! » proclame la petite affiche qu'un de mes collègues d'université à

Charlotte a collée sur sa porte. Forte de ce conseil, à mon avis excellent, j'ai avalé toute ma crème caramel en contemplant le fleuve, les pieds croisés sur l'appui de fenêtre. Parfois, mon esprit fonctionne mieux quand je laisse les idées s'associer d'elles-mêmes, sans les forcer à se rassembler en troupeau.

Un fait était certain : le crâne et les fémurs trouvés à Saint-Basile n'étaient pas les parties manquantes d'un squelette déjà exhumé. Exhumé au Québec, du moins.

Bon.

Si Claudel n'était pas plus chanceux que moi avec sa liste des disparues, la prochaine étape serait le CPIC. Ensuite, si cela ne donnait rien non plus, on appellerait le centre américain d'informations criminelles. Après tout, rien ne m'autorisait à croire que ma jeune fille était originaire d'ici. Elle pouvait fort bien être venue du Sud. Des États-Unis.

Comme l'affirme le psy dans la série *Ally McBeal,* rien ne vaut une chanson pour combattre le stress.

> *Runnin' down the road tryin' to loosen my load*
> *Got a world of trouble on my mind...*

C'était mon cas, en effet.

> *Slow down, you move too fast.*
> *Got to make the morning last...*

Armée de ce principe, je tendais une main paresseuse vers mon sandwich quand l'immonde cadeau laissé sur mon pare-brise s'est imposé à mes yeux. En un instant, j'ai été transformée en glaçon. J'avais la chair de poule de la tête aux pieds.

« Oublie ça ! me suis-je dit. Ce n'est peut-être qu'un œil de porc. Ta photo était dans le journal. N'importe quel idiot a pu le mettre sur ta voiture pour rigoler. Si quelqu'un t'observe, ce n'est qu'un imbécile à l'esprit tordu, qui n'a rien d'autre à foutre dans la vie que d'emmerder son voisin. »

> *I am woman watch me...*

Ça, non ! Pas question !

Seigneur ! Mieux valait me concentrer sur le programme de la journée : boucler les rapports Gately et Martineau, finaliser ceux des jumeaux Vaillancourt, appeler Claudel et contacter éventuellement le CPIC et le NCIC.

« Pas d'angoisse, Brennan, tout va bien. Tu fais seulement ton boulot ! »

Hélas, cette idée n'a pas eu le temps de faire son chemin dans ma tête.

Le téléphone a sonné, réduisant à néant la sérénité que je m'étais donné tant de mal à atteindre.

Chapitre 16

— Ne quittez pas, je vous prie, je vous passe M. Crease.

Je n'ai pas eu le temps de placer un mot que le journaliste était déjà en ligne.

— Vous ne m'en voulez pas de vous appeler au bureau, j'espère ?

Je n'ai pas répondu. Je n'en pensais pas moins.

— Je tenais à vous dire que j'ai passé une soirée délicieuse, samedi. Je serais ravi de vous revoir.

D'un original achevé !

— Auriez-vous un moment pour souper avec moi cette semaine ?

— Je regrette, je suis débordée, ces temps-ci.

J'aurais pu être libre comme l'air pour les mille ans à venir, je n'aurais pas soupé avec lui. Les types qui se croient tout permis, je déteste !

— La semaine prochaine, alors ?

— Non, je ne crois pas.

— Je comprends. Puis-je avoir votre neveu comme prix de consolation ?

— Quoi ?

— Kit. Je l'ai trouvé fabuleux.

Fabuleux, mon neveu ?

— Je pourrais l'emmener chez un de mes copains qui possède un atelier de motos avec tous les gadgets possibles et imaginables pour personnaliser une Harley. Je suis sûr que ça l'amuserait.

Oh, je n'en doutais pas. Farfouiller dans une caverne d'Ali Baba ne pouvait que lui plaire, mais si quelque chose ne m'amusait pas, moi, c'était de voir Kit tomber entre les griffes d'un beau parleur comme ce Crease. Il était beaucoup trop influençable. J'ai admis du bout des lèvres :

— Probablement.

— Alors, je lui passe un coup de fil, si c'est cool avec vous.

Cool ? Autant qu'une indigestion, oui !

— Si vous y tenez.

Cinq minutes ne s'étaient pas écoulées que ce cher Quickwater s'encadrait dans ma porte. Il m'a considéré de ses yeux de poisson mort et a laissé choir un dossier sur ma table.

— Je peux savoir de quoi il s'agit ?

— Formulaires.

— À remplir ?

Il s'apprêtait à ignorer ma question quand son coéquipier nous a rejoints. Je l'ai aussitôt apostrophé :

— Si je comprends bien, vous revenez les mains vides ?

— Aussi vides que le coffre-fort d'Al Capone ! a lancé Claudel. Rien qui corresponde de près ou de loin à notre descriptif. Bergeron travaille toujours sur les dents. Dès que vous les aurez remplis, a-t-il ajouté en désignant les papiers jetés par Quickwater, Martin s'occupera du NCIC et je m'attaquerai au CPIC.

Le CPIC ou Canadian Police Information Center de même que son homonyme américain, le NCIC ou National Crime Information Center, rattaché quant à lui au FBI, sont deux bases de données électroniques offrant aux forces de l'ordre la possibilité d'accéder rapidement aux renseignements qui leur sont nécessaires. J'ai eu recours plusieurs fois au CPIC, mais je connais mieux l'organisme américain.

Fondé en 1967 afin de regrouper divers renseignements policiers tels que les immatriculations automobiles, d'armes et de biens personnels, le signalement des voitures volées et des personnes en fuite ou recherchées par la police, le NCIC s'est vu adjoindre de nouvelles sections au fil des années de sorte que des dix mises en place au départ, on en compte aujourd'hui dix-sept. Il comporte ainsi un registre de toutes les immatriculations délivrées dans chacun des États d'Amérique, un répertoire des dossiers confidentiels des services secrets, une liste des étrangers en fuite, une autre des gangs de criminels et des terroristes, un index des personnes disparues et des corps non identifiés. Tous les commissariats centraux, comme tous les bureaux des shérifs des États-Unis, de Puerto Rico, du Canada et des îles Vierges, peuvent se connecter à l'ordinateur central de Clarksburg, en Virginie-Occidentale, étant entendu que les demandes de renseignements doivent être soumises exclusivement par des représentants de l'ordre. Et ceux-ci ne s'en privent pas. Si, au cours de sa première année d'existence, le NCIC a enregistré deux millions de requêtes, de nos jours il traite ce nombre quotidiennement.

L'index des personnes recherchées se subdivise en plusieurs chapitres. Celui des personnes disparues, créé en 1975, recense les individus recherchés non pas « pour délit », mais parce qu'ils sont en situation de danger potentiel : fugueurs, handicapés, personnes kidnappées ou disparues dans une catastrophe. Toute disparition signalée à un commissariat, que ce soit par un parent, un tuteur légal, un médecin, un dentiste ou un oculiste, est aussitôt transmise à l'ordinateur central. Depuis qu'en 1983 cet index s'est agrémenté d'un nouveau chapitre regroupant les corps non identifiés, entiers ou incomplets, il est désormais possible d'établir par recoupement si un cadavre récupéré est celui d'un individu faisant l'objet de recherches.

C'était ce gros paquet que Quickwater avait jeté sur mon bureau.

— Si vous remplissiez les formulaires pour le NCIC, on pourrait travailler en même temps sur les deux réseaux, a dit Claudel. Les données sont grosso modo les mêmes, seuls les codes varient. Ça vous prendra combien de temps ?

— Donnez-moi une heure.

Ne disposant que de trois os en tout, je n'aurais guère de cases à cocher.

Sitôt les détectives sortis, je me suis attelée à la tâche, me reportant à la table des matières pour trouver les codes nécessaires. J'ai commencé par la section des cadavres non identifiés. Un diagramme de corps humain était joint. J'ai mis un « R » signifiant « récupéré » dans les cases 1, 9 et 10 correspondant au crâne et aux fémurs gauche et droit, et un « N » partout ailleurs pour indiquer «non récupéré». J'ai écrit « F » pour femme, « B » pour blanche, et donné une taille approximative. J'ai laissé en blanc les cases réservées aux dates de naissance et de décès et j'ai inscrit «shunt cerb», pour shunt ventriculaire, au paragraphe des observations particulières, sans oublier de mettre une croix en face de cet objet sur la liste des appareils et accessoires jointe au diagramme. Voilà. Signes particuliers : néant, puisque nous n'avions connaissance d'aucune caractéristique de type fracture, difformité, tatouage, verrue, grain de beauté ou cicatrice, et que nous ignorions quels vêtements, bijoux ou lunettes portait notre inconnue au moment de sa disparition.

En l'absence d'empreintes digitales et d'informations sur le groupe sanguin et la cause du décès, j'ai laissé le reste du document en blanc. Le lieu de la découverte du corps était le seul renseignement complémentaire que je pouvais fournir.

J'en étais à inscrire le nom de l'agence demanderesse et le numéro de l'affaire dans les cases réservées à cet effet quand le constable Quickwater est réapparu. Je lui ai tendu le formulaire. Il l'a pris sans un mot, a hoché la tête et est reparti.

Mais qu'est-ce qu'il avait, ce type-là ?

Flash de l'œil dans le petit pot de confiture.

Serait-ce lui ?

Impossible.

Toutefois, mieux valait ne pas lui mentionner non plus qu'à Claudel l'immonde cadeau qui m'avait été offert. C'est auprès de Ryan que j'aurais voulu prendre conseil. Mais voilà, Ryan n'était plus là. J'étais seule et bien seule pour affronter cette horreur.

Les rapports Gately et Martineau achevés, je les ai portés à taper au secrétariat. Au retour, quelle n'a pas été ma surprise de découvrir Claudel installé dans mon bureau, une sortie d'imprimante à la main.

— Vous aviez vu juste pour l'âge, mais trop court pour la date de la mort. Dix ans, ce n'était pas assez.

Il s'est tu. J'ai gardé le silence, attendant qu'il veuille bien poursuivre de lui-même.

— Elle s'appelait Savannah Claire Osprey.

En français, cela donnait Os-pri, avec l'accent sur la dernière syllabe. Quant au prénom, il était typique du sud-est des États-Unis ; peu de gens ailleurs appellent ainsi leur fille. C'était déjà un début, et il avait de quoi piquer ma curiosité. Je me suis laissée tomber dans mon fauteuil.

— Elle était d'où ?

— Shallotte, en Caroline du Nord. C'est chez vous, non ?

— Non. Moi je suis de Charlotte.

Charlotte, Charlottesville, les deux Charleston, les Canadiens ont du mal à prononcer correctement ces noms. Comme bien des Américains, d'ailleurs. J'ai abandonné depuis longtemps l'espoir de leur faire entendre la différence. Cela dit, rien ne justifiait la méprise, Shallotte étant une petite ville de la côte.

— La disparition a été enregistrée en mai 1984, ânonnait Claudel, les yeux sur son rapport. Deux semaines après son seizième anniversaire de naissance.

— Rapide comme changement de situation.

— Oui.

Comme rien d'autre ne venait, j'ai déclaré de ma voix la plus suave :

— Toute information en votre possession me sera utile pour confirmer cette identité, M. Claudel.

Il a fait durer sa pause.

— Entre le shunt et les caractéristiques dentaires, l'ordinateur a craché le nom tout de suite. J'ai réussi à avoir en ligne l'enquêteuse chargée de l'affaire à l'époque. C'est la mère qui a signalé la disparition et puis, de but en blanc, elle a tout laissé tomber. Au début, les médias ont fait leur cirque habituel, et les choses se sont calmées. L'enquête a duré des mois sans donner aucun résultat.

— C'était une enfant à problème ?

Autre pause, plus longue encore.

— Aucun problème, de drogue ou de discipline, n'a été rapporté, et elle n'était pas considérée comme une fugueuse potentielle. En raison de son hydrocéphalie, elle n'avait pas très bonne mémoire et, aussi, une mauvaise vue, mais elle n'était pas retardée. Elle allait dans une école normale et travaillait bien, même si elle était souvent hospitalisée pour des complications relatives au shunt, l'appareil ayant tendance à se boucher, semble-t-il. Ces périodes étaient précédées de léthargie et de maux de tête, parfois d'incohérence. Selon une théorie, elle aurait pu partir et se perdre.

— Partir toute seule, à l'aventure ?! C'est quoi, l'autre théorie ?

— Le père.

Claudel a consulté son carnet.

— Dwayne Allen Osprey, un charmeur au casier plus long que le Transsibérien. Il était assez porté sur le Jim Beam et aimait bien se défouler sur sa famille quand il avait fait le plein. Dans sa première déposition, avant qu'elle se rétracte, la mère a affirmé qu'il n'aurait jamais aimé sa fille et que cela aurait empiré avec les années. Du genre à envoyer valser la petite contre un mur en gueulant qu'elle avait de l'eau à la place du cerveau.

— Il l'aurait tuée ?

— C'est une éventualité. Whisky et fureur font un cocktail explosif. Les choses seraient allées trop loin, la petite serait morte et il se serait débarrassé du corps.

— Et comment aurait-elle abouti au Québec ?

— Question extrêmement perspicace, Dr Brennan !

Sur ce, il s'est levé et a tiré sur les manchettes les plus immaculées et raides d'amidon que j'aie vues au cours des dernières décennies. Je l'ai fusillé d'un regard signifiant « Crève, tête de pioche ! », auquel il n'a pas réagi, car il avait déjà passé la porte.

Je me suis laissée aller contre mon dossier en poussant un soupir.

« Pas perspicace, ma question, monsieur Claudel ? Je vous prie de croire que si ! Tellement, même, que je vais lui apporter une réponse, parole de Brennan. »

Chapitre 17

Comme d'habitude, Claudel m'avait fait sortir de mes gonds. Pour me calmer, je me suis mise à respirer lentement. Cinq heures moins vingt. Avec de la chance, j'arriverais encore à joindre Kate Brophy au SBI de Raleigh. Elle a décroché à la première sonnerie.

— Salut, Kate. C'est Tempe.

— Salut, ma fille ! Te revoilà à Dixie ?

— Non, j'appelle de Montréal.

— Tu t'amènes bientôt, qu'on se tape quelques bouteilles ?

— Tu sais bien que ces beaux jours sont finis.

— Désolée, j'avais oublié.

Notre rencontre remonte à une époque où je m'adonnais à la boisson comme une ado s'éclate pendant les vacances. À la différence que j'avais trente ans passés et de lourdes responsabilités : j'étais mariée, mère de famille, prof d'université et chercheuse. Peu à peu, sans m'en rendre compte, j'avais intégré la grande famille des champions en beaux discours. « Boire, moi ? Bien sûr, un verre de Bordeaux, le soir à la maison, une petite bière après les cours, un verre ou deux à une soirée, le week-end. L'alcool ? je m'en passe très bien. La preuve, je ne bois jamais seule… M'a-t-on déjà vue en retard au boulot ? Non, l'alcoolisme, ce n'est pas mon problème. »

Sauf que le verre s'était progressivement transformé en bouteille et que mes beuveries n'exigeaient plus la compagnie d'une âme sœur. Ce qui rend Bacchus si attirant, voyez-vous, c'est que rien n'est exigé du consommateur, ni billet d'entrée, ni commande minimum. Et, sans même s'en rendre compte, on se retrouve, le dimanche, à cuver ses excès au fond de son lit pendant que son rejeton n'a que les parents de ses copains pour applaudir ses exploits au football. À présent, j'en ai fini avec ça. Rideau, le spectacle a quitté l'affiche.

— C'est drôle que tu m'appelles, poursuivait Kate à l'autre bout du fil. Il n'y a pas cinq minutes, je parlais avec un enquêteur des motards que tu as recollés dans les années quatre-vingt.

Je n'avais pas non plus oublié cette affaire : deux gars entreprenants qui s'étaient mis en tête de revendre leur dope dans un secteur tenu par les Hells Angels, et qu'on avait récupérés tout emmêlés dans des sacs en plastique. Et c'était moi que l'expert médical de Caroline du Nord avait chargée de faire le tri entre eux.

Mes premiers pas dans le monde de l'anthropologie judiciaire : une révélation !

Jusque-là, je n'avais étudié que des squelettes exhumés lors de fouilles archéologiques. Leurs maladies, l'espérance de vie aux temps de la préhistoire, c'était passionnant, certes, mais quelque peu éloigné du quotidien, alors que cette affaire contemporaine suscitait en moi un sentiment d'urgence et une excitation que ne m'avaient encore jamais procurés les morts du passé. Brusquement, je me découvrais en mesure de rendre à des victimes le nom dont elles avaient été dépossédées et de soulager la peine de leurs proches en leur livrant la clef d'une douloureuse énigme. Je contribuais, par mes efforts aux côtés des représentants de l'ordre, à identifier des criminels et à faire reculer l'insécurité dans les villes d'Amérique. Et c'est ainsi que j'avais changé d'orientation. Parallèlement, je m'étais mise au régime sec. Deux choix de vie que je n'avais jamais regrettés.

— Qu'est-ce que tu fichais à Quantico, l'autre jour ? ai-je demandé à Kate.

— J'avais conduit deux analystes de chez nous suivre une formation au VICAP. Quand j'ai appris que Tulio tenait cette réunion, j'ai décidé d'aller renifler ce qu'il y avait de neuf du côté des motards.

— Et alors ?

— C'est la même histoire que dans les autres clubs mondains, sauf qu'on s'y entretue plus volontiers.

— Cela fait des années que je n'ai pas travaillé sur une affaire de motards en Caroline. Qui tient le haut du pavé, ces temps-ci ?

— Les trois plus gros.

— Hells, Outlaws et Pagans ?

— Pour vous servir, madame. Les Bandidos nous snobent encore. Les temps sont d'ailleurs assez calmes, mais ça pourrait se réchauffer le mois prochain quand les Hells se rassembleront à Myrtle Beach.

— Chez nous, ça barde déjà. Mais ce n'est pas pour ça que je t'appelle. Tu aurais entendu parler d'une Savannah Claire Osprey, par hasard ?

Kate n'a pas répondu. Tout ce que j'entendais au bout des kilomètres qui nous séparaient, c'était un bruit d'océan dans un coquillage, jusqu'à ce qu'elle finisse par lâcher :

— C'est une blague ?

— Pas le moins du monde.

Je l'ai entendue prendre une profonde inspiration.

— C'est l'une des toutes premières affaires sur lesquelles j'ai travaillé pour le compte du SBI en Caroline du Nord, ça ne date pas d'hier… Savannah Osprey, une adolescente de seize ans avec des problèmes de santé à n'en plus finir. Bonnes fréquentations, pas d'usage de drogues, partie de chez elle un après-midi et pfuitt ! évaporée dans la nature ! Du moins, c'est ce que dit l'histoire.

— Elle aurait fait une fugue ?

— Les policiers ont soupçonné le père, mais ils n'ont rien pu prouver.

— Tu penses qu'il y était pour quelque chose ?

— Possible. C'était une fille timide avec des lunettes grosses comme ça, qui sortait rarement de chez elle, qui n'avait pas de petit ami, et qui était le souffre-douleur de son père, tout le monde le savait. En voilà un qu'on aurait dû enfermer ! s'est écriée Kate sur un ton dégoûté. Il a fini par l'être, d'ailleurs, mais beaucoup plus tard. Pour une affaire de drogue, je crois. Il est mort cinq ans après la disparition de sa fille.

Ses révélations me laissaient pantelante, comme si j'avais reçu un coup de poing au plexus.

— C'était une merde, un salaud, alors que la petite était vraiment pathétique, enchaînait Kate. Cette affaire m'a tellement chamboulée que j'ai gardé ses restes. Je les ai encore quelque part, au bureau de l'expert médical. Il m'appelle de temps en temps pour me demander quoi en faire. Je lui dis chaque fois de les conserver.

— Qu'est-ce que tu dis ?

J'étais agrippée au téléphone, le souffle coupé.

— Ses parents ne l'ont jamais identifiée, mais je suis sûre que c'est elle.

— Tu veux dire qu'on a retrouvé son corps ?

— Neuf mois après sa disparition, un corps de femme a été découvert dans les bois, du côté de Myrtle Beach. C'est ce qui a braqué les lumières sur le père. À l'époque, il travaillait comme livreur pour une fabrique de tartes au fromage blanc. Il changeait souvent d'emploi, ce gars-là. Et justement, le jour de la disparition de sa fille, il avait fait une livraison à Myrtle Beach.

J'étais tellement abasourdie que je n'arrivais plus à formuler ma question.

— L'analyse des restes n'a pas permis l'identification ? ai-je demandé au bout d'un moment.

— Non, il en manquait trop, et ce qu'on avait retrouvé était trop abîmé. Les analyses d'ADN n'existaient pas dans ce temps-là. Mais pourquoi tu me demandes tout ça ?

— Il y avait un crâne parmi les restes ?

— Non. Ni crâne, ni mâchoire. C'était ça, le hic. Le corps avait été caché sous une tôle rouillée. Les charognards avaient dû se donner le mot parce qu'on en a retrouvé des morceaux dans tout le voisinage. On s'est dit que le crâne et les mâchoires avaient été emportés. Les os récupérés sous la tôle était intacts, mais ils n'ont pas été très bavards. Quant aux autres, ils étaient tellement bouffés que ça a été difficile d'en tirer autre chose que le sexe. À l'époque, c'était un médecin légiste qui faisait office d'anthropologue. D'après son rapport, les ossements ne permettaient de déterminer ni l'âge, ni la taille, ni la race.

Normal, me suis-je dit. Un simple médecin légiste n'a pas les connaissances requises pour ce travail. Il ne connaît pas les signes microscopiques qui révèlent l'âge de la victime, il ignore qu'il suffit d'un fragment de fémur pour calculer la taille d'un squelette.

— Qu'est-ce qui te fait croire qu'il s'agissait de Savannah ?

— Le petit porte-bonheur en argent retrouvé à côté du corps. Un oiseau. La mère a prétendu qu'elle ne l'avait jamais vu, mais j'ai bien compris qu'elle mentait. J'ai fait des recherches. Ça représentait un faucon-pêcheur. Or, un « osprey » — un balbuzard —, c'est un oiseau de la famille des faucons-pêcheurs.

Quand j'ai mentionné le crâne et les fémurs découverts au Québec, Kate n'a pu retenir un cri :

— *Holy shit !*

— La mère vit toujours dans le coin ?

— Je vais me renseigner. Moi, tu sais, depuis qu'on a réussi à cloner la brebis, je ne jure plus de rien !

— Tu as toujours le dossier ?

— Tu parles !

— Avec des radios *ante mortem* ?

— Des tonnes !

Je n'ai pas mis longtemps à prendre ma décision :

— Sors tes ossements, Kate, j'arrive.

* * *

Patineau ayant donné son aval au voyage, j'ai réservé une place sur un vol du matin pour Raleigh. Ce soir-là, Kit et moi avons soupé tard. Ravi de sa prochaine virée avec Crease, il n'a pas versé de larmes à l'idée que je m'absente. Ni lui, ni moi n'avons mentionné le paquet dans l'entrée que j'avais rapporté du labo pour le prendre avec moi en Caroline du Nord.

L'avion était bourré des habituels étudiants, hommes d'affaires et golfeurs qui allaient passer le week-end à Pinehurst, Marsh Harbour ou Oyster Bay. Destination autrement plus enviable que le labo où je me rendais pour analyser les restes de la malheureuse jeune fille enfermée dans le sac de sport à mes pieds. D'aspect inoffensif, ce sac, mais je ne sais comment auraient réagi mes voisins en apprenant la nature de son contenu. À l'aéroport, les douaniers qui opèrent la machine à radiographier les bagages ne s'étaient pas posé de question. Cela fait longtemps que je voyage entre le Canada et les États-Unis avec ce genre de colis. Les formalités seraient-elles aussi simples à Raleigh ?

J'ai gardé le nez tourné vers la fenêtre tandis que l'agent de bord proposait du café et des boissons. Nous avons fini par émerger du brouillard et, dans le soleil du matin, les nuages se sont colorés en rose luminescent. Très loin en bas, sur le tapis de brume, notre avion faisait une ombre minuscule.

Ombre fantomatique sur fond de paysage informe.

Illustration parfaite de la jeune fille à mes pieds, quand bien même je connaissais son nom.

Pourvu que ce voyage apporte à l'image que je me fais d'elle les précisions nécessaires pour qu'elle devienne un être doté d'une personnalité propre, ai-je espéré du fond de mon cœur.

Chapitre 18

Kate était venue me chercher à l'aéroport de Raleigh-Durham. De là, nous sommes allées au labo du SBI où elle avait retenu une salle et déjà transporté les ossements qu'elle conservait chez l'expert médical. Comme nous l'avions convenu la veille, nous allions y prélever des échantillons que je remporterais à Montréal pour les faire analyser. Telle était la solution qui nous était parue la meilleure.

J'ai enfilé des gants et ouvert mon paquet tandis qu'elle sortait de l'armoire une longue boîte blanche et la déposait sur la table d'autopsie. Elle s'est reculée pour me céder la place. Le cœur battant, comme toujours en de telles circonstances, j'ai entrepris d'en dénouer les ficelles. L'un après l'autre, j'ai disposé les os sur la table selon leur emplacement anatomique : côtes, vertèbres, bassin, os longs. Les traces qu'ils portaient provenaient bien de charognards, le médecin légiste ne s'était pas trompé. Tous, hormis les plus petits, étaient rongés au point de ne plus présenter de bords ou de cartilages intacts. Symphyses pubiennes et crêtes iliaques avaient totalement disparu. Quant aux clavicules, il n'en restait que des fragments.

Un fait sautait aux yeux : les deux fémurs manquaient.

Le squelette reconstitué, j'y ai ajouté les os trouvés à Saint-Basile. S'ils ne le complétaient pas, ils ne s'y trouvaient pas en double.

Kate a fini par rompre le silence :

— La taille et le développement musculaire ont l'air de correspondre. Elle devait être toute petite.

150

— D'après les calculs que j'ai faits à partir des fémurs, elle devait mesurer environ un mètre cinquante-sept. Voyons ce que disent tes tibias. Une formule permet de calculer l'âge de l'individu à partir d'un bout pas plus grand que ça, ai-je ajouté en lui montrant la petite partie au milieu de l'os que je m'apprêtais à entailler.

Malgré une marge d'erreur relativement grande, le résultat obtenu entrait dans la fourchette déjà indiquée par le fémur.

— Ça y est ! s'est écriée Kate qui, de son côté, s'était plongée dans un dossier gros comme l'annuaire de Manhattan. Un mètre cinquante-quatre.

Elle avait pris une enveloppe rangée entre les pages du dossier et la secouait pour en faire sortir des photos, tout en disant :

— Quand on pense que ses camarades de classe ne savaient rien sur elle ! Pourtant Shallotte n'est pas si grand. C'est si triste… a-t-elle soupiré en me tendant un instantané. Elle était de ces gens dont personne ne se souvient. Née en 1968, morte en 1984. Elle n'avait pas tiré le gros lot, la pauvre ! Une famille miséreuse, pas d'amis. Enfin, on sait aussi qu'elle n'était pas très grande.

À la vue de cette enfant en maillot de bain une-pièce assise sur une couverture, j'ai éprouvé moi-même un élan de pitié. Elle avait des bras d'une maigreur d'épouvantail, l'un recroquevillé sur le milieu de la poitrine, l'autre tendu en avant pour chasser le photographe. Sa peau était si pâle à côté du tissu qu'elle en semblait presque bleue. Elle se cachait le visage, baissant la tête, mais la personne qui avait pris la photo avait appuyé sur le bouton juste au moment où elle relevait les yeux de sorte que ses globes paraissaient énormes derrière les verres épais de ses lunettes. À l'arrière-plan, un trait horizontal marquait la délimitation entre le sable et l'eau.

Je regardais ce pauvre visage et j'en avais le cœur déchiré. Qu'est-ce qui pouvait pousser quelqu'un à agresser un être aussi fragile ? Avait-elle été violée, tenue sous la menace d'un couteau, puis étranglée et abandonnée aux chiens ? S'était-elle rendu compte qu'elle allait mourir ? Avait-elle hurlé alors, terrorisée, tout en sachant que personne n'entendrait ses cris ? Était-elle morte chez elle, et son corps avait-il été transporté ailleurs ? Qu'avait-elle éprouvé au moment de mourir ? De la peur, de la résignation, de la haine, de l'indifférence ou simplement de la surprise ? Avait-elle souffert ?

— ... comparer les os du crâne, disait Kate, en sortant des radios d'une large enveloppe. Cette série-là a été prise quatre mois avant sa disparition.

Comme elle les insérait sous les pattes du négatoscope, je suis allée chercher dans mon sac celles que j'avais prises moi-même à Montréal et les ai placées à côté des siennes afin de les comparer. J'ai commencé par les radiographies des sinus frontaux, ainsi qu'on appelle les cavités au-dessus des orbites. Petites ou grandes, constituées d'une seule ou de plusieurs alvéoles, celles-ci sont uniques en chaque individu. Exactement comme les empreintes digitales.

Sur les radios *ante mortem*, les sinus remontaient haut dans le front en formant une sorte de crête de coq. La configuration était parfaitement identique sur mes radiographies. La perforation effectuée pour insérer le shunt était visible sur les deux séries d'images, de même forme et située au même endroit. Le doute n'était pas possible : le crâne découvert à Saint-Basile était bien celui de Savannah Claire Osprey !

Le séquençage d'ADN, que j'avais réclamé avant de quitter Montréal, à partir d'une molaire supérieure et d'un spécimen de tissu osseux prélevé sur un fémur, était désormais inutile, puisque les restes trouvés à Saint-Basile-le-Grand étaient identifiés.

Toutefois, si ce crâne était celui de Savannah, rien ne me disait qu'il appartienne, ainsi que les fémurs, au squelette incomplet récupéré à Myrtle Beach. Cela, seule une comparaison d'ADN me permettrait de l'affirmer. Pour effectuer les analyses, l'idéal, bien sûr, serait de retrouver à Raleigh des échantillons de tissu et de sang provenant directement de Savannah ou d'un parent à elle, mais aurais-je cette chance ? Dans ces circonstances, mieux valait prélever des échantillons sur les ossements de Myrtle Beach, en espérant qu'il serait possible d'en obtenir un séquençage d'ADN. J'ai donc entrepris de découper à la scie à os un morceau de deux centimètres et demi de long dans chacun des tibias et des péronés.

Kate me regardait en silence entailler ces os desséchés, pieusement conservés par elle de si longues années, et d'où jaillissaient maintenant des jets de poussière blanche. Au bout d'un long moment, elle a fini par dire :

— Ça m'étonnerait que l'hôpital ait conservé des spécimens provenant d'elle. Ça fait quand même un bail qu'elle est morte.

— On ne sait jamais. Tout peut arriver.

Et, de fait. Des calculs biliaires retrouvés par hasard, des frottis vaginaux, des taches de sang et d'autres résidus bien plus extravagants n'ont-ils pas permis de découvrir des traces d'ADN ?

— Et si nous ne localisons personne de sa famille ?

— En comparant le séquençage effectué à partir des os de Myrtle Beach et celui obtenu à partir des os de Saint-Basile, nous saurons déjà s'il s'agit d'une seule et même personne. S'ils sont identiques, nous aurons identifié le squelette de Myrtle Beach parce que, pour le moment, nous ne pouvons mettre de nom que sur le crâne de Saint-Basile. Le mieux, évidemment, serait de retrouver un échantillon d'ADN provenant directement de Savannah.

— Et si on n'en retrouve pas ?

— Je comparerai les échantillons au microscope à fort grossissement. Avant de partir de Montréal, j'ai demandé qu'on me prépare des lames avec un spécimen prélevé sur un fémur. Au retour, j'en ferai préparer avec ceux-là.

— Ça te dira quoi ?

— L'âge, pour commencer. Je verrai si c'est le même dans les deux groupes. Et puis la microstructure du tissu osseux m'apprendra peut-être quelque chose.

Vers une heure, j'avais étiqueté et numéroté mes quatre prélèvements. De son côté, Kate avait rempli les papiers nécessaires à leur sortie des États-Unis. Nous nous sommes voté un repas rapide au Wendy's local, avant de nous attaquer à l'étude des dossiers.

Attablée chacune devant un cheeseburger-frites, Kate m'a appris ce qu'elle savait des derniers moments de la petite Osprey. La semaine précédant sa disparition s'était déroulée sans incident. Savannah n'avait pas eu à se plaindre de sa santé et elle se réjouissait d'un événement qui devait avoir lieu à l'école. Quoi exactement ? Les parents ne s'en souvenaient pas. Le jour de sa disparition, en tout début d'après-midi, elle avait révisé son examen de maths sans manifester d'inquiétude. Vers les deux heures, elle était sortie pour aller acheter quelque chose à la pharmacie. À pied. On ne l'avait jamais revue.

— C'est la version du père, a conclu Kate.

— Il était chez lui ce jour-là ?

— Jusqu'à trois heures et demie. Après, il est allé à Wilmington chercher une commande à livrer à Myrtle Beach. Heure du départ confirmée par son employeur. Celle d'arrivée plus tard que prévu, pour cause d'embouteillage.

— La maison et le camion ont fait l'objet d'une perquisition ?

— Non. On n'avait rien contre lui pour étayer une demande de mandat.

— Et la mère ?

— Brenda ? Un drôle d'oiseau, celle-là !

Kate a mordu dans son cheeseburger et s'est essuyé la bouche avec une serviette en papier.

— Elle était à son travail au moment des faits. Femme de ménage dans un motel, je crois. Selon sa déposition, il n'y avait personne à la maison quand elle est rentrée à cinq heures. À la nuit tombée, étant toujours sans nouvelle de sa fille, elle a commencé à s'inquiéter et, vers minuit, prise de panique, elle est allée déclarer sa disparition au poste de police.

Kate a fini son Coke.

— Au début, elle a été assez coopérative et, soudain, deux jours plus tard, revirement complet : Savannah serait partie avec des amis ! Dès lors, on aurait parlé à un rôti de porc congelé qu'on aurait eu autant de succès. C'est la police de Shallotte qui nous a mis sur le coup et obtenu des médecins et du dentiste les renseignements à enregistrer au NCIC alors qu'en général, ce sont les parents ou les tuteurs qui les fournissent.

— Comment tu expliques ça ?

— Son mari a dû la menacer.

— Qu'est-ce qu'il est devenu, lui?

— Cinq ans après la disparition de sa fille, un 4 juillet, il est allé avec des amis camper et faire la fête tout en haut de Chimney Rock. Il s'était pris de passion pour les sommets, semble-t-il. Le lendemain, dans la nuit, il est redescendu s'imbiber en ville. Au retour, ce fier-à-bras a dû rater un tournant, j'imagine, parce qu'on l'a retrouvé dans la gorge de Hickory Nut, éjecté de sa voiture. Il avait la tête plus large que sa roue de secours. Sa bagnole avait dû lui passer dessus. En gros, sa mort a mis un point final à l'enquête, a conclu Kate en rassemblant ses emballages pour aller vider son plateau dans la poubelle.

Comme nous sortions du restaurant, un vieux Noir coiffé d'une casquette des Yankees nous a saluées du «Hey» traditionnel de la région, tout en arrosant les fleurs du patio à l'aide d'un long tuyau. Une senteur de terre humide et de pétunia se mêlait à l'odeur d'huile à cuisson. Le soleil était au zénith et le ciment du sol aveuglant. Le temps de traverser le stationnement pour atteindre la voiture, j'avais la tête et les épaules en feu.

— Tu crois que c'est lui? ai-je demandé à Kate après que nous ayons attaché nos ceintures.

Elle n'a pas répondu tout de suite.

— Je ne sais pas. Il y a des détails qui ne collent pas.

Je l'ai laissé trier ses idées, sans la presser.

— Dwayne Osprey buvait. Et c'est sûr qu'il était mesquin comme un reptile. Mais il est tout aussi sûr que le fait qu'il habite Shallotte privait bien des localités voisines de l'idiot du village auquel elles ont droit. Ce que je veux dire par là, c'est que ce bonhomme n'était pas une lumière. Pas le genre à zigouiller sa fille et à la transporter dans une autre ville sans laisser une seule trace. Il faut des neurones pour ça! En plus, il s'en passait des choses, cette semaine-là.

— Quoi donc?

— C'était la mi-mai. Tous les ans à cette date, les motards tiennent un rallye monstre à Myrtle Beach. Pour tous les Hells Angels des chapitres du Sud, la présence est obligatoire. En général, un grand nombre de Pagans se pointent aussi. Toute la semaine, l'endroit a été bourré de motards, des Outlaws aux Rubbies…

«Rubbies»? Que voulait dire ce terme? À Montréal, cela signifie « ivrogne ». Voyant mon air perdu, Kate a expliqué :

— « Rich Urban Bikers » — motards urbains fortunés. C'est d'ailleurs comme ça que j'ai écopé de l'affaire. Mon patron s'est dit que les gangs y étaient peut-être pour quelque chose.

— Et c'était le cas ?

— Ça n'a pas été prouvé.

— Et c'est ton avis ?

— Misère ! J'en sais rien, Tempe ! C'est vrai que Shallotte se trouve sur l'autoroute 17, celle de Myrtle Beach, et que motels et restaurants s'y comptent par douzaines. Avec la circulation qu'il y a eu en Caroline du Sud toute la semaine, la petite a aussi bien pu tomber sur un désaxé qui avait fait une halte, histoire de se taper son casse-croûte.

— Et qui l'aurait assassinée ? Mais pourquoi ?

Question idiote, comme j'ai pu m'en rendre compte à la réponse de Kate :

— Des gens se font bien descendre parce qu'ils roulent trop près, parce qu'ils portent du rouge alors que c'est le bleu la couleur du gang ou parce qu'ils font leurs courses chez le mauvais commerçant. Quelqu'un a pu la tuer simplement parce qu'elle portait des lunettes !

Ou par inadvertance, me suis-je dit. Comme Emily Anne Toussaint.

De retour au labo du SBI, nous nous sommes partagé la lecture des innombrables pièces du dossier de police : rapports médicaux et dentaires, factures de téléphone, comptes rendus d'arrestations, transcriptions d'interrogatoires, dépositions des voisins, rapports d'inspections. Rédigés à la main, ceux-là. La police de Shallotte et le SBI n'avaient laissé de côté aucune piste. Les voisins avaient participé aux battues dans les bois, sondé étangs et rivières. En vain. Partie de chez elle, Savannah Osprey s'était tout simplement volatilisée. Neuf mois plus tard, un cadavre avait été retrouvé à Myrtle Beach. Pensant qu'il pouvait s'agir de la petite Osprey, le coroner de Horry County avait informé les autorités de Caroline du Nord et fait expédier les restes à Chapel Hill, pour des analyses. Dans son rapport, l'expert médical avait conclu à l'impossibilité, en l'état des connaissances scientifiques, d'identifier formellement le squelette comme étant celui de Savannah, nonobstant la présence de plusieurs éléments tendant à le prouver. Et c'est ainsi que, officiellement parlant, la jeune fille n'avait jamais été retrouvée.

La dernière pièce du dossier, datée du 10 juillet 1989, était l'interrogatoire de Brenda Osprey, à la suite de la mort de son époux. Elle s'en tenait à sa version de la fugue.

Il était sept heures du soir passées. À force d'être restée penchée des heures entières à décrypter des pattes de mouche, j'avais le dos cassé et les yeux qui pleuraient. J'étais rompue, découragée et j'avais raté mon avion. Et tout cela, pour apprendre trois fois rien. Kate ne valait guère mieux que moi.

— Et maintenant ? lui ai-je demandé.

— On va te trouver un hôtel et souper. Après on verra.

Ça avait quelque chose d'un programme.

Après avoir réservé une chambre au Red Roof Inn, sur l'autoroute 40, et une place sur le vol du matin, j'ai appelé Kit. Pas de réponse. Bizarre. Je lui ai laissé un message et mon numéro de cellulaire. Ensuite, nous avons quitté le labo, chacune avec ses ossements, pour aller les entreposer au bureau de Kate, au QG du SBI plus haut dans la rue Garner.

C'est une charmante demeure d'un étage en brique rouge ornée de festons crème, bien différente du mégalithe de ciment stérile et ultramoderne qui abrite le labo de criminologie. Avec ses pelouses amoureusement entretenues et son allée de chênes vénérables, elle fait un joli pendant au petit magasin d'antiquités, de l'autre côté de la rue. Nous nous sommes stationnées le long du trottoir et, chargées de nos paquets, nous avons remonté l'allée. À droite, une haie ronde délimitait une plate-bande où s'épanouissaient œillets d'Inde et pensées. Au centre, sur une pelouse où s'élevaient trois mâts, un officier en uniforme était en train de baisser les drapeaux dans un cliquètement de haubans métalliques et de claquement de tissu. Et sa massive silhouette de gréeur se découpait en contre-jour sur le ciel, où le soleil disparaissait derrière le centre de formation de la patrouille routière. Nous avons franchi la porte de l'immeuble au verre frappé des armoiries du Département de justice de Caroline du Nord, Bureau de recherches de l'État et, après avoir montré patte blanche à l'officier de service, nous sommes montées au premier étage où nous avons enfermé nos ossements sous clef dans le petit bureau de Kate.

— Qu'est-ce qui te ferait plaisir pour le souper?

— De la viande! me suis-je écriée sans l'ombre d'une hésitation. Bien rouge et avec du gras. Du vrai!

— Tu n'as pas eu ton compte avec les cheeseburgers de ce midi?

— D'après un article que je viens de lire, c'est l'augmentation du taux de lipides dans l'alimentation qui aurait permis à l'*Homo habilis* de devenir l'homme qu'il est. C'est le gras qui expliquerait la transition. Alors, compte tenu du travail que nous exigeons de nos synapses, de bonnes grosses côtes levées au barbecue me paraissent tout indiquées.

— C'est aussi mon avis.

Le bœuf s'est révélé idéal en la circonstance. À moins que ce soit le fait de ne plus avoir les yeux rivés sur des photocopies floues. Quand la tarte aux fruits est arrivée, nous abordions la question centrale.

Les ossements du Québec étaient ceux de Savannah, cela ne faisait aucun doute aux yeux du jury que nous formions, Kate et moi. Toutefois, nous en étions encore au stade des délibérations en ce qui concernait les restes trouvés en Caroline. Était-il pensable qu'une hydrocéphale de seize ans, timide et à la vue basse, quitte sa maison et parcoure près de deux mille cinq cents kilomètres pour aller mourir dans le Nord? Ne fallait-il pas plutôt considérer que certains os, pas tous, appartenant à une jeune fille décédée, avaient été transportés de quelque part en Caroline du Sud jusqu'au Québec pour y être enterrés?

Seconde proposition : si l'on excluait la possibilité d'un tel transport, pour considérer que la victime avait trouvé la mort à Montréal, il fallait alors convenir que les restes trouvés à Myrtle Beach *n'étaient pas* ceux de Savannah.

Théorie à laquelle Kate a refusé de se rallier, tout en admettant qu'elle était plausible.

Troisième proposition : les restes de Myrtle Beach *étaient bien* ceux de Savannah, mais certains os avaient été soustraits.

Les photos de la récupération que j'avais étudiées nous permettaient-elles d'envisager cette éventualité ? Non. Rien ne tendait à prouver qu'on ait prélevé une quelconque partie des ossements. D'après l'état du cadavre, la mort devait remonter à neuf mois, date qui coïncidait avec la disparition de Savannah ; et rien n'indiquait non plus qu'une tombe ait été creusée par la suite, comme au repaire des Vipères.

Donc, en supposant que les ossements de Myrtle Beach étaient ceux de Savannah, on était en présence de plusieurs hypothèses : ou bien Savannah était morte à Myrtle Beach ; ou bien Savannah était morte ailleurs et son corps avait été transporté à Myrtle Beach ; ou bien Savannah avait été démembrée et certaines parties de son corps apportées — ou laissées — à Myrtle Beach, tandis que le crâne et les fémurs avaient été séparés du reste et transportés au Canada.

La question clef demeurait donc : comment Savannah, entière ou en morceaux, vivante ou morte, était-elle entrée au Québec ?

— Tu crois qu'on pourrait demander la réouverture du dossier ? ai-je demandé pendant que nous attendions l'addition.

— J'en doute. À l'époque, tout le monde était convaincu que Dwayne avait fait le coup. L'enquête piétinait depuis longtemps. Sa mort y a mis un point final.

Ignorant les protestations de Kate, j'ai tendu ma carte de crédit au serveur.

— Et maintenant ?

— C'est mon opinion que tu veux ? Tout d'abord, c'est un coup de Jarnac que tu viens de me porter en ce qui concerne l'addition.

— D'accord, d'accord ! Ensuite… ?

— Le crâne de Savannah a été retrouvé sur la propriété de motards québécois, a dit Kate en levant le pouce. Ça fait un. Tu m'as bien dit que les Vipères étaient alliés aux Hells Angels ?

J'ai hoché la tête.

— Et de deux ! Troisièmement, les Hells tenaient justement leur réunion à quelques kilomètres de chez Savannah, la semaine où elle a disparu.

Le majeur est allé rejoindre les autres doigts.

— Enfin, le squelette a été retrouvé dans le parc de Myrtle Beach, à un jet de pierre du lieu de rassemblement des motards. Et de quatre !

Les yeux plantés dans les miens, elle a laissé tomber :

— Ça vaudrait le coup de creuser dans cette direction.

— Mais tu l'as déjà fait.

— Sauf que maintenant j'ai une donnée supplémentaire : le Québec.

— Qu'est-ce que tu proposes ?

— D'éplucher mes dossiers sur les gangs ; on y trouvera peut-être quelque chose. Au début des années quatre-vingt, un vent de folie a soufflé sur les motards de Caroline.

— Tes fiches remontent aussi loin ?

— Ça fait partie de mon boulot que de réunir les informations historiques. Tu sais, le RICO a souvent besoin de connaître le climat de l'époque quand il enquête sur d'anciens homicides.

Signé par Nixon en 1970, le Rico, ou *Racketeering Influenced and Corrupt Organizations Act*, est une loi à laquelle on recourt fréquemment dans la lutte contre le gangstérisme.

— Et puis, les membres des gangs passent souvent d'un chapitre à l'autre. Ça sert, de savoir qui était où et quand, lorsqu'on recherche des témoins. J'ai des tonnes de documents, y compris photos et vidéos.

J'ai écarté les bras :

— Et moi, j'ai toute ma nuit !

— Dans ce cas, allons jeter un œil à mes motards !

Et c'est ce que nous avons fait jusqu'à ce que mon cellulaire sonne.

À 5 h 23 du matin.

L'appel venait de Montréal.

Chapitre 19

Contrairement à leur nom, les Appartements du Soleil n'étaient guère pimpants. Il est vrai que donner à ce bâtiment de quatre étages, sinistre et décrépit, un nom correspondant à son aspect aurait été l'exemple même du mauvais marketing. Barbecues rouillés, chaises de jardin bon marché, poubelles et autres instruments de gymnastique s'entassaient sur les balcons exigus, tendus de plastique turquoise. Des tiges jaunâtres et desséchées, reliques de la saison passée, pointaient dans de rares jardinières. Quant aux fenêtres aux carreaux noirs de crasse, elles étaient à jamais scellées par d'innombrables couches de peinture. Toutefois, en matière de chauffage, les locataires auraient été malvenus de se plaindre. Bien que le printemps ait profité de mon escapade d'un jour en Caroline du Nord pour effectuer sa percée, les radiateurs de l'immeuble continuaient de lutter au pas contre le frimas, comme d'irréductibles fantassins. La température, qui atteignait déjà vingt degrés Celsius quand j'avais atterri, avait encore augmenté. Et cette subite canicule hâtant la putréfaction, l'odeur dans l'appartement était quasiment insoutenable.

De là où je me tenais, j'avais une vue globale sur le capharnaüm. Cuisine à gauche, salon à droite, chambre et salle de bains en face. Outils, journaux, bouquins, bouteilles et appareils cassés s'empilaient partout, jusque sur les armoires, et le plancher était un sordide fatras de matériel de camping, de pièces de rechange pour autos et motos, de pneus, de boîtes, de bâtons de hockey et de sacs en plastique fermés par des boucles en métal. À croire que le maître des lieux projetait une vente-débarras. Mais puanteur et saleté auraient découragé le plus motivé des fouineurs.

À un bout de la pièce, une pyramide de cannettes de bière vides s'élevait presque jusqu'au plafond, encadrée par trois affiches déchirées sur les bords et dont des coins, mal punaisés, s'enroulaient vers le centre. À droite, une affiche des Grateful Dead pour leur concert du 17 juillet 1983 représentait un poing fermé d'homme blanc, symbole de la pureté aryenne. En haut à gauche, un pénis coiffé de Ray-Ban et baptisé *Hot Rod* — la queue en chaleur — pointait vers un vagin d'où sortait une cigarette allumée. En dessous venait l'*Astro-queue*, comme l'indiquait le titre en caractères gras, un phallus en majesté dans un cercle de vignettes dont chacune illustrait un signe du zodiaque et s'accompagnait d'une petite prophétie. J'ai préféré rester dans l'ignorance de l'avenir qui m'attendait.

Les seuls meubles bons pour le service étaient : dans la cuisine, une table et sa chaise en formica ; dans la chambre à coucher, une paire de lits jumeaux ; et dans le salon, un fauteuil, lequel se trouvait momentanément inutilisable, étant occupé par un corps au torse et aux membres noircis et ratatinés sous un magma sanguinolent. En regardant de près ce ramassis de chairs, on pouvait y reconnaître un crâne éclaté et repérer des os de la face, un morceau de narine assorti de son jabot de moustache et même un œil entier. La mâchoire du bas pendait, intacte, offrant aux curieux le spectacle d'une langue pourpre sertie de dents cariées. Une main secourable avait récupéré des éclats d'os et des cuillerées du pudding cérébral pour les mettre à l'abri dans un sachet à fermeture étanche qui reposait maintenant sur les genoux du cadavre, de sorte que le défunt semblait monter la garde devant son propre cerveau. Un grand morceau de peau pendait à un bord du fauteuil, lisse et brillant comme un ventre de poisson.

Le mort était assis en face d'une petite télé d'où saillait un portemanteau faisant office d'antenne et dirigé sur le fauteuil, comme un doigt tendu montre un objet surprenant. Personne ne s'étant inquiété de fermer le poste, on entendait Claire Lamarche interviewer des dames à qui leurs mères avaient piqué leurs amants. Je me suis demandé ce que les intervenants auraient pensé de leur macabre spectateur.

Dans la chambre à coucher, un agent de l'Identité était en train de projeter de la poussière afin de procéder au relevé des empreintes. Un collègue faisait de même dans la cuisine et un troisième, une femme, filmait le salon au caméscope, après avoir pris des dizaines de photos de la victime et de l'environnement.

LaManche était venu, puis reparti. Le corps n'étant ni carbonisé, ni en état de décomposition avancé, mes services n'étaient pas vraiment nécessaires. Mais cela, on ne l'avait su qu'après. Comme les premiers rapports faisaient état d'un corps et d'un incendie, j'avais été désignée pour en assurer l'identification et prévenue qu'on viendrait me prendre à ma descente d'avion. Je volais déjà entre Raleigh et Montréal lorsque de plus amples détails avaient été connus. Il avait alors été décidé de ne rien changer au plan pour ne pas compliquer la situation. Et c'est ainsi que j'avais eu l'ineffable plaisir d'être accueillie par Quickwater et conduite directement ici.

Les Appartements du Soleil étant situés dans le quartier Pointe-Saint-Charles, sur l'île de Montréal, au sud-ouest du centre-ville, le meurtre relevait de la compétence du SPCUM. D'où la présence de Michel Charbonneau à l'autre bout de la pièce.

En bras de chemise et dégoulinant de sueur, le col ouvert et sa courte cravate pendant sous le premier bouton, le teint plus blanc que du Pepto-Bismol et les cheveux encore plus hérissés que d'ordinaire, l'enquêteur tirait à tout moment de sa poche un mouchoir pour s'éponger le front. Il ne supporte pas la chaleur, Charbonneau. À l'âge de quinze ou seize ans, quand il travaillait au Texas dans les champs de pétrole, c'est la canicule qui a eu raison de son amour pour la vie de cow-boy et qui l'a décidé à retourner dans sa ville de Chicoutimi d'où, par la suite, il a gagné Montréal et s'est engagé dans les forces de l'ordre municipales.

Quickwater est sorti de la cuisine. La victime étant liée aux gangs de motards, le Carcajou était également sur l'affaire. Le constable est allé rejoindre Charbonneau et tous deux ont regardé œuvrer les spécialistes en relevé de taches de sang, derrière la victime, dans un coin de la pièce. À l'aide d'une règle en équerre gris et blanc, Ronald Gilbert délimitait sur le mur un champ dont son assistant immortalisait soigneusement les taches, d'abord en photo, ensuite en vidéo. Puis, tous deux recommençaient l'opération une seconde fois avec un fil à plomb et une troisième avec un compas coulissant. Entre chaque série, Gilbert entrait les mesures dans un ordinateur portable. Ils allaient en avoir pour un sacré bout de temps, il y avait du sang partout. Du sol au plafond et sur toutes les affaires entreposées le long des murs.

Je me suis approchée des enquêteurs.

— Bonjour. Comment ça va ?

— Salut, doc ! *How's tricks ?* a répondu Charbonneau dans son anglais truffé d'expressions québécoises et d'argot texan relégué aux oubliettes depuis des décennies.

J'ai lancé : « Bonjour, monsieur Quickwater ! », mais le constable, visiblement agacé de devoir prendre en compte ma présence, n'a pivoté que d'un seizième de tour, les yeux rivés sur l'équipe du sang.

Les techniciens en étaient à filmer une guitare acoustique, appuyée contre une cage à oiseau rouillée. Sur une casquette de sport bordeaux coincée entre le mur et la cage, on pouvait lire les dernières lettres d'une expression du même répertoire que les affiches lubriques : « COCK ».

Claudel n'était pas là. Il n'allait plus tarder, m'a appris Charbonneau, il vérifiait les dires d'un suspect. Et d'ajouter sur un ton dégoûté :

— C'est vraiment que'que chose, ces gars-là ! Pas plus de moralité que des mouches à marde.

— On est sûr que c'est un coup des motards ?

— Ouais. Le bonhomme, là, qui a pas trop l'air dans son assiette, c'est Yves Desjardins. Surnom : Cherokee. De son vivant un Predator.

— Quelle place tiennent-ils sur l'échiquier, ceux-là ?

— Club école des Hells.

— Comme les Vipères ?

— Exact.

— Alors, c'est une attaque des Rock Machine ?

— Probable. Pourtant, Cherokee se tenait tranquille, ces derniers temps. Il avait quelque chose au foie. Non. Cancer du colon. Pas étonnant, avec toutes les cochonneries que ces gars-là avalent !

— Qu'est-ce qu'il a fait pour se mettre à dos ces gens ?

— Il tenait un commerce de pièces détachées.

Son large mouvement du bras pour désigner le fouillis m'a offert un panorama intégral de l'auréole sous son bras.

— Il devait trouver que les pignons et les carburateurs rapportaient pas assez, parce qu'on a découvert deux kilos d'héroïne dans ce bon vieux tiroir à petites culottes. La cachette idéale, vu qu'il devait pas en changer souvent. On sait jamais, c'est peut-être la dope qui a motivé la visite surprise ! À moins que ce soit des représailles pour la mort de Marcotte.

— L'Araignée ?

Charbonneau a fait un signe affirmatif.

— Il y a des traces d'effraction ?

— Une fenêtre brisée dans la chambre, mais c'est pas par là qu'ils sont passés.

— Ah bon ?

— Vu les éclats de vitre dans la rue, je dirais qu'on a cassé la fenêtre de l'intérieur.

— On sait qui ?

Il a levé les paumes en signe d'ignorance.

— Mais alors, comment les tueurs sont-ils entrés ?

— Il a dû leur ouvrir.

— Drôle d'idée !

— Cherokee était rusé comme un pitbull et juste un peu moins attachant. Mais, du fait qu'il avait dépassé l'âge habituel du décès pour les gens de sa profession, il a dû se croire immortel.

— Avec un cancer ?

— Ouais. Venez, je vais vous montrer quelque chose.

Je l'ai suivi jusqu'au fauteuil. L'odeur était plus forte près du corps, mélange nauséabond de laine brûlée, d'essence, d'excrément et de chair en décomposition.

— Regardez-moi ces tatouages ! a dit Charbonneau d'une voix assourdie, le nez enfoui dans son mouchoir.

La main gauche du cadavre reposait sur le bras du fauteuil en faisant un angle bizarre, les doigts vers le sol. Sur le poignet crasseux de l'autre, posée sur ses genoux, on devinait une pyramide de crânes tatoués. Quinze en tout, empilés comme les mystérieuses offrandes peintes sur les murs des cavernes préhistoriques. Sauf que nos ancêtres européens n'avaient pas songé à représenter leurs trophées avec des yeux de couleur différente. Ici, treize crânes avaient des yeux noirs, deux des yeux rouges.

— Un peu comme des encoches sur un canon de fusil. Noir pour les hommes abattus, rouge pour les femmes, a fait Charbonneau en écartant son mouchoir, le temps de prononcer cette phrase.

— Ce n'est pas très malin d'afficher son score.

— Que voulez-vous, c'est la vieille école ! De nos jours, les motards ont plus tendance à écouter leurs avocats.

Compte tenu de la quantité de sang perdue et du relâchement de la peau, la mort devait remonter à deux jours.

— Comment l'a-t-on trouvé ?

— Comme les trois quarts du temps : un voisin qui s'est plaint de l'odeur. C'est incroyable, non ? quand on voit ce dépotoir !

Impossible de savoir à quoi ressemblait cet homme de son vivant, si ce n'est qu'il avait des caries et portait la moustache. Son résidu de tête, rejeté en arrière, avait laissé sur le tissu une tache de sang qui lui faisait comme une corolle. À l'endroit des impacts, la chair du visage était ramassée en granules.

— Ça fait un peu effets spéciaux, vous trouvez pas ? a lancé Charbonneau en désignant la carpette noircie sous les pieds de la victime.

Le dessous du fauteuil n'avait rien à envier au tapis. Quant à Cherokee, il était couvert de suie. Sa main gauche, le bas de ses jeans et ses bottes étaient complètement roussis. En dehors de cela, l'incendie n'avait guère fait de dégâts. Il avait été allumé devant le fauteuil, et l'odeur d'essence portait à croire qu'on avait utilisé un produit activant. Les flammes avaient seulement léché le corps. Le feu avait dû s'éteindre de lui-même par manque de combustible, alors que les tueurs étaient déjà loin.

Charbonneau a de nouveau écarté son mouchoir.

— Signé motards, ce dégât-là. Tu bousilles la cible et tu fous le feu au cadavre. Sauf qu'y seraient refusés chez les scouts, tellement qu'y sont nuls pour allumer un feu de camp.

— Bizarre, non, qu'un type qui vend de la dope dans la cour du voisin ouvre sa porte à n'importe qui?

— Peut-être que son colon lui était remonté dans le cerveau? Peut-être qu'il avait sa dose et qu'il planait? Est-ce qu'on sait seulement comment qu'y pensent, ces épais-là, si jamais ça leur arrive?!

— Cet appartement aurait été son repaire?

— Y'a eu des précédents.

Sur ses entrefaites, Claudel a débarqué et Charbonneau est allé retrouver ses collègues. Si j'étais curieuse de savoir ce qu'avait donné l'interrogatoire du suspect, je n'étais pas maso au point d'offrir à Quickwater et à Claudel le plaisir de se liguer contre moi. J'ai préféré m'intéresser au travail des spécialistes du sang. Ils venaient d'achever le mur ouest, de l'autre côté de la pièce, et entamaient l'angle nord. Je suis allée les rejoindre.

J'avais beau me tenir à l'endroit le plus éloigné du cadavre, dos à la fenêtre, son odeur me poursuivait. L'air était irrespirable. Cependant, comme disait Charbonneau, la décomposition n'était qu'un élément du cocktail. Au départ, il y avait les relents de moisi, d'huile de moteur, de bière, de sueur et d'années de friture. Difficile d'imaginer qu'un être humain puisse vivre dans une telle puanteur!

Deux heures et quart. Il était temps d'appeler un taxi. Par les vitres sales, j'ai aperçu l'habituelle armada de la police. Les voitures de la presse ajoutaient à la confusion. Des curieux s'étaient attroupés sur les trottoirs et sur les perrons voisins. Cherokee habitait un rez-de-chaussée surélevé. De son balcon au trottoir, il n'y avait pas deux mètres. Un fourgon de la morgue s'est arrêté au pied de l'immeuble. Deux hommes en ont sauté pour aller ouvrir les portes arrière. Quand ils ont sorti la civière, j'ai entendu le claquement sec des roues qui se dépliaient. En zigzaguant pour éviter bosses et ornières, ils ont poussé le chariot vers l'entrée. Dans la lumière, l'eau huileuse des flaques avait des miroitements iridescents. Charmants, les abords des Appartements du Soleil!

Un instant plus tard, les employés de la morgue frappaient à la porte. Claudel est allé leur ouvrir, puis est retourné auprès de ses collègues. Je me suis armée de courage et j'ai traversé la pièce pour me joindre à leur groupe. En me voyant approcher, Claudel n'a pas interrompu le résumé de sa conversation avec le suspect.

— Vous voyez ce mur dégueulasse ? disait-il en désignant d'un ample mouvement du bras les spécialistes en relevé du sang plongés dans leur travail, il est propre comme un sou neuf à côté de son blouson ! Il aurait fait une promenade dans un abattoir qu'il ne serait pas revenu plus taché ! Un dur, ce gars-là, mais pas sadique. Il ne ferait pas de mal à une mouche.

— Pourquoi qu'il tenait tant à le garder, son blouson de cuir ? a demandé Charbonneau.

— Trop radin, je suppose. Ça lui faisait mal au cœur de lui dire au revoir. Et puis, il ne devait pas penser qu'on l'épinglerait aussi vite. Cela dit, il avait quand même pris le temps de l'essuyer avant de le fourrer sous son lit. Au cas où.

— Et il a été vu ici lundi soir ?

— Juste après minuit.

— Ça colle avec les estimations de LaManche sur l'heure du décès. C'est quoi son baratin, à ce George ?

— Disons qu'il n'est pas accablé de souvenirs. La faute à la boisson, peut-être.

— Quels liens avec la victime ?

— Il traîne avec les Heathens depuis pas mal d'années. Comme ils le laissent rouler avec eux et revendre un peu d'herbe pour son compte, il se croit important. Mais il est si bas dans l'échelle qu'il lui faut un tuba pour amener l'air à ses poumons.

Claudel s'est interrompu pour donner d'un geste son aval à un des gars de la morgue qui l'avait interpellé et dépliait maintenant un sac de récupération sur la civière. J'ai regardé son collègue envelopper la main gauche de Cherokee dans un sachet en papier et j'ai reporté les yeux sur Claudel. Pas une goutte de sueur au front, pas un cheveu qui dépasse, pas un faux pli au pantalon. Une réclame Armani au beau milieu d'un cauchemar ! Ahurissant. Totalement incongru.

— Il a dû se dire que ce meurtre, c'était sa chance de gravir les échelons, disait Charbonneau.

— Parti comme il est, ce George Dorsey va plutôt faire du surplace pendant un bon bout de temps, a rétorqué Claudel.

— On a des motifs suffisants pour l'envoyer en dedans? a demandé Quickwater.

— À défaut d'autre chose, j'invoquerai le crachat sur la voie publique. D'après mes sources, il aurait fait passer le mot qu'il ne cracherait sur aucun boulot. En fait, on l'avait à l'œil pour une autre histoire; je n'ai eu qu'à faire circuler son portrait. Un témoin a dit qu'il se trouvait ici juste après les coups de feu. Quand je me suis pointé chez lui pour discuter gentiment de la chose, je suis tombé sur le blouson plein de sang. Ça ne vous suffit pas, comme motif?

Sur ces entrefaites, la radio de Claudel a grésillé. Il s'est éloigné vers la porte pour répondre dans son micro et a appelé du geste Quickwater. Après avoir échangé quelques mots avec son collègue, le constable m'a indiquée du doigt à Charbonneau, puis a désigné la porte. L'enquêteur a levé le pouce pour signifier qu'il avait compris et Quickwater lui a fait au revoir de la main avant de sortir sur le palier. Claudel est revenu vers nous.

Super! J'étais la petite sœur à qui on ne demande pas son avis. S'il y a deux choses qui m'énervent, c'est le sentiment d'être prise au piège et celui d'être inutile. Là, j'étais servie, j'éprouvais les deux d'un seul coup. La moutarde commençait à me monter au nez. Et cela, d'autant plus qu'une chose m'agaçait. Les scènes du crime, ce n'est pas ma spécialité, d'accord, mais celle-ci avait un je-ne-sais-quoi qui sonnait faux. En tous cas, elle ne correspondait en rien à ce que j'avais retenu des conférences du Carcajou.

Et puis au diable, après tout! Puisqu'on m'avait fait venir, autant ajouter mon grain de sel.

— Vous ne trouvez pas la méthode un peu inhabituelle, pour se débarrasser de quelqu'un?

Claudel m'a dévisagée d'un air pincé.

— Pardon?

— Le fusil, vous ne trouvez pas ça bizarre pour des motards? Et l'incendie qui ne prend pas?

Charbonneau a levé les épaules, un sourcil en accent circonflexe. Comme Claudel gardait le silence, j'ai insisté:

— La scène a un côté bâclé qui m'étonne. Dans les affaires que j'ai examinées, les moyens employés étaient drôlement plus efficaces.

— Faut un début à tout, a dit Charbonneau. L'assassin a peut-être été interrompu.

— Justement! Je croyais que les motards surveillaient les moindres faits et gestes de leurs cibles et qu'ils choisissaient, pour les exécuter, des endroits où personne ne risquait de les déranger!

— Avec un motard refroidi qui menait en solo son petit trafic de drogue, inutile de chercher le nom de l'assassin sur la liste des paroissiens de l'église d'à côté! a répliqué Claudel.

— Comme il est tout aussi inutile de verrouiller nos méninges sous prétexte qu'une théorie a la bonté de venir se caser pile là où ça nous arrange! ai-je rétorqué sur un ton ironique.

Le regard dont Claudel m'a enveloppée m'a révélé son archangélique patience.

— Je ne doute pas de vos talents de sourcier pour exhumer les cadavres, Mme Brennan, mais ils ne me semblent pas indispensables dans la présente enquête.

Le rouge m'est monté aux joues.

— Difficile d'identifier le tueur si on ignore qui a été tué, M. Claudel. Est-ce vous qui vous chargerez de recoller la victime?

— Découvrir son identité ne devrait pas présenter de difficultés insurmontables, compte tenu que nous avons ses empreintes digitales.

Je le savais, bien sûr, mais avec sa suffisance Claudel faisait sortir ce qu'il y avait de pire en moi. Charbonneau s'est croisé les bras en soupirant bruyamment. Claudel a consulté sa montre. Éclat doré d'un bouton de manchette avant que son bras ne retombe.

— Le sergent-détective Charbonneau et moi-même allons vous reconduire.

Autrement dit: la discussion était close.

— Merci.

J'ai jeté un dernier regard au fauteuil où était mort Yves Desjardins, dit Cherokee. Il était vide à présent. Un nuage porto rappelait l'endroit où sa tête avait reposé, et les traînées sombres et incurvées laissées à hauteur des oreilles ressemblaient aux serres d'un rapace fondant sur sa proie.

Déjà près de la porte, Claudel me tenait le battant ouvert d'un air condescendant. J'ai serré la poignée de mon sac à m'en rentrer les ongles dans la paume pour ne pas exploser, mais je n'ai pu résister à l'envie de lui lancer une pointe au passage :

— Vous n'êtes pas sans savoir que j'agis en qualité d'agent de liaison entre le laboratoire et le Carcajou. Que cela vous plaise ou non, vous êtes professionnellement tenu de partager vos déductions et vos informations avec moi. Je n'en attends pas moins.

Sur ce, je suis sortie dans le soleil.

Chapitre 20

Le temps avait beau être radieux, je broyais du noir, assise au fond de la banquette arrière. Si je m'étais proposée comme liaison entre le labo et le Carcajou, c'était poussée par le désir d'aider à résoudre l'affaire Toussaint. Certainement pas pour me retrouver tous les jours avec un nouveau crime sur les bras. Et voilà que j'avais écopé de Savannah Claire Osprey et de Cherokee Desjardins. Par ailleurs, deux victimes aussi différentes l'une de l'autre que pouvaient l'être Charles Manson et Fanfreluche, même si Savannah n'avait pas vécu dans un beau grand livre de contes.

Je ne pouvais pas davantage chasser de mon esprit l'image de cette petite fille aux jambes de sauterelle dans son costume de bain trop grand, que l'horreur que nous venions de quitter. Le duo assis à l'avant avait beau être convaincu que ce dernier meurtre était l'œuvre des motards, pour ma part je n'y croyais pas. Quelque chose clochait dans la mise en scène. Je n'étais pas spécialiste, c'est vrai, mais une impression de fausseté me chatouillait les méninges.

Savannah et Cherokee, Cherokee et Savannah, Ronald et Donald Vaillancourt, Robert Gately et Félix Martineau. Pour ne rien dire d'Emily Anne Toussaint, la petite fille qui aimait les gaufres, la danse classique et le patin à glace. Des vies qui n'avaient d'autre lien entre elles que celui, posthume, de faire l'objet d'une enquête d'homicide.

Nous roulions en silence. De temps à autre, la radio se mettait à crachoter, dans sa diligence à passer d'un canal à l'autre pour répondre à tous les besoins de la police. Dans le tunnel Ville-Marie, nous sommes restés bloqués un moment dans la file qui tournait vers la rue Berri. En voyant le flot de voitures se diriger vers le Vieux-Montréal, j'ai été prise de mélancolie. Qu'est-ce que je faisais en compagnie d'un Monsieur-je-sais-tout et de son collègue, un crâne de jeune fille coincé entre les pieds et des visions de motards en bouillie plein la tête alors que j'aurais pu souper tranquillement avec un amant ou prendre un verre avant d'aller danser place Jacques-Cartier?

Sauf que je ne pouvais plus m'offrir le plaisir d'un verre.

Sauf que je n'avais pas d'amant.

Et Ryan…?

Arrivée à ce stade de mes réflexions, je me suis secouée : «Arrête, Brennan, sinon c'est la dépression assurée! Personne ne t'a forcée à quitter l'archéologie où tu pouvais disserter à loisir en te sachant écoutée. C'est toi qui as demandé à pratiquer ce métier. Alors, cesse de pleurnicher et retrousse tes manches!»

Charbonneau s'est arrêté rue Parthenais, près de l'édifice de la SQ. Sur un merci laconique, j'ai claqué la portière et j'ai entrepris de longer la grille de fer forgée jusqu'à l'entrée principale. Tout à coup, mon cellulaire a sonné. J'ai posé mon sac de voyage sur le trottoir pour fouiller à l'intérieur. L'appareil était au fond de ma serviette.

— Tante Tempe?

Kit, enfin! Je l'avais appelé plusieurs fois de Raleigh sans jamais parvenir à le joindre.

— Tu as eu mes messages?

— Ouais. Mauvais *timing*. À mon retour, je me suis fourré la tête sous les oreillers en me disant que tu n'aimerais pas que je te rappelle si tard.

Une pause. J'ai attendu la suite.

— J'étais avec Lyle.

— Deux jours entiers?

— Oui. C'est un gars correct, tu sais.

Correct, ce type?

— Il m'a emmené à l'atelier de moto, poursuivait Kit. Il n'exagérait pas. Le stock qu'ils avaient, *shit*! Plus qu'à l'usine Harley… *Scusa* pour le gros mot.

— M-mm.

Tout en l'écoutant, j'ai posé ma serviette à terre juste à côté du sac de voyage et je me suis penchée, l'épaule en avant, pour les soulever ensemble. De la musique hip-hop sortait d'un véhicule garé de l'autre côté de la rue. Avachi contre la portière, le chauffeur pianotait sur son volant, l'autre bras passé autour du siège.

— Je serai là vers six heures. Qu'est-ce qui te ferait plaisir pour le souper?

— C'est pour ça que je t'appelle. Lyle m'a proposé d'aller avec lui au studio assister au tournage du journal de ce soir.

Tandis qu'il parlait, un type a déboulé d'un immeuble en face pour s'arrêter net sur le perron, cigarette au bec. Il était hirsute, avec des mèches droit sur le crâne et d'autres raplaties et tout emmêlées comme si quelque chose venait de lui exploser au visage. Il portait un gilet de jeans à même la peau et avait des bras tout bleus, couverts de tatouages. Tirant lentement sur sa cigarette, il a balayé la rue du regard et entrepris de descendre les marches d'un pas nonchalant. Quand je suis entrée dans son champ de vision, ses yeux se sont rétrécis comme ceux d'un fox-terrier à la vue d'un rat. Deux jets de fumée ont jailli de ses narines. Il a expédié son mégot d'une pichenette et a franchi les quelques mètres qui le séparaient de la fourgonnette. À peine a-t-il grimpé auprès du fan de musique qu'ils ont démarré, me laissant transformée en iceberg au milieu du trottoir, sous le beau soleil de cet après-midi.

— … déjà assisté? demandait Kit au téléphone.

— Quoi?

— Au journal. Tu y as déjà assisté?

— Oui, c'est très intéressant.

— J'aimerais bien voir ça si tu n'es pas contre.

— Bien sûr. De toute façon, je suis crevée.

— Tu as trouvé qui c'était?

Je n'ai pas compris de quoi il parlait.

— La fille. C'était bien qui tu pensais?

— Oui.

— Super. Je peux le dire à Lyle?

— Ce n'est pas encore officiel. Attends que le coroner l'annonce.

174

— Pas de problème. Bon. À plus tard.

— OK.

— Tu es sûre ?

— Ça ira, Kit. J'ai été menacée par des types plus cos-
tauds que toi.

— Merci de t'attaquer à l'une de mes cordes sensibles.

— Salut.

Ce salaud de Lyle Crease voulait-il se servir de mon neveu pour obtenir des informations ?

Au labo, j'ai rangé les restes de Savannah dans l'armoire
où je conserve mes pièces à conviction et je suis allée demander à Denis, l'assistant en histologie, de me préparer des
lames à partir d'un des deux groupes d'échantillons prélevés
sur les os de Myrtle Beach. Il allait y découper au microtome
des lamelles de quelques centaines de microns d'épaisseur,
puis les colorer pour que je puisse les étudier. Le deuxième
groupe, je l'ai apporté à la section d'ADN et j'en ai profité
pour me renseigner sur l'œil que j'avais laissé à analyser.
Pendant que j'attendais la réponse de la technicienne, j'ai
senti une barre se former lentement à hauteur de mes cervicales. Voyant que je me frottais le cou, elle m'a demandé à
son retour si j'avais mal à la tête, avant de m'informer que les
résultats n'étaient pas prêts.

En dernier lieu, je suis allée rendre compte de mon
voyage à LaManche. Il m'a écoutée sans m'interrompre une
seule fois, même pendant que je lui montrais les radios et
des copies des dossiers médicaux de l'hôpital de Raleigh.
Quand je me suis tue, il a retiré ses lunettes et s'est mis à
masser la ligne rouge en travers de son nez. Enfoncé dans
son siège, le visage dénué des émotions que la mort suscite
d'ordinaire, il a dit seulement :

— Je vais prévenir le coroner.

— Merci.

— Vous avez averti le Carcajou ?

— Quickwater, et brièvement. Tout le monde est foca-
lisé sur le meurtre de Cherokee Desjardins, en ce moment.

Élégante façon de présenter les choses, car, en voiture,
Quickwater avait à peine prêté l'oreille à ce que je lui disais.
J'ai ajouté :

— J'en parlerai demain à Roy.

— Cet agent de Caroline du Nord croit que la petite a été tuée par des motards ?

— Kate Brophy ? Oui. À son avis, c'est une possibilité sérieuse.

— A-t-elle connaissance de liens entre des gangs de Montréal et de Myrtle Beach ?

— Non.

LaManche a pris une longue inspiration et expiré lentement.

— 1984, ce n'est pas hier...

Et de m'exprimer ses réserves dans son français très précis. Face à la brillance du Saint-Laurent qui semblait l'auréoler d'or, je sentais faiblir mon assurance et les suppositions que j'avais échafaudées avec Kate commençaient à me paraître un peu tirées par les cheveux, à moi aussi, vues de son bureau. Ce qui m'avait semblé si juste hier se nimbait à présent d'un halo d'incertitude, comme dans les rêves lorsque réalité et fiction se mélangent.

— J'ai laissé en plan l'étude des dossiers dès que j'ai été prévenue du meurtre de Cherokee. L'agent Brody m'a confié pas mal de documents du SBI. Des photos, notamment. Je les transmettrai demain au Carcajou. On verra s'il en sort quelque chose.

LaManche a rechaussé ses lunettes.

— Le squelette de Caroline n'a peut-être rien à voir avec nos ossements.

— Je sais.

— Dans combien de temps aurons-nous les résultats d'ADN ?

— Ils n'ont pas voulu me donner de délai, ai-je répondu en réussissant à ne pas lever les yeux au ciel malgré toute mon envie. Ils sont débordés. Les analyses des Vaillancourt leur prennent un temps fou.

J'avais parfaitement enregistré le regard agacé de la technicienne en découvrant l'étiquette *Department of Defense* sur les spécimens que j'avais rapportés de Raleigh.

LaManche a hoché la tête d'un air entendu.

— Toutefois, puisqu'il s'agit d'un décès inexpliqué et de restes découverts au Québec, nous allons cataloguer l'affaire comme homicide, en espérant que la Sûreté du Québec nous suivra.

Le téléphone a sonné. J'ai rassemblé mes papiers pendant qu'il répondait. Quand il a raccroché, j'ai dit :

— L'affaire Cherokee ne colle pas avec les méthodes qu'emploient habituellement les motards. Mais qui peut dire ce qui pousse les gens à tuer ?

Est-ce parce qu'il pensait à ce que venait de lui annoncer son interlocuteur et qu'il se griffonnait une note ? Est-ce parce qu'il a cru que j'étais passée à un autre sujet ? Toujours est-il qu'il m'a répondu :

— M. Claudel se montre parfois cassant, mais ça s'arrange toujours au bout du compte.

Bizarre qu'il mentionne Claudel... Que voulait-il dire par là ? La sonnerie de son téléphone m'a empêchée de lui poser la question. Il a décroché puis, tenant l'appareil contre sa poitrine, a levé les yeux vers moi.

— Vous aviez autre chose à me dire ?

Façon polie de m'indiquer la porte.

Au sortir de son bureau, j'étais tellement étonnée de la remarque de LaManche que j'en ai presque catapulté Jocelyne, la remplaçante des archives. Pendant que nous rattrapions de justesse nos dossiers, je l'ai bien regardée. Elle arborait aujourd'hui de grands anneaux de perles et des mèches couleur violette d'Afrique. À la lumière crue des néons, la teinte prune de ses paupières inférieures ressortait sur sa peau, d'un blanc velouté comme l'intérieur d'une pelure de citron. L'idée m'a traversée qu'elle était albinos. Je ne sais pourquoi, j'ai eu envie de lui dire un mot gentil.

— Vous vous débrouillez bien, Jocelyne ?

Elle a dardé sur moi un regard indéchiffrable.

— Le travail ne vous paraît pas trop lourd ?

— J'arrive à le faire.

— Je n'en doute pas. Je voulais dire, c'est toujours difficile d'être la nouvelle quelque part.

Elle allait répondre quand une secrétaire est sortie en trombe d'un bureau voisin. Elle en a profité pour déguerpir.

« En voilà une à qui des petits cours de personnalité ne feraient pas de mal, me suis-je dit. En s'y mettant avec Quickwater, ils pourraient réclamer un prix de groupe. »

177

J'ai passé le reste de l'après-midi à dégager mon bureau des messages qui s'y étaient accumulés. Ceux provenant des médias sont allés directement à la corbeille, ceux émanant des forces de l'ordre ont eu droit à une réponse. Une demande d'identification était signée de Pelletier, le plus âgé de nos pathologistes. Il s'agissait de vieux os cassants, trouvés par un propriétaire d'Outremont en creusant un trou dans sa cave, et qui, à première vue, ne semblaient pas humains. Cela pouvait attendre.

Ma table plus ou moins rangée, je suis rentrée chez moi et j'ai passé une soirée d'un raffinement extrême dans la plus vieille cité française du continent américain : pizza, bain et baseball. À la huitième manche, Birdie est parti se rouler en boule sur le lit de la chambre d'amis. À onze heures et quart, quand je suis allée me coucher, il s'est étiré et a réintégré sa place dans le fauteuil de ma chambre.

J'ai sombré presque aussitôt dans un sommeil peuplé de rêves décousus : Kit me faisait des signes d'un bateau à bord duquel se trouvait également Ryan ; Isabelle servait à souper ; un Cherokee Desjardins décapité ramassait ses chairs à la pince à épiler et les laissait choir une à une dans un sachet en plastique.

Dans un demi-sommeil, j'ai entendu Kit rentrer. J'étais trop endormie pour l'appeler. J'ai perdu la notion des choses, alors qu'il s'activait encore dans la cuisine.

* * *

Le lendemain, j'étudiais les ossements de Pelletier quand Denis est entré dans ma salle en brandissant *Le Journal de Montréal*, ouvert sur une photo de moi au repaire des Vipères.

— C'est la vedette !

L'article, bref, rapportait les déclarations du coroner à propos du mystérieux squelette découvert en même temps que les corps de Gately et de Martineau, et désormais identifié comme étant celui d'une Américaine de seize ans du nom de Savannah Claire Osprey, disparue en 1984.

— C'est une promotion ou une rétrogradation ? s'est inquiété Denis, à propos de la légende de la photo qui faisait de moi un membre à part entière de l'escouade Carcajou.

J'ai souri et me suis remise au travail tout en me demandant comment Claudel et Quickwater considéraient la chose. Pour l'heure, j'avais identifié deux côtes d'agneau, des morceaux de ragoût et plus d'os de poulet grillé que je n'avais l'intention d'en compter. L'examen achevé, j'ai pondu un rapport circonstancié, en soulignant qu'il ne s'agissait pas de restes humains. Il était aux alentours de dix heures quand je suis allée le porter au secrétariat.

De retour dans mon bureau, j'ai appelé le Carcajou. Jacques Roy était en rendez-vous et ne serait pas libre avant la fin de l'après-midi. J'ai laissé mon nom et demandé qu'il me rappelle. Claudel était absent, Charbonneau aussi. Je leur ai laissé à tous deux un message identique et me suis abîmée dans la contemplation du Saint-Laurent. Frustrée. « Mais appelez-moi donc !… S'il vous plaît ! » J'ai songé à joindre les détectives sur leurs téléavertisseurs, mais la situation ne m'a pas paru l'exiger.

Je ne pouvais pas me mettre à l'analyse de la microstructure des tibias de Myrtle Beach, les lames de microscope n'étant pas prêtes. Je ne pouvais pas davantage plancher sur les séquençages d'ADN, n'ayant pas encore les résultats, à supposer qu'il y soit possible de lancer les analyses à partir des échantillons que j'avais rapportés. Appeler Kate Brophy à Raleigh ? Non, ce ne serait pas gentil de lui mettre la pression. D'autant plus qu'elle était aussi intéressée que moi par l'affaire, si ce n'est davantage. De toutes façons, elle m'appellerait dès qu'elle aurait du nouveau. Que faire, alors ? Aller en bas jeter un coup d'œil à l'autopsie de Cherokee, histoire d'apaiser mes doutes concernant les auteurs de ce meurtre ? LaManche devait déjà s'y être attelé, à l'heure qu'il était. Non ! J'en avais par-dessus la tête des motards à disséquer.

Eh bien, j'allais mettre de l'ordre dans les dossiers prêtés par Kate. J'avais quitté la Caroline en hâte, sans les avoir tous étudiés. Nous nous étions contentées d'effectuer un tri sommaire et avions fourré ceux qui nous avaient semblé importants dans ma serviette. Puis nous avions fait viser les bons de sortie et filé à toute allure jusqu'à l'aéroport.

J'ai vidé ma serviette sur mon bureau. Photos à gauche, chemises à droite. J'ai commencé par la pile de gauche. Les photos portaient toutes au dos une série de codes, ainsi que la date, le nom de la personne représentée, le lieu et l'événement.

La première représentait un certain Martin DeLuccio, dit Deluxe, immortalisé le 23 juillet 1992 à Wilmington en Caroline du Nord, lors d'un rallye de motards. Bandana autour de la tête et gilet de jeans avec écusson des Outlaws : un crâne souriant et des pistons croisés. Chapitre de Lexington, précisait la bannière inférieure. Du haut de son bolide, une Michelob dans la main gauche, Deluxe me regardait droit dans les yeux. Les siens étaient cachés derrière des lunettes noires dont les verres avaient la taille d'une pièce de vingt-cinq cents. Ses traits exprimaient un tel vide sidéral qu'il devait avoir besoin de conseils pour utiliser le papier hygiénique.

J'allais passer à Eli Hood, surnommé Robin, quand mon téléphone a sonné. Contrairement à mon attente, ce n'était pas Roy, mais une voix rocailleuse. Absence du « e » final dans l'énoncé de mon prénom, prononciation parfaite de mon nom de famille : un anglophone de toute évidence. J'ai répondu.

— *This is Dr Brennan !*

Une longue pause a suivi, entrecoupée d'un cliquètement de pièces. L'appel provenait d'une cabine téléphonique. J'ai répété :

— *This is Dr Brennan !*

Il y a eu des raclements de gorge, suivi d'un : « Ici, George Dorsey. »

Mon ordinateur interne a scanné inutilement ma mémoire.

— C'est toi qui a décreusé les cadavres ? a enchaîné la voix.

Elle m'arrivait un peu étouffée, comme si l'interlocuteur parlait derrière sa main.

— Oui.

— J'ai lu ton nom dans le journ…

Je l'ai coupé aussi sec. Les médias, c'était à Claudel et à Quickwater de s'en occuper.

— Si vous voulez des informations, adressez-vous aux détectives chargés de l'enquête.

— Tu fais bien partie du Carcajou?

— Pas au sens où vous l'entendez. L'officier responsable...

— Cet épais-là a la tête tellement enfoncée dans le trou du cul qu'y lui faudrait un sonar pour remettre la main dessus!

La louange avait de quoi attirer mon attention.

— Vous avez rencontré le constable Quickwater?

— J'peux pas parler à un abruti qui en a rien à foutre, pendant que l'autre débile rêve juste d'me coincer les couilles.

— Pardon?

— Ce lèche-cul de Claudel. Y m'ferait manger d'la marde pour avoir sa promotion.

Un épais silence est tombé. À croire que l'appel venait du bathysphère du commandant Cousteau.

— Y doit être en train de peaufiner un montage pour CNN, a repris l'inconnu.

Il commençait à m'énerver. Mais, d'un autre côté, peut-être détenait-il une information utile.

— Vous appelez à propos des squelettes découverts à Saint-Basile?

Bruits d'étouffement.

— Non, calvaire!

Brusquement, mon cerveau a fait tilt. George Dorsey, c'était le suspect arrêté par Claudel pour le meurtre de Cherokee!

— Vous avez été inculpé, M. Dorsey?

— Ben non, sacrament.

— Sur quelles charges êtes-vous en garde-à-vue?

— Possession. J'avais six sachets sur moi quand y m'sont tombés dessus.

— Pourquoi vous adressez-vous à moi?

— Parce que ces osti de cons veulent pas m'écouter. C'est pas moi qui a rachevé Cherokee. C'était du travail d'amateur, ça!

J'ai senti mon cœur s'emballer.

— Qu'est-ce que vous voulez dire?

— Les frères non plus, y régleraient jamais le problème comme ça.

— Vous voulez dire que les gangs n'ont rien à voir là-dedans ?

— Exact !

— Alors, qui a tué Cherokee ?

— Ramène-toi par icitte si tu veux que j'crache le morceau.

Je n'ai pas réagi. Un bruit de soupape a troué le silence : la respiration de Dorsey.

— Mais c'est pas pour tes beaux yeux, hein ? Donnant-donnant !

— Quelle raison aurais-je de vous croire ?

— T'inquiète pas, t'es pas mon genre. C'est juste que ces épais-là s'croient au jour J de leur carrière. Mais y'ont beau m'avoir débarqué sur Omaha Beach, y s'plantent pas à peu près.

— Vos connaissances historiques m'impressionnent, mais pourquoi devrais-je vous croire, M. Dorsey ?

— T'as une meilleure piste ?

J'ai laissé la question en suspens. Aussi nul soit-il, George Dorsey venait de marquer un point.

Et puisque aujourd'hui tout le monde semblait s'être donné le mot pour m'ignorer...

J'ai regardé ma montre : onze heures vingt.

— Je serai là dans une heure.

Chapitre 21

Pour des raisons de logistique, la Communauté urbaine de Montréal est divisée en quatre centres opérationnels, chacun possédant ses propres forces d'intervention, d'analyse et d'enquête, ainsi que d'un centre de détention provisoire où tous les individus placés en garde à vue attendent la lecture de leur acte d'inculpation. Les personnes arrêtées pour meurtre ou agression sexuelle sont regroupées, quant à elles, dans un centre situé dans l'est de la ville, près de la Place Versailles. Arrêté chez lui pour possession de stupéfiants, Dorsey avait donc été conduit au Centre opérationnel Sud, communément appelé, CO-Sud, à l'angle de la rue Guy et du boulevard René-Lévesque.

Ce quartier, en bordure du centre-ville, est à la fois séparatiste et fédéraliste. D'importantes minorités de Chinois du nord, d'Estoniens, d'Arabes et de Grecs côtoient les Québécois « pure laine » et les Canadiens anglais, largement majoritaires. Dans cet assemblage d'églises et de bars, de boutiques et de sex-shops, de bâtisses interminables et de vieux immeubles sans ascenseur vivent aussi bien des miséreux que des nantis, des étudiants que des agents de change. Les meurtres d'Emily Anne Toussaint et de Cherokee Desjardins relevaient tous deux de cette juridiction.

Juste avant de pénétrer dans le stationnement, j'ai doublé un piquet de grève rue Guy. Panneaux et banderoles réclamaient des augmentations de salaire. J'ai souhaité intérieurement bonne chance aux manifestants. En ce qui me concerne, cela fait sept ans que mon salaire n'a pas bougé. Que la raison en soit l'instabilité politique ici ou la stagnation économique du Canada en général, le fait est que le Québec vit à l'heure des restrictions budgétaires et des réductions d'effectifs.

Je suis entrée par la porte principale. Au comptoir de droite, j'ai demandé à voir George Dorsey. L'agente de service a posé sa génoise sur le comptoir et a levé sur moi des prunelles où se lisait l'ennui.

— Vous êtes sur la liste ?

— C'est le prisonnier qui m'a réclamée. Temperance Brennan.

Elle a frotté ses mains potelées l'une contre l'autre et vérifié qu'aucune miette ne collait plus à ses doigts avant de se mettre à taper sur son clavier. Le texte qui défilait à l'écran s'est reflété dans ses lunettes. Quand il s'est immobilisé, elle m'a lancé :

— Le Carcajou ?

Son ton soupçonneux aurait plu à Ralph Nader, chef de file des consommateurs, qui s'est présenté comme candidat à la Maison Blanche contre Bill Clinton en 1992.

J'ai répondu par un vague « Mmm ». N'était-ce pas ce que prétendait le téléjournal ?

— Vous avez une pièce d'identité ?

Elle a enfin relevé la tête. Je lui ai remis mon laissez-passer de la Sûreté du Québec.

— Pas de badge ?

— C'est tout ce que j'avais sous la main.

— Vous allez devoir laisser vos affaires. Signez ici.

Elle a inscrit quelques mots dans le registre et m'a tendu son stylo. J'ai inscrit l'heure et signé. Puis, je lui ai remis mon sac à bandoulière par-dessus le comptoir.

— Ça va prendre un moment.

Mlle Génoise-au-chocolat est allée remiser mon bien dans un casier métallique et s'est entretenue au téléphone. Dix minutes plus tard, une clef a tourné dans une porte verte située à ma gauche. Le battant s'est ouvert sur un gardien à ce point squelettique que son uniforme pendait sur lui comme des habits sur un cintre. Il m'a fait signe de le rejoindre. Un second gardien a promené sur moi un détecteur de métal et m'a indiqué de suivre le numéro un. Au rythme des clefs qui tressautaient à sa ceinture, j'ai tourné à droite et longé un couloir éclairé au néon, truffé de caméras de surveillance au

184

mur et au plafond. Tout au bout, dans une grande cellule fermée de ce côté-ci du couloir par une cloison vitrée et, de l'autre, par des barreaux peints en vert, une demi-douzaine de types paressaient, les uns assis sur des bancs de bois ou allongés par terre, les autres pendus aux barreaux comme des primates en cage. À côté de cette cellule à clochards, se trouvait une porte métallique, verte elle aussi, et portant les mots « Bloc cellulaire » écrits en blanc sur le côté droit. Au-delà, s'étirait un comptoir où un surveillant était en train de ranger un paquet dans un casier marqué XYZ. Un Xavier devait être attendu. Un pensionnaire qui ne verrait plus ni ceinture, ni lacets, ni lunettes, ni bijou, ni tout autre effet personnel jusqu'à ce qu'il quitte ces lieux.

— Votre homme est là, a dit le gardien en désignant du menton une porte marquée « Entrevue avocat ».

De l'autre côté de la cloison, Dorsey allait passer par une porte identique, à la différence près qu'elle porterait la mention « Entrevue détenu ».

J'ai remercié le gardien et je suis entrée. La salle était petite. Murs jaunes, plinthes vertes, tablette en formica rouge, tabouret de bois fixé au sol, téléphone mural. Que l'on soit visiteur ou prisonnier, le décor n'était pas fait pour remonter le moral.

George Dorsey était assis derrière une large baie vitrée, le dos rond, les mains pendant entre ses genoux.

— Appuyez sur le bouton quand vous aurez fini, m'a dit le gardien et il a refermé la porte, me laissant face à face avec le prisonnier.

Dorsey n'a pas esquissé un geste. Il ne m'a pas lâchée des yeux pendant tout le temps qu'il m'a fallu pour traverser la salle et décrocher le téléphone. Comme le Christ dans la chambre de ma grand-mère, avec sa couronne d'épines et son front dégoulinant de sang. Où qu'on aille dans la pièce, son regard vous suivait. « Tu vois, il ouvre les yeux ! s'extasiait ma grand-mère. Regarde, maintenant ils sont fermés ! » Ce portrait m'angoissait tellement que j'ai passé mon enfance à éviter sa chambre. Dorsey avait les mêmes yeux que le Christ du tableau.

Je me suis assise, mains croisées sur la tablette. Je n'en menais pas large. L'homme de l'autre côté de la vitre était mince et noueux. Il avait un nez en bec d'aigle, des lèvres en lames de rasoir et le crâne rasé. Lui tenait lieu de cheveux un tatouage en forme d'éclair qui se terminait sur sa tempe gauche juste à l'endroit où démarrait une cicatrice qui lui barrait la joue et allait se perdre dans les poils de sa barbiche. Malgré son regard intense, il donnait l'impression de ne pas avoir fermé l'œil depuis un bon moment.

J'ai attendu qu'il décroche le combiné et rompe le silence. De dehors, me parvenaient des éclats de voix et des fracas de métal contre métal. Une éternité s'est écoulée et Dorsey a souri. Ou plutôt, ses lèvres ont disparu, cédant la place à de petites dents jaunes. Il n'y avait pas de gaieté dans ses yeux.

D'un geste saccadé, il a décroché le combiné et l'a porté à son oreille.

— T'as des couilles.

J'ai haussé les épaules.

— As-tu des cigarettes ?

— Je ne fume pas.

Il a ramené ses jambes sous lui et s'est mis à remonter et à redescendre son pied le long du mollet de l'autre jambe. Il se taisait. Il a fini par lâcher :

— J'ai rien à voir avec le job de Pointe-Saint-Charles.

Job dont, personnellement, je n'arrivais pas à chasser la vision.

— Vous me l'avez déjà dit.

— Ce trou d'cul de Claudel a décidé d'me faire chier. Y croit qu'en pressant assez l'citron, j'dirai que c'est moi qui a crissé le feu à Cherokee.

Son frottement s'est accéléré.

— Le sergent-détective Claudel fait son travail.

— Le sergent-détective Claudel serait même pas capable de péter comme du monde.

Opinion qu'il m'était arrivé de partager.

— Vous connaissiez Cherokee Desjardins ? ai-je demandé.

— J'en ai entendu parler.

Il s'est mis à caresser machinalement une éraflure dans la tablette.

— Vous saviez qu'il trafiquait ?

Il a haussé les épaules. J'ai attendu.

— Peut-être que c'était pour son usage personnel, t'sais, médical. J'pense qu'il était malade.

Il a passé le doigt dans les poils de son menton et s'est de nouveau concentré sur l'entaille.

— Vous avez été vu près de chez Desjardins à l'heure où il a été tué et on a trouvé chez vous un blouson plein de sang.

— C'est pas à moi.

— Les gants non plus n'appartenaient pas à O. J. Simpson.

— J'suis pas assez cave pour garder un p'tit souvenir d'un gars que j'aurais éliminé.

Là, il marquait un point. J'ai insisté :

— Qu'est-ce que vous faisiez dans le coin ?

— C'est pas de tes oignons !

Il s'est jeté en avant, appuyé sur les coudes. Mon cœur a fait un bond dans ma poitrine, mais j'ai réussi à ne pas ciller.

— Et c'était pas pour me débarrasser de Cherokee !

Ses paupières s'étaient rétrécies. Il devait être en train de concocter une histoire à me faire avaler. Le silence a duré.

— Vous savez qui l'a tué, George ?

Erreur.

— T'es pas mal vite en affaires, toi ! a-t-il lancé, et il a posé le menton sur ses doigts dans une attitude maniérée. J'peux-tu t'appeler Tempe, moi ?

— Je ne suis pas venue faire des mondanités. Vous avez demandé à me parler.

Sans cesser de triturer le cordon du téléphone, il s'est tourné de côté, une jambe tendue vers le mur, et s'est mis à marteler la plinthe de sa chaussure orpheline de lacet. Dans le couloir, quelqu'un appelait un Marc. J'attendais. Il a fini par laisser tomber :

— Ce job-là, c'est une farce pour *Drôles de vidéos*. Il manquait juste l'animateur.

Il s'est retourné vers moi et m'a fixée droit dans les yeux, cherchant à me faire baisser le regard. À ce petit jeu-là, c'est lui qui a perdu. Il a ouvert et refermé les doigts à plusieurs reprises. Les lettres FTW tatouées sur ses phalanges se sont allongées et rétractées en cadence.

— C'était pas un show quatre étoiles. C'est tout c'que j'peux dire pour le moment.

— Nous l'avons vu tout seuls que c'était du travail bâclé. Si vous ne me dites rien, je ne vois pas ce que je peux faire pour vous.

Dorsey s'est de nouveau penché vers moi, appuyé sur ses avant-bras.

— Ton ami Claudel, y s'met un doigt dans l'œil s'y pense que j'suis rien qu'un torcheur de marde pour les Heathens. J'suis pas cave, pis eux autres non plus.

Il se tendait si près de la vitre que j'aurais pu compter les points noirs sur son nez.

— C't'un mensonge, calvaire. C'est pas moi qui a tué Cherokee.

J'ai scruté ce visage à quelques centimètres du mien. Le temps d'un battement de cœur, le masque s'est dissous. J'ai lu la peur et l'incertitude dans ces yeux sombres et amers. Et autre chose aussi : la candeur. Puis les paupières se sont rétrécies et la bravade est revenue.

— Je tournerai pas autour du pot. Vous aimez pas comment on mène nos affaires. Nous autres, on aime pas plus votre supposée vertu. Continuez à m'écœurer, pis le gars qui a passé Cherokee va s'en tirer. Ça, c'est certain.

— C'est tout ce que vous avez à me dire, M. Dorsey ?

Ses yeux ont plongé dans les miens et j'ai senti sa haine de façon presque palpable, puis il s'est mis à inspecter ses ongles avec une nonchalance appuyée.

— J'suis peut-être au courant d'autre chose...

— De quoi ?

— J'te dis rien, moi, mais y'a pas juste Cherokee qui fait les manchettes, ces temps-ci.

J'ai réfléchi à toute allure. De quoi parlait-il ? Des assassins de l'Araignée et d'Emily Anne Toussaint ?

Je n'ai pas eu le temps de lui poser la question qu'il s'était rejeté en arrière, les lèvres retroussées en une mimique railleuse.

— Vous avez quelque chose de drôle à me dire ?

Il a fait rouler sa barbiche entre ses doigts et a changé le combiné de main.

— Dis à l'épais d'me laisser tranquille !

Je me levais pour partir quand ce qu'il a ajouté m'a clouée sur place.

— Travaille avec moi et j'te donne des infos sur la fille.

— Quelle fille ? ai-je demandé, me forçant au calme.

— La p'tite chérie que t'as déterrée.

La rage m'a prise. J'en avais le cœur qui cognait dans ma poitrine. Les yeux vrillés dans les siens, j'ai jeté :

— Parlez !

— Donnant-donnant ?

Ce rat avait beau écarter les babines en un semblant de sourire, ses yeux demeuraient plus noirs que le neuvième cercle de Dante.

— Vous mentez !

— Moi ? Hé, la vérité, c'est le fondement même de ma vie !

Avec ses sourcils levés et sa main tournée paume vers moi, il se voulait l'image de l'innocence. Je tremblais de fureur.

— Allez vendre vos salades ailleurs !

J'ai raccroché rageusement et j'ai filé jusqu'à la porte. J'ai enfoncé violemment le bouton d'appel. Si je n'ai pu entendre la dernière phrase de Dorsey, j'ai vu son expression au moment de passer le seuil : ses lèvres me disaient qu'il resterait en contact.

Le retour au labo m'a pris presque une heure. À la suite d'un accident sur la 720, seule une des voies allant vers l'est était ouverte à la circulation. Dans le tunnel Ville-Marie, le bouchon s'étendait sur des kilomètres. Le temps de réaliser la situation, je n'ai plus été en mesure de me déporter vers la rampe de sortie. Je n'ai eu d'autre solution que d'avancer au pas, comme tout le monde et en partageant l'agacement général.

Dans ma tête, Dorsey tenait le devant de la scène. Aussi fébrile qu'une goutte d'eau sur un grill, ce type. Pourtant, quelque chose était passé dans son regard quand le voile s'était déchiré. Se pourrait-il qu'il soit innocent ?

J'ai enclenché la vitesse, avancé de quelques centimètres et me suis remise au point mort.

Claudel ferait-il fausse route ? Ce ne serait pas la première fois.

Une ambulance roulait sur la bande d'arrêt d'urgence, expédiant sur les murs du tunnel des jets de lumière rouge dans une cadence de pulsations cardiaques. Les questions se bousculaient dans ma tête.

Comment Claudel allait-il réagir en apprenant ma visite à la prison ? J'imaginais sans peine la réponse à celle-là.

Dorsey avait-il réellement des tuyaux sur Savannah Osprey ou cherchait-il seulement à sauver sa peau ? J'étais bien incapable de le dire.

J'ai parcouru toute une longueur de voiture.

Cet homme était répugnant. Il était le symbole même du mépris envers la société en général et envers les femmes en particulier. Pourtant, l'espace d'une nanoseconde, j'avais entrevu sa vérité, j'en étais certaine. Mais cela ne me disait pas si je pouvais le croire.

Que gagnais-je à le faire ? Et que risquait la police à lui promettre de ratisser plus large pour retrouver les tueurs de Cherokee s'il livrait des renseignements vérifiables sur la petite Osprey ? Surtout, comment faire valider cet échange de bons procédés sans passer par Claudel ?

Quarante minutes plus tard, j'atteignais enfin le lieu de l'accident. Une voiture gisait sur le flanc. L'autre, collée à la paroi, avait fait un tête-à-queue, et dans la lumière de ses phares, des milliers d'éclats de verre scintillaient sur la chaussée. Dépanneuses et véhicules de la police s'étaient répartis en demi-cercle autour des carcasses de voitures, à la manière des chariots aux temps de la conquête du Far-West. Des mécaniciens positionnaient les griffes d'une grue au-dessus de la voiture retournée. Son occupant serait-il dirigé vers l'endroit où je me rendais moi-même ?

L'embouteillage a fini par se résorber. J'ai foncé et quitté le tunnel à la sortie De Lorimier. Encore quelques croisements et je serais au labo.

Arrivée au douzième étage, je n'ai eu qu'à sortir de l'ascenseur pour comprendre qu'un drame s'était produit, en entendant le téléphone du comptoir d'accueil clamer sa détresse dans le désert. J'ai traversé le vestibule en comptant les sonneries. Cinq, une pause, et ça a repris.

J'ai inséré ma carte à puce et franchi les portes de verre coulissantes. Réfugiée près des toilettes des femmes, la réceptionniste triturait un Kleenex. Elle avait les yeux rouges et une secrétaire, un bras passé autour de ses épaules, s'efforçait de la réconforter. Sur toute la longueur du couloir, les gens chuchotaient d'un air tendu. On se serait cru dans la salle d'attente d'un bloc opératoire.

Flash-back. Quinze ans plus tôt : Je laisse Katy à ma sœur, le temps d'aller faire les courses. Au retour, à peine passé le coin de ma rue, un sentiment de panique, fait tout à la fois d'hébétude et d'excitation, me saisit à la gorge. Exactement l'émotion qui m'étreint aujourd'hui.

Succession de plans en accéléré : plan large de Harry et des voisins massés sur le trottoir, alors qu'ils ne se connaissent pas. Gros plan de ma sœur, des traînées de mascara sur les joues. Gros plan de ses mains qui se tordent.

Où est Katy ? Nulle part en vue.

Je marchande avec le destin. « Seigneur adoré, pas ma fille ! Tout, mais pas mon bébé ! »

Regards compatissants des voisins pendant que je bondis hors de la voiture.

C'est McDuff... Il a surgi sous les roues d'une Buick. Tué sur le coup. Mon caniche. Dieu soit loué ! Le chagrin viendra plus tard. Triste, mais supportable. Katy est vivante !

J'ai dévisagé mes collègues avec la même angoisse que jadis. Que s'était-il passé ?

De l'autre côté de la seconde porte vitrée, Marcel Morin était en conversation avec Jean Pelletier. J'ai ouvert à l'aide de ma clef et j'ai foncé vers eux.

Au bruit de mes pas, ils se sont tus et ont tourné la tête. Le regard de Morin révélait son émotion.

— Qu'est-ce qui se passe ?

— LaManche. Il a eu un malaise pendant l'autopsie de Cherokee Desjardins.

— Quand ça ?

— À l'heure du dîner. Il était seul dans la salle. Lisa l'a trouvé par terre en rentrant de sa pause, inconscient. Il respirait avec difficulté.

— C'est grave ?

Pelletier a lâché un grognement.

Morin a secoué la tête.

— Il est entre les mains de Dieu.

Chapitre 22

Le lendemain matin, avant même de prendre ma douche, j'ai appelé l'hôpital. L'infirmière n'a guère été prolixe : l'état de LaManche s'était stabilisé, il demeurait aux soins intensifs, aucune visite n'était autorisée. Pour pallier mon sentiment d'impuissance, j'ai commandé des fleurs.

La chambre de Kit était fermée. Nous étions vendredi, notre dernière conversation remontait à l'avant-veille. Était-il seulement rentré dormir hier ? La note sur la porte du réfrigérateur, que j'avais trouvée à mon retour du labo, disait qu'il reviendrait tard. Prière de ne pas le réveiller demain.

J'ai obtempéré. À dix-neuf ans, mon neveu avait passé l'âge d'avoir un chaperon à ses trousses, c'est vrai. D'un autre côté, je n'aimais pas beaucoup ne pas savoir ce que ma sœur attendait de moi en fait de vigilance parentale. Et surtout pour combien de temps.

Pour l'heure, Kit s'imposait, lentement mais sûrement. Pizzas surgelées, pains pita, hot-dogs, haricots rouges en conserve et Mellow Yellow avaient envahi le réfrigérateur. Sur le plan de travail, biscuits salés et nachos s'intercalaient entre des beignes, des Lucky Charms et des gâteaux à la noix de coco. La télé avait été transformée en station de jeux et les fils s'étiraient comme des spaghettis sur le plancher du salon. Des CD jonchaient le buffet ou le tapis. Un jeans en boule, des bas et un sous-vêtement avaient colonisé un fauteuil, et un Stetson pendait au bras d'un autre. Deux paires de bottes gisaient dans l'entrée, là où on les avait retirées. À croire qu'un chanteur de country avait emménagé chez moi !

Avant de partir, j'ai remplacé la note de Kit par une autre de ma main, l'informant de mon retour vers cinq heures et requérant le plaisir de sa compagnie pour le souper.

Au labo, l'atmosphère était lourde. À la réunion du matin, Morin nous a rapporté sa conversation avec Mme LaManche : le patron était toujours dans le coma, les médecins attribuaient son état à un choc cardiaque. Les affaires du jour n'ont pas fait l'objet de débats, nul n'ayant le cœur à plaisanter. Un homme avait été écrasé par la chute d'un arbre à Dollard-des-Ormeaux ; un couple avait été retrouvé mort dans son lit, double suicide apparemment ; une noyée avait refait surface non loin de Rivière-des-Prairies. Rien pour l'anthropologue que j'étais. Tant mieux. Cela me donnerait le temps de me plonger dans les dossiers de motards que m'avait prêtés Kate et d'aller voir Jacques Roy au Carcajou s'il avait un moment.

La réunion terminée, je suis allée à la cafétéria. Ronald Gilbert, le spécialiste en relevé des taches de sang, s'y trouvait, debout au comptoir avec un homme de sa section en qui j'ai reconnu son assistant chez Cherokee Desjardins. Dans la file pour le café, j'ai surpris des bribes de leur conversation. Ils parlaient de l'affaire. J'ai retenu mon souffle pour mieux tendre l'oreille.

— Dieu merci, ce n'est pas toujours aussi compliqué, disait Gilbert. Mais pour ta première sortie, tu as quand même décroché le gros lot !

— La veine du débutant, j'imagine.

— J'aurais aimé en parler avec LaManche avant de mettre ça dans le rapport. À présent, il ne faut plus y compter.

— Il va comment ?

Gilbert a levé les épaules. Il a remué son café et jeté le bâtonnet dans la corbeille. Je les ai suivis des yeux tandis qu'ils s'éloignaient. Leur conversation avait ravivé mon impression de malaise à propos de l'affaire Cherokee. Comment se faisait-il qu'en dehors de moi, personne ne trouve rien d'anormal dans ce crime ? Qu'est-ce qui me faisait douter de la bonne orientation de l'enquête, quel détail précisément ?

J'ai rajouté du lait dans mon café et emporté ma tasse dans mon bureau. Les pieds sur le rebord de la fenêtre, je l'ai bu en suivant la progression d'une barge sur le Saint-Laurent.

Quelque chose me gênait dans l'affaire Cherokee, mais quoi? Le fait que le tueur ne soit pas entré par effraction? Et alors, avec les années, la victime était devenue négligente, ce sont des choses qui arrivent. Le fait que l'incendie n'ait pas pris? Pour Charbonneau, quelque chose était allé de travers et l'assassin s'était enfui. Plausible: un grain de sable suffit à faire échouer les plans les plus minutieusement concoctés. Exemple: le Watergate.

Par ailleurs, que voulait dire Gilbert en parlant de gros lot? Que trouvait-il de si compliqué dans cette affaire? De quoi voulait-il discuter avec LaManche?

Et moi, qu'est-ce que j'attendais pour aller lui poser ces questions? Encore une fois, prenez le Watergate!

Sans plus tergiverser, je suis allée frapper à la porte de son bureau. Oserais-je dire qu'un dieu grec était assis devant l'ordinateur? Les boucles brunes de ses cheveux et de sa barbe m'évoquent toujours la mythologie. Pivotant sur sa chaise, il m'a considérée par-dessus ses lunettes sans monture.

— Vous avez une minute?

— Autant que vous voudrez.

— C'est à propos de l'affaire Desjardins.

— Oui. Je vous ai vue là-bas. Comment se fait-il que vous travailliez sur ce cas?

— Je n'y travaille pas vraiment. J'avais été appelée parce que les premiers rapports faisaient état d'un corps calciné. Tout compte fait, il n'était pas en si mauvaise condition.

— Mais qu'est-ce qu'il vous faut? Il ressemblait à une nature morte à la matière grise.

— Oui, bien sûr... Justement, j'aimerais en parler avec vous. Je comptais interroger LaManche. Mais maintenant...

Je me suis interrompue, ne sachant comment formuler mes réserves. Il avait l'air désorienté.

— Les enquêteurs sont convaincus que c'est un crime de motards, ai-je repris. Mais quelque chose me tracasse. Il y a là un élément... hors sujet, si je puis dire.

— Hors sujet?

J'ai évoqué ce que j'avais appris aux séances d'information du Carcajou pour conclure:

— Je sais bien que je suis novice, mais peut-être cela me permet-il de voir les choses différemment. Avec un œil neuf.

— Et qu'est-ce qu'il vous dit, votre œil?

— Que ce crime a été fait n'importe comment.

— Quoi d'autre?

— Que la victime aussi a agi n'importe comment. Ouvrir la porte à ses assassins! Je vois mal un ancien membre de club, qui revend tout seul dans un secteur tenu par un gang, agir aussi bêtement!

Je me suis gardée de justifier mes présomptions en mentionnant les protestations d'innocence de Dorsey. Moins j'en dirais sur ma visite à la prison, mieux cela vaudrait.

Gilbert m'a regardée longuement.

— Claudel trouve que vous êtes une enquiquineuse chevronnée qui doit toujours se mêler de tout, m'a-t-il lancé avec le sourire.

— Je le tiens moi-même dans la plus haute estime.

Il est parti d'un éclat de rire, la tête renversée en arrière.

— Qu'est-ce que vous savez sur les analyses de taches de sang? a-t-il demandé après avoir recouvré son sérieux.

— Pas grand-chose, à vrai dire.

— Prête pour un cours intensif?

J'ai hoché la tête.

— Eh bien, allons-y!

Il s'est calé dans son fauteuil, les yeux au plafond comme s'il y cherchait la meilleure façon de réduire ses années d'expérience à un petit cours vite fait, bien fait. Il devait avoir la même expression au tribunal, quand il s'efforçait d'expliquer les choses au jury.

— En raison des effets conjugués de la gravité et de la tension en surface, une goutte de sang qui tombe d'elle-même est sphérique. Quand vous vous piquez le doigt, par exemple. Le sang se rassemble sur le côté du doigt incliné vers le bas jusqu'à former une goutte qui, au bout d'un moment, finit par quitter le doigt et tomber. Ça paraît simple, n'est-ce pas?

— Oui.

— Eh bien, ça ne l'est pas! Car toutes sortes de forces contraires entrent en jeu en même temps. D'un côté, on a l'attraction terrestre et le poids croissant du sang qui « tirent » la goutte vers le bas ; de l'autre, on a la tension sur le pourtour de la goutte, qui tend à réduire la surface de sang exposée et, par là même, fait subir à la goutte une « poussée vers le haut ».

Il appuyait ses dires avec des mouvements de la main censés reproduire l'action des forces en présence.

— La goutte n'est capable de tomber que lorsque les forces d'attraction sont devenues supérieures aux forces de poussée. Au départ, la goutte est de forme oblongue. Mais, au cours de sa chute, elle s'arrondit en raison du frottement de l'air. Sous l'effet de la force d'attraction, la pression à l'intérieur de la goutte augmente et l'oblige à se modeler de façon que son pourtour présente la plus petite surface possible : celle d'une sphère. Il n'en va pas ainsi avec tous les liquides. Les larmes, par exemple, conservent en général leur forme allongée. Dans les analyses de taches de sang, la forme de la goutte est un élément capital… Toute éclaboussure est le résultat de la force déployée pour que le liquide jaillisse et vienne s'immobiliser sur une surface, après avoir franchi une certaine distance. Le processus est le même, que cela se passe à l'intérieur d'un crâne ou, par terre, dans une flaque. Le sang, mis en mouvement sous l'effet d'une force, se divise en sphères. Les gouttes effectuent un parcours jusqu'à ce qu'elles rencontrent un obstacle. Et voilà l'éclaboussure.

J'ai hoché la tête.

— En atterrissant sur la surface en question, les gouttes perdent leur forme typique pour devenir des taches ou des traînées. L'interprétation de ces différents types de traces, de ces salissures, consiste donc d'abord à étudier ces gouttes qui ne sont plus typiques, en raison de l'action violente qu'elles ont subi, puis à refaire à l'envers le trajet parcouru, en partant de l'endroit où elles ont atterri pour remonter à leur point de départ, l'objectif étant de déterminer ce qui s'est produit à l'origine, et dans quel ordre. Autrement dit : localiser l'endroit précis où se trouvaient les personnes présentes sur les lieux en cet instant, découvrir quelle arme a été utilisée et si des objets, et lesquels, ont été déplacés… Pour répondre à toutes ces questions, il faut examiner le changement de forme de la goutte et deviner ce qui l'a forcée à passer de l'état de sphère, qu'elle avait au départ, à celui de salissure qu'on a maintenant sous les yeux. Et c'est complexe, car il faut prendre en compte des données très diverses.

Il s'est mis à compter les différents points sur ses doigts.

— Premièrement, les propriétés de la cible : la goutte réagit différemment si elle atterrit sur une surface rigide ou sur une surface souple, du tissu, par exemple. Deuxièmement, la forme de la tache. Elle, il faut l'étudier très soigneusement et, surtout, indépendamment de la surface atteinte, car le rapport entre sa largeur et sa longueur nous indique très exactement l'angle de l'impact. Troisièmement, la taille de l'éclaboussure. Nous savons que les forces de basse amplitude impriment à la goutte une vitesse lente qui occasionne de larges éclaboussures, alors que les forces de haute amplitude, qui propulsent le sang plus rapidement, produisent des taches plus petites.

Il s'est arrêté, le pouce retenant son annulaire replié.

— Vous me suivez toujours ?

— Oui.

— Enfin, la vitesse de l'impact. Réduite, moyenne ou grande, selon la vitesse de la goutte au moment où elle atteint la cible. Mais cela est assez relatif.

— Donnez-moi des exemples.

— Je vais faire mieux. Suivez-moi.

Nous sommes sortis dans le couloir. Il est allé prendre dans une armoire d'acier réfrigérée une bouteille d'un litre, étiquetée « Sang de bœuf » et, tout au bout d'un autre couloir, s'est arrêté devant une porte dépourvue de signalisation.

Elle ouvrait sur un vaste cagibi aux murs tapissés de larges feuilles de papier tachées de sang presque de haut en bas. On aurait dit une foire aux massacres. Flaque de sang le long d'une plinthe ; éclaboussures et traînées sur les murs ; et, tout au fond, des dégoulinades annotées au crayon, partant de taches à hauteur du genou.

— Notre salle d'expérimentation, a dit Gilbert en déposant la bouteille à ses pieds après s'être placé sur une grande feuille de papier étalée par terre. Regardez.

Il a trempé une tige en bois dans la bouteille et a laissé le sang dégoutter devant lui.

— Les gouttes qui tombent d'elles-mêmes, comme le sang d'une blessure, se meuvent à vitesse réduite et produisent ce qu'on appelle des impacts lents. C'est-à-dire qu'au moment de l'impact, le sang se déplaçait à petite vitesse : en gros, de zéro à un mètre cinquante par seconde. Dans ces cas-là, la tache est large et son diamètre supérieur à trois millimètres.

Les taches qu'il venait de faire étaient rondes.

— En revanche, le sang qui jaillit d'une blessure causée par un objet contondant ou d'une entaille, comme un coup de couteau, se déplace plus rapidement. Sans que la vitesse soit fulgurante, cependant. De un mètre cinquante à sept mètres cinquante par seconde. On parle alors d'impact à moyenne vitesse.

Tout en parlant, il avait versé un peu de sang de bœuf dans une assiette. M'ayant fait signe de reculer, il a donné un coup de bâton dans le liquide. Le sang a giclé sur le mur. Je me suis avancée. Les taches étaient plus petites que celles à ses pieds.

— Vous voyez ? Les impacts à moyenne vitesse occasionnent des éclaboussures plus petites que dans le cas précédent. En général, ces taches-là ont un diamètre allant de un à quatre millimètres. Enfin, il y a les éclaboussures qui résultent d'impacts à grande vitesse. Et là, les taches sont encore plus petites. Venez voir !

Ayant reposé son bâton par terre, il est allé au fond de la salle et m'a désigné une surface sur le mur. On l'aurait dite peinte à la bombe aérosol.

— Impact à grande vitesse. Quand on voit une éclaboussure de ce type, on sait tout de suite que le sang se déplaçait à plus de trente mètres par seconde. Autrement dit : que la blessure a été causée par une arme à feu, une explosion ou un outil mécanique. Ça ressemble assez à de la bruine. En général, chaque tache prise séparément a un diamètre inférieur à un millimètre. Mais vous vous doutez bien que toutes les éclaboussures ne rentrent pas gentiment dans l'une de ces trois catégories. La façon dont le sang jaillit vient compliquer les choses, car il peut être éclaboussé, projeté ou lancé.

— Comment ça ?

— Ces éclaboussures que vous voyez là résultent d'impact à vitesse intermédiaire, entre réduite et moyenne. Elles diffèrent des catégories que je viens de vous exposer et vous allez comprendre pourquoi. Prenez une flaque de sang. Les éclaboussures seront différentes si l'on a marché ou couru dedans. Quelqu'un marchant dans la flaque fera « gicler » le sang. Les éclaboussures seront longues et étroites, réparties autour d'une tache centrale ronde, et accompagnées de quelques autres taches seulement, rondes elles aussi. Mais si on a couru dans la flaque, si on y a tapé des pieds ou si on y a frappé un grand coup, le sang n'aura pas « giclé », il aura été « projeté ». C'est le cas du sang qui jaillit d'une artère ou d'une blessure à la tête, quand la victime est frappée alors qu'elle se trouve à terre. Dans ce cas-là, la forme de l'éclaboussure est différente. Elle est longue et elle irradie encore à partir d'une tache centrale, mais c'est cette tache centrale qui varie : elle n'est plus ronde comme avant, elle a des bords irréguliers. Et enfin, il y a le sang « lancé ». Lequel provient de l'arme elle-même, de l'objet qui a provoqué la blessure. Laissez-moi vous montrer.

Il est retourné prendre son bâton. L'ayant trempé dans le sang, il l'a fait tournoyer. Le sang a volé du bâton et a frappé le mur à sa droite. Je me suis rapprochée pour étudier les taches.

— Vous vous rappelez que plus grande est la force, plus petites sont les taches. Eh bien, le sang lancé produit des taches plus petites que celles résultant d'un impact à vitesse réduite. De plus, comme le sang lancé provient d'un objet lui-même en mouvement, l'éclaboussure présente un tracé rectiligne ou légèrement incurvé. Et les taches qui la composent sont grosso modo uniformes tout du long.

— Si je comprends bien, en vous fondant sur la taille et la forme de l'éclaboussure, vous pouvez déterminer la nature de l'agression ?

— Oui. Dans la plupart des cas, on arrive même à localiser l'endroit précis où l'attaque a eu lieu. Retournons dans mon bureau. Je vais vous montrer autre chose.

Il est allé s'asseoir à son ordinateur et a tapé une commande sur le clavier.

— Chez Cherokee, vous nous avez vu filmer tous les endroits salis en incluant dans le champ une équerre et un fil à plomb.

— Il servait à quoi, le fil à plomb ?

— À déterminer le sens de la coulure par rapport à la verticale.

Gilbert a appuyé sur une touche. Des formes ellipsoïdales brunes sont apparues à l'écran.

— Les plans tournés en vidéo ont été numérisés image par image et enregistrés sur le disque dur sous la forme d'une matrice de points. Avec ce logiciel, je peux appeler les images d'une même tache toutes ensemble à l'écran pour les mesurer. Ce qui me donne deux angles : l'angle de direction et l'angle d'impact.

Il a enfoncé d'autres touches et un ovale blanc est venu se superposer sur la tache au centre de l'écran.

— L'angle de direction est celui formé par l'axe de l'ellipse et la verticale du fil à plomb. On l'appelle l'angle gamma. Il va de zéro à trente-six degrés et indique le sens de l'éclaboussure. Alors que l'angle d'impact ou angle alpha est calculé, lui, à partir de la forme de l'ellipse et va de zéro à quatre-vingt-dix degrés.

— Comment ça ?

— Vous vous rappelez qu'une goutte de sang est sphérique quand elle traverse l'espace ? Eh bien, la trace qu'elle laisse au moment où elle s'aplatit sur la cible correspond à la surface balayée par le sang.

Il a accompagné son explication d'un geste de la main.

— Au début, à l'endroit où elle atterrit, la goutte produit une traînée, petite d'abord et qui va s'élargissant. La partie la plus large de cette traînée, celle où la goutte est tombée, correspond à la partie la plus grosse de la goutte, à son diamètre. Ensuite, la traînée se rétrécit jusqu'à finir en pointe. Vous voyez celle-là ?

Il a désigné un ovale allongé suivi d'un petit point. J'avais vu de nombreuses taches semblables dans la salle d'expérimentation.

— On dirait un point d'exclamation.

— C'est justement le nom qu'on lui donne. Cela se produit lorsqu'une petite partie de sang se détache de la goutte initiale et rebondit pour former la tête de la traînée. Vu de dessus, on dirait un têtard ou un point d'exclamation selon que l'extrémité est effilée ou qu'un petit bout s'en est complètement détaché. Dans un cas comme dans l'autre, la trajectoire du sang est claire.

— Vous voulez dire que le sens des pointillés qui composent l'éclaboussure indique la direction dans laquelle allait le sang ?

— Exactement. Ce logiciel analyse tous les angles de chaque tache et m'en sort la liste. À partir de ces données, je peux déduire le point d'origine du sang. Croyez-moi, c'est beaucoup plus facile de nos jours, à l'ordinateur, qu'en utilisant des fils, comme on le faisait dans le temps.

— Explication, s'il vous plaît ?

— Oh ! Excusez-moi. Autrefois, on faisait partir un fil de la cible, à l'endroit exact de l'impact, et on le tendait en suivant la trajectoire des gouttes. En répétant l'opération à partir de plusieurs points de la scène du crime, on obtenait tout un réseau de fils qui remontaient de la tache jusqu'à la source du sang, là d'où il avait jailli. Ce qui nous donnait « l'assiette », comme on appelle ce point de convergence générale. Cela prenait un temps infini et la marge d'erreur était grande. De nos jours, l'ordinateur trace des lignes virtuelles à partir des données enregistrées.

Gilbert a promené les doigts sur les touches du clavier. Autre image : à gauche de l'écran, une verticale, la coordonnée X ; en bas, une horizontale, la coordonnée Y. Une douzaine de lignes se croisaient en formant un arc géométrique ayant l'aspect d'un X.

— Ce sont les lignes virtuelles dont je vous parlais. Vues de dessus, et tracées à partir de douze taches. Autrefois, avec des fils réels, ç'aurait été assez compliqué d'obtenir ce point de vue. Et c'était bien dommage de devoir s'en passer parce qu'il nous livre des informations cruciales. Il nous donne un aperçu du modèle… Ce logiciel me permet aussi d'obtenir une vue latérale, a dit encore Gilbert en cliquetant sur les touches.

Nouvelle image à l'écran. Des lignes plongeaient d'en haut à gauche vers en bas à droite, pour converger en un point situé aux deux tiers de l'écran à partir du bas, et s'évaser légèrement comme les tiges rigides d'un bouquet de fleurs.

— La vue latérale nous indique la hauteur à laquelle se situe le point de départ du sang. En combinant la vue d'au-dessus et la vue latérale, on obtient très précisément les co-ordonnées spatiales du point de convergence. En hauteur et en plan. Et on sait à quel endroit se tenait la victime.

Il s'est calé dans son fauteuil et m'a regardée.

— Maintenant, qu'est-ce que vous vouliez savoir à pro-pos de l'appartement de Cherokee ?

— Tout ce que vous pourrez me dire.

Et pendant les quarante minutes qui ont suivi, je l'ai écouté sans l'interrompre. Avec une patience et une méticu-losité remarquables, Gilbert m'a promenée dans tout l'ap-partement de Cherokee, m'expliquant le détail du bain de sang.

Ce que j'ai appris grâce à lui m'a convaincue qu'en s'acharnant sur les motards, Claudel nous entraînait sur une fausse piste.

Chapitre 23

La myriade de petits points à l'écran rappelait l'exemple de peinture à la bombe aérosol que j'avais vu dans la salle d'expérimentation, à la différence qu'ici les taches comportaient de la chair et des petits éclats d'os parfaitement reconnaissables.

— Une partie du mur nord, a dit Gilbert. Juste derrière le fauteuil de la victime. Ces taches sont des « lancers avant ».

— Avant ?

— Oui, par rapport à la trajectoire de la balle ou de l'objet ayant servi à porter le coup. Le sang qui jaillit de l'endroit où la balle ressort du corps produit un lancer avant, c'est-à-dire allant dans le même sens que la balle. Alors que le sang qui sort à l'endroit où la balle est entrée dans le corps produit une éclaboussure de type « lancer arrière ». Regardez ceci.

Gilbert a enfoncé une touche, une nouvelle image a envahi l'écran. C'était également un jet d'aérosol, mais les pointillés en étaient plus espacés que sur l'image précédente et constitués uniquement de sang. Sans aucune particule de chair.

— C'est une tache sur la télé. Quand les balles ont atteint Cherokee, le sang a volé en arrière.

— Vous voulez dire qu'il a été abattu dans le fauteuil ?

— Exactement.

Gilbert a enfoncé une série de touches. Une photo du fauteuil vide est venue se substituer à la précédente. Des lignes couraient en diagonale à partir du mur et de la télé pour se rencontrer en un point situé au-dessus du fauteuil, à hauteur de la tête de la victime.

— Mais ces coups de fusil, c'est la cerise sur le gâteau, car Cherokee était déjà mort. Ou, du moins, en bonne voie de l'être. Regardez ça !

Nouvelle frappe sur le clavier. Apparition de taches plus larges, toutes de taille différente.

— Angle nord-ouest. Impact à vitesse moyenne. Il y en avait partout.

— Mais…

— Attendez !

Il a fait apparaître une nouvelle photo. Les taches, légèrement plus grandes que sur l'image précédente, étaient de taille à peu près identique entre elles, mais de forme diverse. Allant du rond à l'ovale.

Zoom arrière. L'éclaboussure est apparue dans sa totalité : une longue ligne incurvée, se terminant aux deux extrémités par des gouttes.

— Photo du plafond.

— Du plafond ?

— Oui, et c'est un lancer arrière. Le sang est expédié par un objet en mouvement, comme mon bâton tout à l'heure, quand l'agresseur remonte son bras en arrière pour prendre son élan et interrompt brusquement son geste pour repartir en avant. La plus grande quantité de sang vole de l'objet au cours de ce mouvement arrière. Du moins s'il est effectué avec assez de violence. Mais il arrive qu'un peu de sang tombe de l'arme pendant le mouvement avant.

Gilbert a désigné le centre de la ligne incurvée.

— Ici, le sang a été expédié lors du mouvement arrière, alors que là, c'était pendant le mouvement avant.

Il indiquait maintenant des taches le long de la traînée.

Il m'a fallu un moment pour comprendre.

— Vous voulez dire que Cherokee a été frappé avant d'être abattu ?

— Exactement. Et même à plusieurs reprises, car nous avons identifié quatre autres traînées de ce type. Or, en règle générale, on considère que la blessure provoquée par un objet contondant est l'unique source du sang répandu ou, en tout cas, la première dans le temps, et on estime que le nombre de coups portés est égal au nombre de traînées plus deux.

— Pourquoi plus deux?

— Parce qu'au premier coup, le corps n'étant pas blessé, l'arme ne porte pas de sang pendant le mouvement arrière, alors qu'au second coup, elle s'est imprégnée de sang et en expédie pendant la remontée du bras. Et, peut-être aussi, pendant le mouvement avant pour asséner le troisième coup.

— Je comprends.

— Vous voyez cette éclaboussure? C'est un impact à moyenne vitesse. Elle se trouvait tout en bas des murs et sur les affaires entassées dans le coin.

Gilbert a tapé sur son clavier. D'autres lignes sont apparues, qui convergeaient, celles-ci, en un point situé à moins de soixante centimètres du sol.

— Je pense que Cherokee a été frappé dans cet endroit de la pièce, près de l'angle du mur. Qu'il est tombé par terre, où il a été frappé plusieurs fois. C'est seulement après qu'il a été abattu dans le fauteuil.

— Frappé avec quoi?

Gilbert a fait une moue.

— Ça, ce n'est pas mon rayon.

— Mais il a fallu le traîner pour l'installer dans le fauteuil, cela aurait dû laisser des traces sur le plancher!

— L'agresseur les a peut-être effacées. L'examen du sol n'a rien fourni d'intéressant. Il y avait beaucoup de sang partout et trop de gens avaient piétiné dans la pièce.

— Et le feu a pu les faire disparaître.

— Les taches sur le tapis, en tout cas. On pourrait faire une étude au Luminol, mais ça ne changerait rien à ce que me disent mes traînées.

Je réfléchissais à ce que venait de m'expliquer Gilbert quand il a repris:

— Et ce n'est pas tout!

— Vous en avez encore beaucoup, comme ça?

Il s'est remis à taper sur son clavier et une photo d'impact à grande vitesse a de nouveau envahi l'écran. On aurait dit un nuage dont on aurait évidé une partie, comme un dessin au pochoir.

— Ça aussi, c'est le mur derrière la tête de Cherokee.

— On dirait de la dentelle en pâte, vous savez, ce qui en reste quand on a découpé des biscuits avec des moules.

— On appelle ça une « forme évidée ». C'est le souvenir, comme qui dirait « matérialisé », de l'objet qui a intercepté une partie du sang au vol.

— De quel objet s'agit-il, ici ?

— Je n'en sais rien, il n'était plus là.

Je suis retournée en hâte vers mon bureau. Les images que je venais de voir dansaient devant mes yeux au son des paroles de Dorsey : « C'est une farce pour *Drôles de vidéos*. Le gars qui a passé Cherokee va s'en tirer. »

J'ai attrapé mon téléphone et j'ai appelé le Carcajou. Jacques Roy était parti pour Val-d'Or et ne serait pas de retour avant lundi. Agacée, j'ai demandé à parler à Claudel. Absent. De même que son collègue. Je leur ai laissé des messages. J'ai songé à les contacter sur leurs téléavertisseurs, mais je me suis abstenue. Il n'y avait pas urgence.

Je venais à peine de raccrocher quand le téléphone a sonné.

— À quelle adresse veux-tu que j'envoie la plus grosse corbeille de fruits du monde ?

Ma sœur. Hors d'haleine, comme d'habitude. À croire qu'elle venait de déménager un piano.

— Salut, Harry. On peut savoir ce qui te met dans cet état, aujourd'hui ?

— L'aïkido.

J'ai préféré ne pas creuser la question.

— Dis, mon bébé chéri ne t'oblige pas à chercher le réconfort dans la bouteille ?

— Ça se passe bien, Harry !

— Tu es toujours aussi aimable, le vendredi ?

— J'ai des complications au boulot. Quoi de neuf, de ton côté ?

— Kit et Howard ont remis ça. Tu es au courant, j'imagine.

— Quoi donc ?

— Le sac de golf…

J'avais soupçonné un problème entre le père et le fils, mais je n'avais pas voulu embêter mon neveu en l'assommant de questions. Quant au sac, l'histoire remontait à l'époque où Kit avait quinze ans. Il l'avait volé au club de golf de son père et abandonné dans la mare du quinzième trou, lesté d'une bouteille de tequila dans la poche arrière. Le père s'étant offert une séance de culture physique sur la personne de son fils, celui-ci avait pris la poudre d'escampette. Une semaine plus tard, quelle n'avait été ma surprise en voyant un taxi s'arrêter devant chez moi à Charlotte, avec quatre-vingt seize dollars au compteur et mon neveu en guise de passager ! Les derniers kilomètres sur le pouce lui avaient paru un peu longuets, voyez-vous ! Katy et lui s'étaient immédiatement entendus comme larrons en foire, et Kit était resté tout l'été chez nous.

— Quel est le motif de la dispute, ce coup-ci ?

— Une canne à pêche, semble-t-il, mais je ne connais pas les détails. Il est sage, au moins ?

— Je ne l'ai pas beaucoup vu. Je crois qu'il s'est fait des amis.

— Tu m'étonnes ! Si tu pouvais te débrouiller pour qu'il reste un petit bout de temps chez toi, ça m'arrangerait. Howard et lui ont besoin de mettre un peu d'air entre eux.

— Il n'y a pas assez de kilomètres entre Austin et Houston ? Ou Howard aurait-il soudain déménagé à Houston pour se rapprocher de vous deux ?!

— Le problème, Tempe, c'est que j'ai un voyage au Mexique prévu depuis longtemps. Si je ne pars pas demain, je perds mon acompte, et Antonio le prendra vraiment mal. Bien sûr, je ferai comme tu diras. Tu n'as qu'un mot à dire.

Cet Antonio était probablement la raison de la toute nouvelle passion de ma sœur pour les arts martiaux. Chez Harry, les centres d'intérêt se succèdent au rythme des fiancés.

— Je n'ai pas envie de laisser Kit une semaine tout seul à la maison, poursuivait-elle. Et comme je ne peux pas l'expédier chez son père... Alors que tant qu'il est avec toi... Et si, comme tu le dis, tout va bien...

— Tu sais que j'adore l'avoir...

Je me suis retenue d'ajouter que la date n'était pas forcément bien choisie. Harry a dû sentir ma réticence, car elle a répété :

— Si ça te gêne un tant soit peu, dis-le. Je préfère annuler mon voyage plutôt que...

— Qu'est-ce que tu attends de moi en ce qui concerne la surveillance parentale ?

— La surveillance parentale ? !

On aurait dit que Harry tombait des nues.

— Le guider, lui donner des conseils. Ce que font les parents, quoi. Je sais que c'est un boulot ingrat, mais il faut bien que quelqu'un s'y mette.

— Mais reviens-en, Tempe ! Il a dix-neuf ans ! Si tu comptes le retenir à la maison en lui faisant des gros yeux, tu te trompes ! Cet enfant-là est né pour danser le boogie-woogie ! Vérifie seulement qu'il a tous ses morceaux, qu'il passe une fois par jour à la maison, et qu'il n'est pas recherché par la police. Et, aussi, empêche qu'il transforme ta maison en débit de boissons pour ados de son âge. Il n'a pas été élevé le petit doigt en l'air, tu sais.

L'idée ne m'avait pas effleurée.

— Tu n'es pas obligée de le servir aux petits oignons. Qu'il range ses affaires et fasse la vaisselle de temps en temps, ce sera déjà bien !

Un flash de mon salon dévasté est passé devant mes yeux tandis qu'elle continuait :

— D'ailleurs, je vais l'appeler pour bien lui spécifier que ta maison n'est pas un entrepôt pour toutes les vieilleries qui lui tomberont sous la main.

— Tu reviens quand ?

— Dans dix jours.

— Et s'il veut rentrer au Texas avant ton retour ?

— *No problemo*. Howie lui a déposé onze cents dollars dans son compte. Mais fais-lui bien comprendre que le Texas plus tôt que prévu, c'est Austin, pas Houston ! Et remonte-lui le moral avant le départ. Tu sais comment t'y prendre, grande sœur. Et lui, il t'adore.

Et hop ! Une petite flatterie pour faire passer la pilule !

— Je m'en rappellerai quand il ira vendre l'argenterie de grand-mère pour survivre. Bon, amuse-toi bien. Et laisse-moi un numéro où te joindre.

Je raccrochais quand ma porte s'est ouverte sur Claudel. Masque tendu, mâchoires crispées. Ça promettait ! Il est venu se planter devant mon bureau.

— Bonjour, monsieur Claudel !

Comme je n'attendais pas de réponse, je n'ai pas été déçue.

— Vous êtes allée à la prison sans que je vous y autorise.

— Elle vous appartient ?

— Vous n'êtes pas enquêteur.

Il était clair qu'il se donnait du mal pour ne pas hausser le ton.

— Vous n'êtes pas habilitée à vous mêler d'une enquête dont je suis chargé sans m'en référer préalablement.

— C'est Dorsey qui m'a appelée.

— Vous n'aviez qu'à l'envoyer promener !

— S'il m'a appelée, c'est parce qu'il avait l'impression que vous ne vouliez pas l'écouter.

— Il se sert de vous pour brouiller mes cartes.

— Vous ne vous demandez jamais si vous vous trompez, Claudel ?

— Je n'ai pas de compte à vous rendre. Surtout dans un domaine qui n'est pas le vôtre.

— L'arrestation de Dorsey ne repose pas sur grand-chose.

— En tous cas, c'est mon pas grand-chose à moi, madame.

— Il se trouve que vous êtes convaincu que le meurtre de Cherokee a été perpétré par des motards et que, moi, je suis temporairement affectée au Carcajou.

— Croyez que je ferai tout ce qui est en mon pouvoir pour modifier cette situation.

— Vraiment ?

J'ai senti le rouge me monter au front. Quant à Claudel, il était à deux doigts d'exploser.

— Je ne vais pas en discuter avec vous, Mme Brennan. Ne vous mêlez pas de mon enquête, un point c'est tout !

— Je n'ai pas d'ordre à recevoir de vous !

— C'est ce qu'on verra !

— On a déjà travaillé ensemble, et avec succès.

— Cela ne fait pas de vous un enquêteur, et cela ne vous autorise pas davantage à vous impliquer de force dans une affaire qui m'a été confiée.

— Vous ne surestimerez jamais assez combien vous me sous-estimez, monsieur Claudel.

Il a pris une longue respiration, bouche ouverte, et a lâché d'une voix calme :

— Toute discussion est inutile !

Sur ce point, j'étais parfaitement d'accord avec lui.

Raide comme un piquet, il s'est dirigé vers la porte. On aurait dit un écuyer lors d'une séance de dressage. Arrivé au seuil, il s'est retourné et, menton pointé en l'air, a laissé tomber sur un ton glacial :

— George Dorsey a été inculpé de meurtre au premier degré en fin de matinée.

J'ai senti l'air s'embraser.

L'instant d'après, il avait disparu.

J'ai respiré lentement. Une fois, deux fois, et encore une troisième. J'ai relâché mes doigts qui s'étaient recroquevillés malgré moi et je me suis rassise, le nez tourné vers la fenêtre. Douze étages plus bas, des enfants jouaient dans la cour de l'école.

L'inculpation de Dorsey me mettait en rage. Que cette tête de lard de Claudel fasse la sourde oreille à tout ce que je disais et veuille en outre me faire virer du Carcajou me vexait au plus haut point. Par-dessus le marché, je m'en voulais terriblement de n'avoir pas su me contrôler pendant la discussion. J'avais perdu patience et j'ai horreur de ça. Mais le pire était encore de devoir reconnaître que Claudel m'en imposait toujours, que j'en étais encore à quémander l'approbation d'un type qui n'avait que mépris pour moi. Je n'étais plus une débutante, quand même ! Cela m'irritait d'autant plus qu'en l'occurrence, il était en tort vis-à-vis de moi. Il aurait dû m'informer des résultats de son interrogatoire avec Dorsey. Partager ses informations, c'est cela travailler en équipe. Et c'est encore plus vital quand le travail en question est une enquête policière ! Pour ma part, si j'avais failli à informer Claudel, c'était par vengeance. Parce qu'il m'excluait systématiquement de son cercle d'initiés. Le hic, évidemment, c'était que l'enquête lui avait été confiée à lui. Différence de taille entre sa position et la mienne. En me rendant à la prison, je lui avais fourni des munitions pour me battre.

Et puis qu'il aille au diable ! J'avais bien trop de choses à faire pour me laisser démonter. Dossiers à classer, papiers à signer, messages téléphoniques auxquels répondre. Pour ne rien dire des documents de Kate : une mallette entière à trier !

L'énumération s'est interrompue d'elle-même quand mes yeux se sont posés sur les piles de photos qui attendaient depuis des mois mon bon vouloir sur le classeur. Oui, mettre de l'ordre dans des affaires anciennes, voilà qui allait me changer des motards et me sortir de ce bourbier.

Et c'est à cela que j'ai consacré le reste de ma journée au labo.

Sur le chemin du retour, je me suis arrêtée au Métro de la rue Papineau pour acheter de quoi faire une sauce Puttanesca. Ne sachant pas si Kit aimait les anchois, j'ai fait comme avec ma fille quand je lui prépare un plat exotique sans savoir si elle l'aime : j'ai décidé d'en mettre sans le lui dire. Qu'il le découvre tout seul !

Mes projets culinaires sont tombés à l'eau rapidement, car, à la maison, le comité d'accueil se composait en tout et pour tout du chat. Les bottes et les vêtements avaient déserté le salon ; un bouquet de la taille de Rhode Island égayait la table de la salle à manger ; et une note de Kit sur la porte du réfrigérateur m'apprenait qu'il était désolé, mais vraiment désolé, de faire faux bond à sa tante chérie à qui il consacrerait son dimanche tout entier. Promis, juré ! Deux lunes illustraient le message : la première avait des larmes au coin des yeux et un U renversé en guise de bouche, la seconde un grand sourire.

J'ai laissé tomber sans douceur mes achats sur le plan de travail et je me suis traînée d'un pas lourd dans ma chambre. J'ai envoyé valser mes chaussures. Seigneur ! J'en avais ras le bol de ces vendredis entre chat et télé. Plus qu'à inviter Claudel pour que ce soit le comble ! J'ai expédié mes vêtements sur une chaise et j'ai passé un jeans et un coton ouaté tout en m'abreuvant de reproches : « C'est de ta faute, Brennan. Ça t'apprendra à être aussi aimable avec les gens. » Pour couronner le tout, je me suis cassé un ongle en fouillant dans le fond du placard à la recherche de mes chaussures Topsiders.

La déprime s'est abattue sur moi. Je n'avais pas éprouvé un tel sentiment d'abandon depuis des années.

Soudain, l'idée m'est venue d'appeler Ryan.

Non !

Je suis allée à la cuisine ranger la nourriture. Impossible de chasser le souvenir de Ryan. Les pensées se livraient un duel dans ma tête.

Appelle-le !

Non, c'est du passé !

Aurais-tu oublié ce petit endroit au creux de son épaule, ce muscle qui accueille si bien ta joue, où tu te sens tellement en sécurité, tranquille, protégée… ? Appelle-le !

Tu l'as déjà fait sans aucun résultat !

Parle-lui !

Tu veux entendre des histoires qui ne tiennent pas debout ?

Il est peut-être innocent…

Les preuves sont accablantes, Jean Bertrand te l'a dit.

Ma détermination s'est évanouie en même temps que le bocal de tomates s'écrasait par terre. J'ai fini de vider les sacs et les ai fourrés en boule sous l'évier. Le plat du chat rempli, je suis passée au salon écouter le répondeur.

L'indicateur d'appels clignotait. Mon estomac a fait un saut périlleux. J'ai enfoncé le bouton.

Isabelle.

J'ai touché terre avec le désespoir du gymnaste qui vient de rater sa prestation.

L'appareil signalait encore que deux messages entendus n'avaient pas été effacés.

Le premier était de Harry. Pour Kit.

Le second, également pour lui.

En l'écoutant, j'ai senti se hérisser dans mon cou le fin duvet à la lisière de mes cheveux.

Ma respiration s'est bloquée dans ma gorge.

Chapitre 24

Le message laissé pour Kit émanait d'un dénommé Prêcheur. Indécodable, si ce n'est qu'il y était question de Harley et d'un rendez-vous. La voix, inquiétante, ne suggérait pas la vision d'un concessionnaire chic des environs de Montréal. Devais-je attendre le retour de mon neveu pour en savoir davantage ? Non, à quoi bon. Sans même que j'y pense, mes doigts se sont retrouvés à composer le numéro de Ryan.

Répondeur.

À présent, j'étais au fond du trou. Que faire, sinon me mettre au lit ?

J'ai dormi par intermittence. Mes rêves se télescopaient comme les pièces de couleur d'un kaléidoscope, ne s'ordonnant en tableau que pour s'éparpiller aussitôt et former de nouvelles scènes tout aussi dénuées de sens. Dans la plupart d'entre elles, paradait mon neveu : Kit au volant de sa camionnette, roulant sous une ogive de verdure ; Kit les bras chargés de fleurs ; Kit à moto, avec Savannah en croupe, fonçant sur une route bloquée aux deux bouts par des groupes de motards.

À un moment, j'ai perçu le bip de l'alarme, puis de violents hoquets, suivis de vomissements, et enfin la chasse d'eau.

Entre deux images, mon inconscient a cru bon de proposer comme bande sonore de ces différents sketches une rengaine tirée du spectacle *Lord of the Dance*. Et là, ça a été comme les mites dans la moquette : plus moyen de m'en débarrasser !

Dance, dance, wherever you may be...

Je me suis réveillée. Des lueurs grises teintaient à peine le bord du store. Remontant mes jambes en chien de fusil, j'ai rabattu un oreiller sur ma tête et l'ai coincé avec mon bras.

I am the lord of the dance, said he...

À huit heures, j'ai renoncé. À quoi bon m'énerver dans mon lit? L'ennui n'était pas tant de se lever tôt, que d'être obligé de le faire. Dans le cas présent, j'allais me lever parce que je l'avais décidé. J'ai écarté mes couvertures. Armée de l'excellent principe, érigé par moi en Loi Brennan et selon lequel il est inutile de se mettre sur son trente-six quand on ignore de quoi sera faite la journée, je me suis glissée dans ma tenue de la veille, celle dans laquelle j'avais fait mon numéro pour mon unique admirateur, le chat!

Laissant à ma machine Krups le soin de me préparer un café cent pour cent Kona, je suis allée me planter devant la porte-fenêtre. Il tombait une pluie régulière qui faisait luire les troncs et les branches et s'agiter les feuilles des buissons. Dans la cour, l'eau s'évacuait en rigoles le long des joints du dallage. Il n'y avait que les crocus pour s'en réjouir. Inutile de me raconter des salades, c'était la journée idéale pour faire la grasse matinée. Je me suis grondée: «Puisque tu ne trouves pas le sommeil, trouve-toi une occupation!»

Une veste jetée sur les épaules, j'ai foncé au coin de la rue acheter la *Gazette*. À mon retour, Birdie était roulé en boule sur une chaise de la salle à manger, prêt pour le rituel du samedi.

Des céréales Quaker dans un bol, un peu de lait pardessus et hop! sur la table de la salle à manger à côté du journal. Retour à la cuisine pour chercher le café. Bien. J'étais parée pour un long moment de lecture. Birdie suivait mes allées et venues d'un œil confiant, sachant qu'une partie de mes céréales lui était destinée.

Le Canada avait été montré du doigt par un comité des Nations Unies pour sa façon de traiter les aborigènes.

Dance, dance...

Le parti Égalité fêtait son dixième anniversaire. On se demande bien ce qu'ils célébraient, ceux-là, vu qu'ils n'avaient pas obtenu un siège aux dernières élections! Né d'une crise linguistique, ce parti s'était gardé de monter le

214

sujet en épingle pendant toute la décennie, se maintenant à coup de subventions. Ce qu'il leur aurait fallu, c'était un nouvel embrasement linguistique.

Tiens, le canal Lachine allait faire peau neuve ! Pas trop tôt. Une opération qui allait coûter plusieurs millions de dollars.

M'étant versée une seconde tasse de café, je suis allée porter son lait à Birdie.

Le canal Lachine, mais c'est là que nous avions patiné avec Kit, dimanche dernier !

Long d'une quinzaine de kilomètres, ce plan d'eau n'a pas toujours servi de dépotoir, comme tendraient à le faire croire les toxines et déchets qui s'y entassent aujourd'hui. Construit en 1821 pour contourner les rapides du même nom et permettre aux navires de relier l'Europe aux Grands Lacs, il a longtemps été partie intégrante de l'économie de la ville. Mais, depuis que la voie maritime du Saint-Laurent a été creusée en 1959, les choses ont bien changé. Certains bassins ont été comblés avec la terre provenant de la construction du métro, puis son embouchure, et la navigation a fini par y être interdite. Le quartier, aujourd'hui délabré et snobé par le public, n'a guère que sa voie cyclable à offrir. D'après l'article, un plan d'urbanisme prévoyait la réhabilitation du sud-ouest de la ville. Le canal allait donc devenir la pièce maîtresse de la renaissance de tout le secteur, comme l'avait été le parc du mont Royal, tracé il y a quelque cent vingt-cinq ans par Frederic Law Olmstead. C'était peut-être le bon moment d'y acheter un appartement, me suis-je dit en revenant m'asseoir à table.

Qu'y avait-il encore d'intéressant dans le journal ?

La GRC allait devoir réduire son budget de vingt et un millions de dollars pour couvrir les augmentations de salaire. J'ai revu le piquet de grève rue Guy et j'ai souhaité bonne chance à tous.

Les Expos l'avaient cédé aux Mets à 3 contre 10. Eh bien ! Finalement, New York n'avait peut-être pas eu tort d'allonger quatre-vingt-onze millions de dollars pour s'acheter les talents de Piazza.

L'inculpation de Dorsey était en page cinq, à côté d'un reportage sur les délits dans le cyberespace. L'article ne m'a rien appris, sinon que le prisonnier avait été transféré du Centre opérationnel Sud à la prison de Rivière-des-Prairies.

À dix heures, j'ai appelé Mme LaManche à l'hôpital. L'état de son époux était stationnaire, il ne pouvait toujours pas parler. Bien qu'épuisée, elle a décliné mon offre de l'aider. J'ai souhaité de tout mon cœur que ses filles soient auprès d'elle pour la soutenir moralement.

Le journal étant lu, à quoi m'occuper ?

J'ai trié le linge et fait une brassée de blanc.

Et si j'allais au centre sportif ? En short de basket-ball, t-shirt et souliers de course, j'ai marché de la maison jusqu'à l'angle de la rue McKay et de la rue Sainte-Catherine, et je suis montée au dernier étage par l'ascenseur.

Vingt minutes de tapis de marche, dix minutes de grimpette sur l'appareil imitant l'escalier, une demi-heure de lever de poids. Ma routine. Ce que j'aime chez Stones Gym, c'est qu'on arrive, on fait ses exercices, et au revoir ! Pas de chichis hi-tech, pas de moniteurs particuliers et un nombre minime de tenues choisies en vue d'épater la galerie.

Dehors, la pluie avait cessé. Les nuages s'effilochaient, laissant entrevoir un carré de bleu prometteur au-dessus de la montagne.

J'ai retrouvé une maison aussi silencieuse que celle dont j'étais partie. Birdie faisait passer son lait aux céréales à l'aide d'une bonne sieste, et mon neveu autre chose, à quoi je préférais ne pas penser.

Dance, dance...

Le répondeur ne clignotait pas. Mon dernier appel avait eu sur Ryan autant d'effet que les précédents. OK, Ryan. Message reçu, cinq sur cinq.

Ayant pris ma douche, je me suis installée à la grande table. Les dossiers de Kate ont succédé au journal. Photos à gauche, papiers à droite. J'ai commencé par les photos.

Après un rapide coup d'œil à Martin Deluccio, dit « Deluxe », à Eli Hood, surnommé « Robin », et à une douzaine d'autres motards de même acabit, barbus, barbichus, moustachus ou pas rasés depuis plusieurs jours, je suis passée à l'enveloppe suivante. Des photos en couleur. Portraits sur fond de stationnement, de piscine de motel ou de barbecue. Flous, pour la plupart, et mal cadrés, comme si on les avait pris à la hâte et en catimini. Événements insignifiants immortalisés par un simple quidam, touriste ou vendeur itinérant. Rencontres de hasard, brefs instants où le quotidien avait croisé le maléfique. Peur et fascination en Kodacolor. On imaginait le photographe, profitant que sa femme et ses enfants étaient partis aux toilettes pour sortir son appareil. On devinait ses mains moites, on entendait presque son cœur cogner dans sa poitrine. Et leur côté amateur donnait à ces photos un attrait et une vie dont étaient dépourvus les clichés de la police.

J'en ai pigé une dans le tas : station-service Esso. Six types sur des Harley dépouillées de tout accessoire. Entre eux et l'objectif, vingt mètres de distance et tout un univers. Je sentais de façon tangible l'admiration du photographe, la répulsion et la fascination que le monde des motards exerçait sur lui.

J'ai consacré l'heure qui a suivi à passer en revue les différentes enveloppes. Qu'ils soient photographiés par la police ou par M. Tout-le-monde, à Sturgis dans le Dakota du Sud, ou à Daytona Beach en Floride, les événements et les participants y étaient étrangement similaires : rallyes, virées, bars, discussions.

À une heure de l'après-midi, j'en avais ma claque. Il était temps d'avoir une petite conversation avec Kit. Je me suis armée de courage, et je suis allée frapper à sa porte.

— Kit ?
— Hmm !
— Il est plus d'une heure. Je voudrais te parler.
— Ouais ?
— Tu es debout ?
— Hmm !
— Ne te rendors pas !
— Cinq minutes.
— Déjeuner ou dîner ?
— Ouais.

Considérant que sa réponse se rapportait au second terme de ma question, lequel avait ma nette préférence, j'ai préparé des sandwiches jambon-fromage-concombres salés. Je dégageais la table pour le repas quand la porte de Kit s'est ouverte. Y a succédé un remue-ménage dans la salle de bains et mon neveu est apparu sur le seuil du salon. J'ai senti ma détermination faiblir. Il avait le tour des yeux grenat, le teint gruau trop cuit et les cheveux à la Jim Carrey.

— Bonjour, ma tante, a-t-il marmonné en se passant les deux mains sur le visage.

Un bout de tatouage a dépassé de la manche de son t-shirt.

— Encore un peu, et tu pourras me dire « Bonsoir ».

— S'cuse-moi. Je suis rentré tard.

— Oui. Un sandwich au jambon ?

— Bien sûr. T'as du Coke ?

Il avait la voix pâteuse.

— Diète.

— C'est correct.

Je suis allée chercher deux canettes au réfrigérateur. À mon retour, Kit fixait le sandwich avec l'air dégoûté de quelqu'un découvrant un cafard écrasé.

— Mange, ça ira mieux.

— Ça va... Faut juste que je mette mes yeux en face des trous.

Tu parles ! Il aurait couvé la variole qu'il n'aurait pas eu l'air mieux. Il avait le blanc des yeux parcouru de veinules roses et ses cheveux empestaient le tabac.

— Je connais ça, Kit. Je suis déjà passée par là !

Et de fait. Bouche sèche, mains qui tremblent, kilos de plomb au niveau du plexus, rien de tout cela n'a de secret pour moi. Lourdeur au réveil, nausée, martèlement dans le crâne, je n'ai rien oublié des lendemains de veille.

Kit s'est de nouveau frotté les yeux et a caressé la tête de Birdie. Je n'avais pas besoin d'un dessin pour deviner qu'il aurait préféré se trouver à mille lieues de moi.

— Mange, tu te sentiras mieux.

— Ça va.

— Prends une bouchée, je te dis.

Il a levé les yeux et m'a souri. Mais, très vite, les coins de sa bouche sont retombés, ses muscles étant incapables de tenir l'effort sans intervention manifeste de sa volonté. Il a mordu une bouchée de la taille d'une pièce de dix cents et a tiré sur la languette du Coke.

— Miam...

Tête renversée en arrière, il a bu une longue gorgée. Il était clair qu'il n'avait pas envie de m'entretenir de ses nouveaux amis. Moi non plus, en vérité. D'ailleurs, cela en valait-il la peine ? Après tout, il avait dix-neuf ans. Il avait fêté trop fort et il avait la gueule de bois. Qui n'a pas connu ça ?

Bien sûr, mais il y avait la voix sur le répondeur. Et ce tatouage tout neuf. Si, ça valait le coup de parler. Et même de creuser la question. À coup sûr, mes paroles ne transformeraient pas la situation. Kit était jeune, invulnérable et il était « né pour danser le boogie-woogie », comme disait sa mère. N'empêche, c'était mon devoir d'essayer.

— Qui c'est, le Prêcheur ?

Il a levé les yeux vers moi, tout en faisant rouler sa canette de Coke sur la table.

— Un gars que j'ai rencontré.

— Où ça ?

— Au concessionnaire Harley où je suis allé avec Lyle.

— Quel genre de gars ?

Haussement d'épaules, puis :

— Ordinaire. Juste un gars.

— Il t'a laissé un message.

— Ah bon ?

— Écoute-le. Moi, je n'ai pas pu le déchiffrer.

— Ça m'étonne pas. Il est un peu fêlé, le Prêcheur.

C'était le moins que l'on puisse dire.

— Comment ça ? ai-je insisté, décidée à en savoir davantage.

— J'sais pas. Un peu à côté de la plaque. Mais il conduit un *chopper* Panhead 64 qui est un vrai bijou !… Tu as trouvé mon mot ? a-t-il ajouté après avoir bu une gorgée de Coke. Excuse-moi si je t'ai fait veiller tard.

Visiblement, il cherchait une échappatoire. Il ne m'aurait pas comme ça.

— Qu'est-ce que c'était, cet événement capital ?

— Un match de boxe.

Il avait répondu d'une voix dénuée d'expression. Il devait avoir de la mie de pain à la place du cerveau. En tout cas, sa tête en avait la couleur.

— Tu t'intéresses à la boxe, maintenant ?

— Pas vraiment. Mais ces gars-là, oui. Alors, j'y suis allé.

— Quels gars ?

— Ceux que j'ai rencontrés.

— Au concessionnaire Harley ?

Il a haussé les épaules.

— Et ton tatouage ?

Il a relevé sa manche. Un scorpion surmonté d'une sorte de casque étendait sa patte en travers de son biceps gauche.

— Ça signifie quoi ?

— Rien. Je trouve ça tripant, c'est tout. Pas pire, hein ?

Je ne pouvais qu'abonder.

— Ta mère va me tuer !

— Harry ? Elle en a un sur la fesse gauche !

Il a prononcé les derniers mots avec une inflexion de la voix toute britannique.

Le silence est tombé.

I am the lord of the dance, said he…

Je mangeais mon sandwich, Kit tripotait sa canette entre deux bouchées minuscules.

— Je t'en rapporte une ? a-t-il fini par dire, en reculant sa chaise.

— Non, merci.

À son retour, j'ai repris l'interrogatoire.

— Tu as bu beaucoup, hier ?

— Trop.

Il s'est gratté la tête des deux mains et ses cheveux sont passés du style Jim Carrey à celui d'Einstein.

— Mais rien que de la bière, tante Tempe. Rien de plus fort. Et ici, j'ai l'âge légal.

— Et ça s'est arrêté à l'alcool ?

Il a laissé retomber ses bras pour me dévisager d'un air choqué.

— Si tu peux être sûre d'une chose, c'est que le gars en face de toi, il dit *niet* aux produits chimiques. Mon petit corps n'est pas le plus impressionnant du siècle, mais il est déclaré zone interdite à la dope.

— Tu m'en vois ravie.

Je l'étais sincèrement. Cela dit, Kit n'était pas tout seul. Je me devais d'enfoncer le clou :

— Et le Prêcheur et sa bande ?

— Hé, laisse-moi vivre ma vie !

— À ce petit jeu-là, on ne gagne pas à tous les coups, tu sais.

En fait de coup, je m'en suis donné moi-même un aux fesses, mentalement. C'était mon devoir de poursuivre.

— Ce sont des motards, ces types ?

— Bien. Tu devrais voir leurs Harley... Le rêve !

« Allez, ma vieille ! Plus direct, cette fois. »

— Ils sont affiliés à une bande ?

— Je leur pose pas toutes ces questions, ma tante. Si tu veux savoir s'ils portent des couleurs, la réponse est non. Est-ce qu'ils traînent avec des gars qui en portent ? Ouais, il y a des chances. Mais j'ai pas l'intention de tout laisser tomber pour faire de la publicité pour les Hells, si c'est ça qui t'inquiète.

— Les gangs de motards se fichent éperdument que tu les regardes avec des yeux de merlan frit ou que tu postules pour devenir membre. Si jamais tu les gênes, même juste un peu, ils te boufferont tout cru et te recracheront dans l'autre monde, comme un vulgaire pépin de raisin. Et moi, je n'ai pas envie que ça t'arrive.

— J'ai vraiment l'air si con ?

— Tu as l'air d'un jeune de dix-neuf ans qui débarque de Houston, qui est fasciné par les Harley et qui se fait une image romantique de l'*Équipée sauvage*.

— De quoi ?

— Le film de Laszlo Benedek.

Regard vide de Kit.

— Avec Marlon Brando.

— Ce nom-là, je l'ai déjà entendu.

— Laisse tomber.

— Je fais juste m'amuser. Vivre un peu librement.

— Comme un chien qui met la tête à la fenêtre d'une voiture, jusqu'au jour où il laisse sa cervelle sur un panneau indicateur.

— Ils ne sont pas aussi mauvais.

— Pas mauvais, eux ? Ils ont sauté une coche sur le plan moral, tu veux dire !

— Ils disent des choses pas si bêtes que ça. De toute façon, je sais ce que je fais.

— Justement, non. Ces dernières semaines, j'en ai appris sur les motards plus que j'aurais voulu en savoir. Et rien de bien, crois-moi. Oh, je suis certaine qu'ils couvrent leurs enfants de joujoux à Noël, mais ça ne les empêche pas d'être des bandits qui méprisent les lois et n'hésitent pas à employer la violence.

— Qu'est-ce qu'ils ont donc de si affreux ?

— Ils sont inconscients, traîtres, et ils s'attaquent aux faibles !

— Qu'est-ce qu'ils font ? Ils extirpent les bébés du ventre de leur mère avec des cintres ? Ils violent les bonnes sœurs ? Ils descendent les petits vieux dans les fast-food ?

— Pour commencer, ils font le commerce de la drogue !

— On peut en dire autant de tous les laboratoires pharmaceutiques.

— Ils posent des bombes en se fichant de bien savoir si elles tueront des femmes et des enfants. Ils enferment les hommes dans des conteneurs, les conduisent dans des lieux reculés pour leur péter la cervelle, quand ce n'est pas pour les découper à la scie. Après, ils entassent les morceaux dans des sacs verts et les jettent dans le port à partir du quai.

— Sacrifice, tu vas pas me faire la morale pour quelques bières avec des copains !

— Ce n'est pas un monde pour toi.

— Je n'ai fait qu'aller à un simple match de boxe !

Il a planté son regard vert dans le mien. J'ai vu sa paupière inférieure tressaillir. Les yeux fermés et la bouche ouverte, il a appuyé fortement sur ses tempes en tournant. Le sang devait faire du surplace derrière ses orbites.

— Je t'aime comme mon fils, Kit. Tu le sais.

Il continuait d'éviter mon regard, mais son dos affaissé m'avouait qu'il était embêté. J'ai insisté :

— Et j'ai confiance en toi, tu le sais aussi. Je veux que tu comprennes qui sont ces gens. Ils seront super sympathiques avec toi, ils répondront à toutes tes questions sur les Harley, ils se fendront en quatre pour gagner ta confiance et, après, ils te demanderont juste un coup de main. Sauf que ce petit service de rien du tout fera partie d'une transaction illégale, et qu'ils se seront bien gardés de te mettre au courant.

Nous sommes restés un long moment sans échanger un

mot. Dans la cour, les moineaux se battaient pour entrer dans la cloche-mangeoire. Brusquement, gardant toujours la tête baissée, Kit m'a interpellée :

— Et toi, tante Tempe, tu t'amuses à quoi, ces temps-ci ?

— Pardon ?

— Tu filerais pas un mauvais coton, toi aussi ?

— Quoi ?

— En fait de mauvaises fréquentations, on peut se serrer la main, non ?

— De quoi tu parles ?

— Tu n'en fais pas des secrets, toi ? Tantôt, tu me fais voir une affaire, tantôt tu m'en dissimules une autre…

— Je te cache des choses, moi ?

Il me fixait sans ciller, de ses yeux au blanc couleur eau rosée.

— Je t'ai entendue, l'autre soir chez Isabelle ! Et tout à l'heure aussi, quand tu as dit que tu avais vu plus de merde en deux semaines que les trois quarts des gens au cours de toute leur vie ! Je l'ai vu, ton œil dans l'enveloppe, et je t'ai vue filer comme une flèche pour une destination inconnue, un mystérieux paquet sous le bras ! Est-ce que je t'ai posé des questions, moi ?

Il a détourné les yeux et s'est remis à tournicoter sa canette.

— Non ! Parce que tu me claques la porte au nez chaque fois que j'essaie de t'interroger. Alors pourquoi je te raconterais tout, moi ?

— Kit, je…

— Et je le vois bien, que tu as un problème avec ce Ryan ! Tu es plus susceptible qu'un chef de secte au moment de payer ses impôts.

J'ai ouvert la bouche ; rien n'en est sorti.

— Tu me harcèles sous prétexte que je me défoncerais et, moi, j'ai pas le droit de rien savoir sur ce qui se passe ici ?

J'étais trop ahurie pour répondre.

Gêné par sa sortie, Kit se mordillait la lèvre inférieure, en fixant le plancher. Sa tête se détachait en sombre sur les rideaux de mousseline illuminés par le soleil.

— C'est pas pour me plaindre, a-t-il repris, mais quand

j'étais petit, tu étais la seule à m'écouter. Harry était...

Il se frottait les doigts à la recherche du mot juste.

— Bon, Harry, c'est Harry, on va pas s'étendre là-dessus. Mais toi, tu m'écoutais, tu me parlais. Et maintenant, tu me traites comme si j'étais un retardé mental !

Il n'avait pas tort. C'est vrai que j'étais restée évasive quand il m'avait interrogée. Je vis seule et ne discute des cas sur lesquels je travaille qu'avec mes collègues. Exclusivement. Avec le reste du monde, je dévie systématiquement la conversation quand on m'interroge. Je n'avais pas réservé à Kit un traitement préférentiel. Et voilà que, ce matin, j'exigeais de but en blanc qu'il fasse une exception pour moi. Qu'il me rende compte de tous ses faits et gestes.

— Ce que tu dis est à la fois juste et injuste. Je reconnais que je n'ai pas répondu à tes questions, mais ce n'est pas par amour des cachotteries. Je suis tenue au secret. Ça fait partie de mon métier. Je n'ai pas le droit de discuter des enquêtes en cours. Tu veux savoir ce que j'ai fait ?

Il a haussé les épaules.

— Je m'en fiche. Comme tu voudras.

J'ai regardé ma montre.

— Va prendre ta douche pendant que je desser. On va aller se promener sur la montagne, je te raconterai des choses. Ça marche ?

— Ça marche.

Réponse à peine audible.

Mais cette décision n'était pas le meilleur des marchés à conclure.

Chapitre 25

Les gens d'ici l'appellent la montagne, mais n'allez pas croire qu'elle cherche à rivaliser avec les pics escarpés des Rocheuses ou avec les nobles sommets des Smoky de ma Caroline natale. Vestige d'un ancien volcan, le mont Royal est un mamelon aux flancs modelés en pentes douces par des millions d'années et qui repose aujourd'hui au cœur de la ville, tel un gros ours endormi. Cependant, bien que sa hauteur soit dérisoire et son absence de majesté un fait établi, la montagne fait plus que donner son nom à la ville : elle en est la colonne vertébrale. L'Université McGill, sur le flanc est, se trouve à l'opposé de Westmount, quartier à prédominance anglophone, tandis que l'Université de Montréal et le quartier français d'Outremont occupent le flanc nord. À ses pieds, s'étend le centre-ville. Là, les mondes de la finance, de l'industrie et des loisirs cohabitent avec la population sans souci d'appartenance linguistique.

Avec ses promontoires, ses parcs et ses cimetières, avec ses rochers moussus et ses sous-bois, la montagne est aux beaux jours le paradis des amoureux, des promeneurs et des mordus du pique-nique, pour devenir, durant les mois d'hiver, celui des patineurs et des passionnés de traîne sauvage et de raquettes. Pour moi, comme pour tous les Montréalais, elle est surtout le sanctuaire où l'on vient s'abriter du tumulte.

En ce début d'après-midi, la température était à la petite laine, même si le ciel n'avait plus un nuage. Nous avons traversé le boulevard de Maisonneuve et remonté la rue Drummond. À gauche d'un grand immeuble circulaire posé sur une base cintrée en forme de proue de frégate, nous avons grimpé un escalier de bois et débouché sur l'avenue des Pins.

— Qu'est-ce que c'est, ce bâtiment ? m'a demandé Kit.

— Le pavillon McIntyre des sciences médicales, qui fait partie de l'Université McGill.

— On dirait l'immeuble des disques Capitol à Los Angeles.

— Mouais.

À mi-hauteur de la pente, l'air s'est empli d'une forte odeur de mouffette.

— Une belle puante, comme on dit ici.

— C'est joli à l'oreille, mais ça pue autant que notre saleté du Texas ! a répondu Kit en se bouchant le nez. Ça t'ennuie si on accélère ?

— Pas du tout.

Pure contrevérité de ma part, car j'étais hors d'haleine. Arrivés tout en haut, nous avons traversé l'avenue des Pins une seconde fois et suivi une petite route en lacets jusqu'à un soubassement de ciment que nous avons escaladé avant de bifurquer à droite, pour gravir un autre sentier et grimper encore une volée de marches en bois. Ouf ! Nous étions au sommet. Un peu plus, et je réclamais un défibrillateur de toute urgence ! Je me suis arrêtée pour reprendre mon souffle, laissant Kit continuer au pas de course jusqu'au belvédère. Quand ma respiration a bien voulu redescendre de la troposphère, je suis allée le rejoindre près de la balustrade.

— C'est extraordinaire ! a-t-il dit, en plissant les paupières pour mieux discerner les deux mâts de cuivre sur le réservoir McTavish.

Il avait raison. Du haut de la montagne, la vue est une pure merveille. La ville semble dérouler son spectacle sur la scène d'un théâtre en rond. Au premier plan, s'élèvent les gratte-ciel, les immeubles à toits plats, les cheminées d'usines et les clochers des églises du centre-ville. Viennent ensuite le port, les quais et le Saint-Laurent, voie fluviale de la ville. Enfin, tout au fond, par delà les monts Saint-Bruno et Saint-Hilaire, s'étirent les Cantons-de-l'Est.

Kit a repéré sur les tables d'orientation les lieux que je lui désignais : la Place-Ville-Marie, le stade de football de

McGill, l'Hôpital Royal Victoria, l'Institut neurologique de Montréal et son hôpital. La vue de ce bâtiment m'a rappelé le Dr Russell et les tristes choses qu'elle m'avait apprises au sujet de Savannah Osprey.

— Viens, Kit! Je vais te dire ce que j'ai fait ces derniers temps.

Après avoir monté les quelques marches d'un large escalier de pierre et louvoyé entre des bicyclettes abandonnées sur le flanc, nous avons pris place sur un banc de bois près de l'entrée du chalet. Des pigeons roucoulaient doucement dans l'épais feuillage au-dessus de nos têtes.

— Par où commencer?

— Par le début.

— D'accord, gros malin!

— Le Québec détient la gloire douteuse d'être l'unique endroit de la planète où se déroule actuellement une guerre de motards.

— Entre Rock Machine et Hells Angels, comme tu l'as dit chez Isabelle?

— Exactement. L'enjeu est le contrôle du trafic de la drogue.

— Quelle drogue?

— Cocaïne, principalement.

Une cargaison de Japonais a déboulé du stationnement et s'est tracé un chemin jusqu'à la rambarde où ils ont entrepris derechef de se photographier les uns les autres, dos à la vue, selon toutes les combinaisons possibles et imaginables.

— J'ai été appelée à travailler sur la question, il y a environ deux semaines, quand deux Heathens, un club école des Rock Machine, sont morts dans l'explosion de la bombe qu'ils s'apprêtaient à poser au repaire des Vipères.

— Et c'était qui, ces exploseurs explosés?

— Le Clic et le Clac Vaillancourt. Des jumeaux.

— Les Vipères marchent avec les Hells Angels?

— Oui. Le tireur qui les a abattus a été arrêté.

— Tireur-Vipère… Pas pire.

— Et l'enquête a conduit à la découverte des deux corps dont nous avons parlé l'autre soir.

— Enterrés sur la propriété des Vipères?

— Oui.

— Il est où, leur repaire ?

— À Saint-Basile-le-Grand.

Une étrange expression est passée sur les traits de Kit, mais il n'a pas fait de commentaire.

— Les corps ont été identifiés par la suite comme étant ceux de deux Tarantulas, un club qui n'existe plus, mais qui était actif dans les années soixante-dix, quatre-vingt.

— Et la fille que tu as retrouvée là-bas ?

— C'était Savannah Claire Osprey. Elle était de Shallotte, en Caroline du Nord. C'est pour cela que je suis allée à Raleigh. Elle avait seize ans quand elle a disparu.

— Qui l'a tuée ?

— Ça, j'aimerais bien le savoir.

— Et comment s'est-elle retrouvée là ?

— Même réponse. Mais laisse-moi revenir en arrière. Avant la découverte de Saint-Basile, un autre monsieur a été assassiné, un certain Richard Marcotte, dit l'Araignée. Lieutenant des Vipères. Abattu en bas de chez lui par un tueur à bord d'une voiture, peut-être sur ordre des Heathens en guise de représailles pour le Clic et le Clac.

— Eh bien, voilà qui va économiser de l'argent aux contribuables !

— Pas vraiment, parce que la population a quand même payé son dû en la personne d'une petite fille, atteinte par une balle perdue.

— Ah oui. Celle qui avait neuf ans. Elle est morte ? a-t-il demandé, le regard vrillé dans le mien.

J'ai hoché la tête.

— Elle s'appelait Emily Anne Toussaint. C'était le jour où Howie et toi m'avez ramené le chat.

— Sacrifice !

— Depuis, je travaille sur ces motards. Alors, tu peux imaginer mon manque d'enthousiasme quand je vois que tu les fréquentes.

— Et que tu découvres mon tatouage…

— Et la liste ne s'arrête pas là.

J'ai surpris une étincelle dans ses yeux, bien qu'il se soit tenu dans l'ombre de l'avant-toit.

— La semaine dernière, un autre motard a été tué. Yves Desjardins, surnommé Cherokee.

— De quel côté, lui ?

— Predator. Allié des Hells.

— Le score en est donc de deux partout ?

— Peut-être pas. Parce que Cherokee n'était plus tout à fait jeune et plus vraiment dans le coup depuis un bon moment. Et, aussi, parce qu'il avait un petit réseau de coke à lui.

— Ce qui veut dire qu'il a pu être effacé par des gens de son bord ?

— C'est possible. On n'a pas encore toutes les données du problème. Pour le moment, on piétine.

En dernier lieu, j'ai mentionné à Kit la maladie de LaManche.

— Peut-être que c'est les autres qui l'ont eu, ton patron.

— Qui ça, les autres ?

— Les Hells. Peut-être qu'il y avait quelque chose dans le cadavre du gars qu'il autopsiait qu'il ne fallait pas qu'il voie ?

— Je ne crois pas, Kit.

— Ils lui ont peut-être fait ingurgiter un poison, tu sais, ces trucs qui ne laissent pas de trace ?

— Les salles d'autopsie sont gardées et surveillées.

— Il y a peut-être une taupe à votre labo !

J'ai éclaté de rire.

— Toi, alors ! Ne nous laissons pas emporter par notre imagination.

Il a tourné la tête et regardé les sommets brumeux, loin derrière les Japonais. Près de nous, une porte a claqué et les pigeons se sont enfuis des marches.

— Je me sens vraiment nul, tante Tempe ! Ton patron est entre la vie et la mort, tu jongles avec les cadavres et, moi, je te tombe dessus avec un poisson que j'abandonne dans ta cuisine pour aller faire le finfinaud en ville.

Les Japonais revenaient vers nous.

— Et moi, j'étais trop occupée pour suivre à la loupe tout ce que tu faisais. Enfin… On continue ?

— Les randonnées, j'adore ça !

Nous avons contourné le chalet et emprunté l'un des nombreux chemins de terre qui sillonnent la montagne. Nous marchions en silence, regardant les écureuils détaler dans les feuilles mortes, ravis que le printemps soit de retour.

Les arbres résonnaient de pépiements, de trilles et de gazouillis. À un moment, nous nous sommes arrêtés pour écouter un musicien qui jouait une adaptation de l'*Ode à la Joie*. Sous son chapeau à oreillettes, il avait la concentration d'un virtuose pendant un concert symphonique.

Nous marchions en direction de l'ouest quand, soudain, le dôme de l'oratoire Saint-Joseph a surgi à l'horizon. J'en ai profité pour raconter à Kit les tribulations du cœur du frère André. Volé sur l'autel de la crypte, il avait abouti à notre labo au terme d'une véritable chasse à l'homme à laquelle la population s'était ralliée en masse. Depuis, il avait réintégré ses quartiers au sous-sol de l'église, dans un reliquaire désormais placé sous surveillance. On apercevait au sud la tour jaune pâle de l'École Polytechnique de l'Université de Montréal. Treize femmes y avaient été massacrées en 1990, mais j'ai préféré ne pas relater l'événement à Kit, pour ne pas assombrir une aussi belle journée.

Mon neveu n'a pas fait montre d'une semblable délicatesse à mon égard. Il a abordé le sujet Ryan, alors que nous nous engagions dans la descente. J'ai esquivé de mon mieux :

— C'est un ami.

— Harry m'en a parlé. Il est détective, n'est-ce pas ?

— Oui. À la Sûreté du Québec.

Je l'avais présenté à ma sœur quand elle était venue à Montréal. L'étincelle qui s'était produite entre eux au premier contact ne m'était pas passée inaperçue. Obligée de quitter la ville dans les jours qui avaient suivi, je n'avais jamais su si le feu avait pris. Je n'avais pas osé interroger Ryan, mais je m'étais tenue loin de lui un bon bout de temps après cela.

— Et qu'est-ce qui lui arrive, à lui ?

— Il a des pépins.

— De quelle sorte ?

Une calèche allant dans la direction inverse à la nôtre est passée sur le lacet au-dessus de nous. Le clappement de langue du cocher et le claquement des rênes sur le cou du cheval ont volé jusqu'à nous.

— Il serait mêlé à une histoire de drogue.

— Usage ?

— Vente.

Malgré tous mes efforts, je n'avais pu empêcher ma voix de trembler. L'écho des sabots a diminué et s'est éteint tout à fait.

— Je vois… Et tu l'aimes bien, cet homme, hein?

— Oui.

— Plus qu'oncle Peter?

— Ça ne te regarde pas, Kit.

— S'cuse-moi.

Pour changer de sujet, je lui ai demandé ce qu'il avait fait de son poisson.

— Je l'ai mis au congélateur.

— Voilà ce que je propose : on sort Mme Truite du frigo et on passe en revue les motards, le temps qu'elle décongèle. Après, on se la fait griller au barbecue et, encore après, je t'offre une bière chez Hurley's.

— D'accord, sauf que c'est un saumon.

Nous avons coupé par l'Hôpital général et par le chemin de la Côte-des-Neiges. Arrivée en bas de la montagne, j'ai levé la tête vers la croix.

— Tu l'as vue, la nuit quand elle brille?

— Oui. C'est super.

— D'en bas, oui. De près, c'est seulement des ampoules entassées sur du grillage. Comme Andrew Ryan, tu vois. De loin, ça brille. Mais, de près, c'est n'importe quoi.

Chapitre 26

Dans mes cours d'introduction à l'anthropologie, je me réfère toujours aux agriculteurs du Berawan pour démontrer l'absurdité de nos coutumes funéraires. Selon les croyances de cette peuplade de l'île de Bornéo, qui habite des villages faits d'une unique maison communale, l'âme des morts ne s'envole vers la vie éternelle qu'une fois le corps entièrement décomposé. Avant cela, elle erre dans les limbes, coupée du monde des vivants, mais sans avoir intégré celui des morts. C'est une période très délicate, car les esprits malveillants qui parcourent le monde en quête d'un corps dans lequel s'incarner peuvent élire celui du défunt, qui revient alors à la vie sous forme de mort-vivant contre qui la mort est sans pouvoir. Inutile de dire que les villageois n'apprécient guère qu'il rôde dans le voisinage.

En apprenant de l'ethnographe américaine les traditions qui sont les nôtres, les habitants du Berawan furent dégoûtés. Horrifiés, même. À leurs yeux, embaumer les morts, les embellir à grand renfort de cire et de cosmétiques, les enfermer dans des cercueils et des caveaux étanches sont des actes de pure folie. En agissant ainsi, nous ne faisons pas seulement perdurer une situation déjà bien pénible pour des êtres qui nous sont chers ; avec nos cimetières, nous offrons de véritables réserves à zombies aux esprits malveillants.

Voilà ce à quoi je pensais, en contemplant les funérailles d'un certain Bernard Silvestre. Le poisson prenant une éternité à décongeler, j'avais décidé de poursuivre ma revue des photos prêtées par Kate en compagnie de mon neveu. Le motard en question reposait dans un cercueil ouvert, moustache et favoris parfaitement lissés, mains pieusement jointes sur sa veste de cuir noir. Dix hommes en jeans et bottes de moto étaient accroupis en demi-cercle devant le catafalque, quatre autres montaient la garde aux coins. Mis à part l'uniforme de leur fraternité et leur aspect minable, ils avaient tout du chœur antique.

En arrière-plan, d'un bord à l'autre de la photo, s'alignaient des sculptures florales qui rappelaient en petit, par leur préciosité, les compositions qui célèbrent le Rose Bowl de Los Angeles, si ce n'est que les rubans exprimaient ici des condoléances, et non des vœux de victoire aux équipes disputant le traditionnel match du jour de l'An. L'un, en bleu sur jaune, disait « Au Rusé », un autre « Salut, B.S. », en rose et rouge ton sur ton celui-là, tandis qu'au centre de l'image, juste derrière le cercueil, un chiffre 13 en œillets témoignait des rapports du Rusé avec l'herbe et les amphétamines. La médaille, toutefois, revenait indéniablement à la mosaïque de pétales, en haut à droite de la photo, représentant une moto et son pilote, avec barbe, lunettes et ailes d'ange dans le dos. Il y avait même les bannières, au-dessus du casque et sous la roue avant, mais elles étaient indéchiffrables.

— Tu sais des choses sur ce Rusé ? m'a demandé Kit.

— Non. Mais son enterrement n'a pas l'air d'avoir été de la petite bière !

— Ouais. Suffit de voir comment sa bière à lui était capitonnée !

Il a retourné la photo.

— Tu as vu, il a crevé quand j'avais à peine trois ans !

Il y avait encore deux images de la foule aux obsèques, toutes deux prises de loin : l'une au cimetière, l'autre sur le parvis de l'église. On ne comptait pas les casquettes au ras des yeux et les foulards qui dissimulaient le bas du visage.

— L'assistance éplorée ne semblait pas vouloir étaler son chagrin. Collection de la police, je suppose.

J'ai passé à Kit mes photos. Plongé dans la contemplation de celle qu'il avait entre les mains, il m'a laissée le bras tendu.

— Sacrifice ! Ça, c'est une moto chromée ! Pas étonnant que le gars ait roulé avec elle jusqu'au cimetière.

J'ai fait le tour de la table pour venir regarder par-dessus son épaule. C'était le portrait d'une moto à côté de la tombe.

— Un peu trop dénudée pour mon goût.

— C'est ça la beauté! De la puissance à l'état brut. Au départ, il devait avoir une poubelle et...

— Une poubelle?

— Une moto de la police. Probablement une FLH Touring. Il a dû se débarrasser de tout ce qui n'était pas indispensable, pare-brise, arceaux de protection, caissons à bagage, pour se faire poser des pièces carénées exprès pour lui.

À mon avis, on avait retiré tout ce qui faisait le charme d'une motocyclette mais, évidemment, je n'étais pas experte.

— Explique-moi.

— Prends la roue avant, a répondu Kit en désignant les éléments l'un après l'autre. Étroite. Le réservoir, en forme de cercueil. Le garde-boue arrière, rehaussé, et la selle en fuseau. Ça, c'est ce qu'il y a de plus cool sur cette bécane, ça te donne vraiment l'impression de chevaucher le moteur.

Il a posé le doigt sous la roue avant.

— Il a fait rallonger l'avant et rajouter un guidon surélevé.

Probablement le large guidon cintré qui oblige le pilote à conduire, le corps rejeté en arrière, me suis-je dit.

— Puis regarde ce travail de peinture et de moulure! Wow! j'aimerais bien ça la voir de près, cette œuvre d'art. Dommage seulement qu'il n'y ait pas de barre à filles, sinon ça serait la perfection.

— Un bar? Avec des filles qui servent des cocktails?

— *Une* barre. À l'arrière de la selle. Pour que les filles puissent se tenir.

Ce bolide n'était pas moins bizarre que son propriétaire, un type plus chevelu que le Wookie de *La Guerre des étoiles*. Avec ses jambières, ses bracelets de cuir et son gilet couvert d'insignes et de blasons, c'était la terreur incarnée.

— Je vais donner des coups de fourchette à M. Saumon. S'il persiste à jouer au glaçon, on le fera exploser au microondes.

Et c'est ce que nous avons fait, car le poisson ne voulait

rien entendre. Après, nous l'avons jeté sur le barbecue pour lui donner un petit fini bien grillé. J'ai mis du beurre dans les haricots verts et j'ai touillé la salade, laissant à Kit le soin de découper le produit de sa pêche.

Nous venions à peine de déplier nos serviettes quand le téléphone a sonné. J'ai décroché. Une rude voix de mâle a réclamé Kit. Sans dire un mot, je lui ai tendu l'appareil.

— Salut, *man*, quoi de neuf... Impossible, a dit mon neveu, les yeux fixés sur une tache sur la table de verre.

Pause.

— Ça marche pas.

Il a changé le téléphone de main et s'est mis à gratter de l'ongle la salissure.

— Pas ce soir.

La voix à l'autre bout du fil me parvenait, âpre et fâchée bien qu'étouffée par l'oreille de Kit. Un aboiement de chien enfermé à la cave. Je me suis tendue.

— C'est comme ça.

La voix s'est faite plus forte, agitée. Évitant mon regard, Kit est sorti de table pour continuer sa conversation loin de mes oreilles. J'ai embroché un haricot vert, je l'ai mâchouillé et je l'ai avalé. J'ai répété l'action, mécaniquement. Mon appétit s'était envolé.

Cinq bouchées plus tard, Kit était de retour. Son expression m'a fait mal. J'aurais voulu le prendre dans mes bras et lui caresser les cheveux en arrière comme lorsqu'il était petit, mais ce qui lui arrivait n'était pas du domaine de l'écorchure au genou. Lui exprimer ma tendresse, au cas où il l'aurait acceptée, n'aurait fait qu'accroître son malaise. Je ne pouvais que constater son désarroi.

Sur un grand sourire, épaules levées et paumes tournées vers moi, il s'est rassis à table et s'est absorbé dans le découpage de son poisson, m'offrant le spectacle de son crâne.

— C'est vraiment bon, a-t-il fini par lâcher, les yeux levés sur moi, en attrapant son thé glacé. Oui, c'était un de ces gars. Et, non, je n'y vais pas.

Brusquement, je me suis sentie une faim de loup.

L'appel suivant a retenti alors que nous finissions de débarrasser la table. Kit a décroché. Les clapotis et les soufflements du lave-vaisselle m'ont empêchée d'entendre ce qu'il disait. Au bout d'un instant, il a passé la tête par la porte.

— C'est Lyle. J'ai dû lui dire que j'aimais les brocanteurs parce qu'il nous invite à une vente de propriété, demain.

— À une quoi ?

— Un genre de marché aux puces dans un coin qui s'appelle Hudson. Il a pensé que ce mot-là te convaincrait peut-être.

Le double langage m'a laissée de glace. J'aimais bien me balader à Hudson, mais pas au point d'y passer l'après-midi avec Crease.

— Vas-y sans moi, Kit. C'est très joli par là-bas, c'est le pays des chevaux. J'ai plein de trucs à faire que je n'arrête pas de remettre à plus tard.

— Comme quoi ?

— Me faire couper les cheveux, par exemple.

— Dans ce cas…

Il est reparti dans le salon. J'ai fini d'essuyer le plan de travail, sidérée de me sentir rassurée de savoir mon neveu avec ce journaliste plutôt qu'avec le Prêcheur. Et pourtant, il était plus visqueux qu'une anguille, ce reporter. Pour les entourloupettes, il en aurait remontré au dernier des bonimenteurs. Que pouvait-il trouver d'intéressant à un adolescent de dix-neuf ans ? Je n'étais pas inquiète pour Kit. Il ne se laisserait pas embobiner, j'en étais sûre. Néanmoins, j'allais cuisiner Isabelle à propos de Crease. En attendant, ne pas m'énerver inutilement. Me donner un coup de peigne et emmener Kit écouter les cornemuses, comme promis.

De tous les bistrots de Montréal, Hurley's est assurément celui qui ressemble le plus à un pub irlandais. J'ai beau ne plus lever le coude, j'aime toujours autant ce genre d'atmosphère. La faute à mes gènes gallois, probablement. L'endroit a remporté le même succès auprès de Kit qu'auprès de sa mère, le soir où je l'y avais emmenée. Montrez-moi l'individu que ne déridant pas cornemuse et mandoline et la vue de tant de Nijinsky atteints de la danse de Saint-Guy ! Nous sommes restés là-bas jusqu'à minuit passé.

Le lendemain matin, j'étudiais les photos abandonnées

la veille quand Lyle Crease a débarqué. Il portait sa tenue de combat : pantalons de grosse toile, chemise blanche à manches longues, anorak avec *CTV News* brodé sur le cœur. Ses cheveux avaient tout du moulage en plastique.

— Kit sera prêt dans un instant. Il a passé tout droit, ce matin.

— *No problem !* a gloussé le journaliste avec un sourire entendu que je ne lui ai pas retourné.

— Je peux vous offrir un café ?

— Non, merci. J'en ai déjà bu trois.

Et de me dévoiler des kilomètres de couronnes dentaires avant d'enchaîner :

— Ce temps splendide ne vous fait pas changer d'avis ?

— Non, non. J'ai une foule de choses à faire que je ne peux plus remettre. Merci quand même. Vraiment.

— Eh bien, une autre fois peut-être ?

« Quand les poules auront des dents ! » aurais-je volontiers dit tout haut, tandis que nous restions plantés dans l'entrée. Il a repéré le portrait de Katy.

— Votre fille ? Un charme fou, a-t-il dit en allant le prendre. Étudiante ?

— Oui.

Son regard fureteur a dévié vers la salle à manger.

— Des marguerites, mes fleurs préférées ! Vous devez avoir un sérieux admirateur ! Je peux ?

J'ai signifié mon accord par un hochement de tête. Pourtant, j'aurais eu autant de plaisir à voir le démon de *L'Exorciste* flâner dans mon appartement. Crease est allé renifler le bouquet. Des fleurs, ses yeux ont glissé sur les photos de motards, éparpillées sur la table.

— Je vois que vous êtes plongée dans les archives…

— Voulez-vous vous asseoir ? ai-je proposé en indiquant le sofa du salon.

Il venait de reposer une photo pigée dans le tas et en étudiait une autre.

— Je crois savoir que vous participez à l'enquête Cherokee Desjardins.

— De loin, seulement.

Je me suis dépêchée de rassembler le reste des photos.

Profond soupir de Crease, les yeux fixés sur l'image :

— Le monde devient complètement fou !

Moi, main tendue pour récupérer la photo des funérailles de Silvestre :

— C'est bien possible.

Il est allé s'asseoir sur le divan comme je l'y invitais du geste et, croisant les jambes, a lancé :

— Si je ne me trompe pas, Dorsey a été inculpé de meurtre et transféré à Rivière-des-Prairies.

— Je l'ai entendu dire, en effet.

— Vous croyez que c'est lui ?

— Je ne participe pas vraiment à l'enquête, vous savez, ai-je répondu sèchement, agacée par ses questions.

— Et la petite Osprey ? Quoi de neuf sur ce front ?

L'envie me démangeait de lui répliquer : « Et si tu t'occupais du tien, ton front, et de ta mèche ridicule ? » quand, par bonheur, mon neveu a fait son apparition vêtu d'un Levi's et chaussé de bottes, un chapeau texan sur le crâne. Image parfaite du cow-boy des villes. J'ai bondi sur mes pieds.

— À votre place, je ne tarderais pas, sinon toutes les bonnes affaires se seront envolées.

— Quelles bonnes affaires ? a demandé Kit.

— Les cannes à pêche et les t-shirts d'Elvis.

— Je serais plutôt à la recherche d'*una Madonna* en plastique.

— Pour les madones, je te conseille la cathédrale.

— Je ne parlais pas de la mère du petit Jésus.

— Fais bien attention, toi ! ai-je lancé, en le menaçant du doigt.

— C'est mon petit nom, Attention ! Christopher Howard, dit Kit ou Attention. « Tention », pour les intimes.

Il a porté deux doigts à la lisière de son chapeau, tandis que son compagnon me disait au revoir. En glissant sa main du haut de mon épaule pour s'arrêter à hauteur du coude et effectuer une pression des doigts, assortie d'un regard lourd de sous-entendus.

— Prenez soin de vous.

Ce que j'ai fait au plus vite, sous forme d'une longue douche.

Fleurant bon le santal, j'ai entrepris de consulter mes

courriels. Pas de quoi faire trembler la planète ! Problèmes soumis par des étudiants auxquels j'ai proposé des solutions ; photo d'un crâne bizarroïde adressée par un pathologiste qui voulait connaître mon point de vue et qui l'a eu ; lettre de mes trois nièces de Chicago, filles de la sœur de Peter, pour m'informer des dernières tribulations de la large famille lettonne de mon ex-mari ; enfin, photo assez rigolote d'un cochon sur fond de gratte-ciel, envoyée par un collègue de l'Institut de pathologie des Forces armées que j'ai remercié.

À une heure et demie, j'ai éteint l'ordinateur et appelé Isabelle.

Sortie, évidemment.

Cherchant un prétexte pour mettre le nez dehors, j'ai décidé d'aller chez le poissonnier acheter des crevettes géantes. Je n'avais pas traversé la rue qu'une photo à la devanture de *Coiffure Simone* a brisé mon élan. Portrait en noir et blanc d'une dame élégante et sans chichi, à l'air désinvolte et cependant responsable. J'allais poursuivre mon chemin quand j'ai aperçu mon reflet dans la vitrine. Un air à figurer dans le sketch « avant » d'une pub pour shampooing ! Une petite coupe ne me ferait pas de mal, d'autant plus que c'était l'excuse que j'avais donnée à Kit. Cela faisait des siècles que je n'étais pas allée chez le coiffeur, et le salon offrait un rabais de cinq dollars le dimanche. Dollars canadiens, soit trois dollars cinquante US. Cela dit, un autre aspect de la question méritait réflexion : cette coupe-là me prendrait-elle plus que les dix minutes que j'accorde à cette partie de ma toilette le matin ? Non. Et une nouvelle coupe de cheveux pouvait me donner de l'allant... Elle pouvait aussi me défigurer... Oui, mais les cheveux, ça repousse !

Sur cet argument frappant tiré du répertoire de ma mère, j'ai poussé la porte.

* * *

Des heures plus tard, je soupais en tête-à-tête avec des kangourous qui boxaient furieusement pour prendre le contrôle du clan. Eux, ils étaient sur *Discovery Channel*, mais, dans le salon, c'est moi qui subissais les regards furibonds de mon chat pendant que je mangeais mes crevettes.

— Fais pas ta mauvaise tête, Birdie. Ça repousse, les cheveux. Et ton soutien moral ne me serait pas de trop.

En vérité, j'aurais adoré que leur croissance soit achevée avant le retour de Kit. De l'exaltation qui m'avait soulevée à l'idée d'avoir une tête toute neuve, j'étais tombée dans l'hébétude à la vue du résultat. J'étais terrassée. Que dis-je ? plus bas que terre ! et je me creusais la cervelle pour trouver un moyen astucieux de ne pas me montrer en public dans les semaines à venir. Certes, le développement des télécommunications m'offrait une variété de choix : téléphone, télécopieur, courrier électronique. Et puis, il restait toujours la solution du bon vieux chapeau.

N'empêche, à dix heures du soir, j'étais aussi déprimée que l'avant-veille : épuisée par un excès de travail ; mésestimée par mes collègues ; rejetée par un homme qui me préférait des truands avant même que de remplir ses fonctions d'amant ; angoissée pour mon patron qui gisait entre la vie et la mort ; anxieuse pour mon neveu en virée avec l'ordure du siècle. Et, pour couronner le tout, une coiffure digne d'une tondeuse à gazon ! Bref, j'étais déjà au bord du gouffre quand le téléphone a sonné. Et là, j'y ai carrément sombré.

— Ici Claudel.

— *Yes*, ai-je répondu sur un ton de surprise.

— Je ne pouvais vous cacher la nouvelle : George Dorsey a été assassiné, il y a deux heures de cela.

— Par qui ?

— Il est mort, Mme Brennan ! Tué parce que vous ne pouvez pas vous empêcher de fourrer votre nez partout !

— Moi ?

Mais je parlais à la tonalité...

Impossible de me concentrer sur rien, le reste de la soirée. J'ai à peine enregistré le retour de Kit et son verdict sur sa journée : gé-niale.

Dorsey assassiné parce que je fourrais mon nez partout...

Quelle injustice de me faire porter le blâme, alors que c'était lui qui avait demandé à me voir. Serait-il encore vivant si Claudel, Charbonneau ou Quickwater étaient allés à la prison à ma place ? Non. C'était le cas type du gars qui se fait éliminer parce qu'il est une menace pour d'autres. Ce sont des choses qui arrivent. Je n'y étais pour rien. Claudel était injuste, je ne méritais pas ça !

Phrase que je n'ai cessé de me répéter tout au long de la nuit.

Chapitre 27

Le lendemain matin à sept heures et demie, j'étais au labo. L'immeuble était calme comme une tombe, personne n'arriverait avant une heure au moins. J'aime cette paix et, aujourd'hui, j'avais bien l'intention de la mettre à profit.

Je suis passée dans mon bureau prendre ma blouse de travail et suis allée dans mon labo, de l'autre côté du couloir, bien décidée à travailler sur les ossements de Savannah rangés sous clef dans ma réserve. Et tant pis pour Claudel ! Qu'il règle son problème avec moi comme il l'entendait.

Armée d'une loupe, j'ai entamé l'examen du crâne et des fémurs à la lumière d'une lampe à fibre optique. Millimètre par millimètre. Corvée que j'effectuais sans grand espoir de découvrir quelque entaille passée inaperçue et susceptible de m'apprendre comment ces os avaient été séparés du corps.

J'étais plongée dans mon travail quand des coups à la porte m'ont fait relever la tête. Derrière le carré de verre, Claudel. Droit comme un I, à son habitude. Et sans un cheveu qui dépasse, lui. Véritable gros plan de Douglas Fairbanks.

Je suis allée lui ouvrir.

— Jolie cravate !

— Merci.

Une amabilité de pitbull en réponse à mon compliment sincère. Car il s'agissait bien d'une merveille. En soie mauve pâle, et à coup sûr sortant de chez un designer renommé. En harmonie parfaite avec le tweed de son veston.

— Qu'est-ce qui lui est arrivé, à Dorsey? ai-je demandé après avoir éteint la lampe, en me dirigeant vers le lavabo pour me laver les mains.

— Il est tombé dans les douches sur un tournevis cruciforme pendant que le surveillant lisait dans le couloir. Encore un qui devait avoir du retard dans ses lectures.

J'ai eu un flash de Dorsey au parloir : ses dents de rat lorsqu'il souriait.

— Quand il a fini par se rendre compte que l'eau ne faisait plus le même bruit, Dorsey avait le nez dans la bonde et le torse perforé en trente-huit endroits.

— Seigneur !

— Il n'était pas mort. Dans l'ambulance, il a eu le temps de parler. D'où ma présence ici.

J'ai attrapé un essuie-main en papier. La franchise de Claudel me désarçonnait.

— Le médecin n'a pas tout compris, mais il a retenu un nom. Brennan.

Ma main s'est immobilisée sur la serviette.

— C'est tout ?

— Il s'efforçait de maintenir le blessé en vie. C'est à cause de son chien qu'il s'est rappelé le nom.

— Son chien ?

— Un setter irlandais qui s'appelle comme vous.

— C'est un nom très courant.

— À Galway peut-être, pas chez nous. Vous avez parlé de Cherokee Desjardins avec lui, n'est-ce pas ?

— Oui, mais personne n'est au courant.

— Sauf tout le monde à CO-Sud.

— On était dans une salle d'entretien, et seuls.

Claudel n'a pas répondu. Je me suis rappelée le couloir et la cellule des ivrognes, à trois mètres du parloir.

— On a dû me voir.

— Oui. En général, c'est le genre d'informations qui revient aux oreilles des intéressés.

— Aux oreilles de qui ?

— Dorsey sympathisait avec les Heathens. Ils auront cru qu'il cherchait à sauver sa peau et n'auront pas apprécié.

J'ai senti comme une barre à hauteur de ma nuque. Ma visite serait-elle à l'origine de l'agression, après tout ?

Jetant ma serviette en papier dans la corbeille, je me suis rebiffée :

— Dorsey n'a pas tué Cherokee. Je ne le crois pas.

— Vraiment ?

— Oui.

— Vous aurait-il clamé son innocence ?

— Bien sûr, mais ce n'est pas la raison.

— Écoutons ça ! a rétorqué Claudel en se croisant les bras.

L'ayant mis au courant de ce que m'avait appris Gilbert, j'ai conclu :

— Tuer les gens à la matraque, ça vous paraît signé motards ? Leur genre, c'est plutôt d'entrer et de tirer sur tout ce qui bouge.

— Le dernier motard repêché dans le Saint-Laurent avait été tabassé à coups de marteau.

— Et la forme évidée sur le mur ? Si c'était pour s'emparer de l'objet qui se trouvait là qu'on avait tué Cherokee ?

— Quelqu'un a pu le déplacer. C'est peut-être même la voisine qui l'a piqué.

— Un objet couvert de sang ?

— Je l'interrogerai quand même.

Claudel, visiblement, était à bout de patience. Je n'en ai pas tenu compte :

— Et pour quelle raison Cherokee aurait-il ouvert sa porte à un tueur ?

— C'était peut-être un copain.

Plausible.

— Les analyses balistiques ont donné quelque chose ?

Il a secoué la tête.

— Qui s'occupe du meurtre de Marcotte ?

— Kuricek. Et de celui de la petite Toussaint.

Kuricek, le flic qui ressemblait à Andy Sipowicz.

— Et de son côté à lui, il y a des progrès ? ai-je demandé.

Claudel a levé les mains en signe d'ignorance.

— Dorsey prétendait justement avoir des informations à échanger à ce sujet.

— Tous des dégénérés ! Ils inventeraient n'importe quoi...

Il a fait une pause et, les yeux rivés sur sa manche, s'est appliqué à saisir entre deux doigts une miette inexistante.

— Je voudrais vous parler d'autre chose.

Il s'est interrompu en entendant claquer la porte d'à côté. Les employés du labo arrivaient au travail. Désignant mon bureau du menton, il a repris :

— On peut ?

Intriguée, je l'ai laissé m'ouvrir le chemin. Ayant pris place dans le fauteuil en face de moi, il a sorti une photo de sa poche intérieure et l'a posée sur mon sous-main. Copie conforme des portraits de groupe de motards de la collection de Kate, mais plus récente et de meilleure qualité. Au centre de l'image, mon Kit ! Entouré de types en blousons de cuir.

— Prise la semaine dernière dans un établissement appelé La Taverne des Rapides, a laissé tomber Claudel en évitant mon regard. C'est bien votre neveu, là ?

— Je ne le vois pas porter l'écusson d'un club, ai-je rétorqué sèchement.

— Ce sont des Rock Machine.

Je commençais à en avoir sacrément assez de ces motards figés sur papier. Il a posé une seconde photo devant moi : Kit encore, à califourchon sur une Harley, maintenant, et en grande conversation avec deux autres motards. D'aspect soigné ceux-là, mais portant l'uniforme : bandanas, bottes et gilets en jeans orné dans le dos d'un Mexicain en sombrero, lourdement armé. La bannière du haut indiquait « Bandidos », celle du bas « Houston ».

— Prise à l'encan de Galveston.

— Que voulez-vous dire ? me suis-je écriée, consciente que ma voix avait monté d'un ton.

— Rien. Je vous montre des photos.

Claudel me dévisageait d'un air bougon, calé dans son fauteuil. Regard intense. Il a étendu les jambes et croisé les pieds. Moi, j'ai croisé les bras. Pour lui cacher le tremblement de mes mains.

— Mon neveu s'est pris de passion pour la culture deux-roues depuis que son père lui a offert une Harley Davidson.

— De nos jours, les motards ne font pas que rouler crinière au vent.

— Sa présence à ce rassemblement est forcément le fait du hasard, mais je lui parlerai.

J'ai rendu à Claudel ses photos.

— Christopher Howard est fiché à la police de Houston, a-t-il encore lâché.

Si ma sœur avait été dans la pièce, je crois que je l'aurais découpée en petits morceaux.

— Il a été arrêté ?

— Il y a quatre mois. Pour possession de stupéfiant.

C'était ça la raison d'Howard d'emmener Kit pêcher dans le Nord ! Je comprenais maintenant.

— Je sais ce que valent les conseils dans la situation, a enchaîné Claudel, mais faites attention, tout de même.

— Attention à quoi ?

Il m'a scrutée un long moment, comme s'il hésitait à me confier quelque chose.

— L'ambulancier a encore compris une chose.

Le téléphone y est allé de sa sonnerie. Je l'ai ignoré.

— L'enfant de Brennan, a laissé tomber Claudel.

J'ai cru qu'un incendie embrasait ma poitrine. Ma fille ? Ces types seraient-ils au courant de l'existence de Katy ? S'agissait-il de Kit ? Me détournant pour dissimuler ma peur, j'ai demandé :

— C'est une menace ? Un avertissement ?

Claudel a levé les épaules en signe d'ignorance.

— L'ambulancier n'a pas l'habitude d'écouter ce que racontent les malades pendant le transfert.

— Vous pouvez préciser ? ai-je demandé, les yeux toujours fixés sur le mur.

— Je ne voudrais pas vous inquiéter, mais Quickwater et moi...

Je ne l'ai pas laissé finir :

— Celui-là, rien qu'à le voir, il vous fait pisser de rire !

— C'est un bon détective.

— Un con, oui ! Chaque fois que je lui parle, il fait comme s'il était sourd.

— Forcément, puisqu'il l'est !

— Quoi ?

— Sourd.

J'en suis restée bouche bée, incapable de trouver une répartie.

— Plus exactement assourdi, a précisé Claudel. Ce qui n'est pas la même chose.

— Comment ça ?

— Il a reçu un coup de tuyau de fer sur le crâne en séparant des gars qui se battaient. Pour se venger, ils lui ont tiré près de l'oreille avec un fusil hypodermique jusqu'à épuisement des piles.

— Il y a longtemps ?

— Bientôt deux ans.

— Et il a perdu l'ouïe définitivement ?

— Jusqu'à ce jour, en tout cas.

— Ça va revenir ?

— Il l'espère.

— Mais… comment fait-il… ?

— Il se débrouille très bien.

— Je veux dire, pour communiquer ?

— Il lit sur les lèvres. Il a appris en un temps record, à ce qu'il paraît. Ce n'est pas étonnant, il a une mémoire inouïe. En tous cas, il est passé maître en la matière. Pour communiquer à distance, il utilise le courrier électronique, le télécopieur ou le répondeur télématique.

— Qu'est-ce que c'est que ça ?

— Un appareil qui transcrit le vocal en texte. En gros, c'est un clavier de machine à écrire et un coupleur acoustique, montés en parallèle. Chez lui, il a un modem spécial qui fonctionne au même baud que ce boîtier de dialogue. Comme le répondeur télématique et le télécopieur sont branchés sur la même ligne, la communication bascule sur l'un ou sur l'autre. On a le même appareil au Carcajou et les mêmes logiciels, de sorte qu'on reste en contact sans problème.

— Et s'il n'est ni chez lui, ni au bureau ?

— Il utilise un boîtier portable qui fonctionne à pile.

— Mais comment fait-il avec les gens qui n'ont pas ce système ? Avec vous quand vous n'êtes pas au quartier général ?

— Une messagerie assure le relais. Elle transcrit mes paroles en texte et Quickwater le lit sur son écran. S'il était sourd-muet, il devrait taper ses réponses, que le système traduirait en vocal à son interlocuteur. Mais pour lui, c'est plus simple, car il parle bien.

Comment pouvait-on être sourd et policier ? Le fait impliquait tant de choses que je n'arrivais pas à les saisir toutes d'emblée.

— Mais quand il doit rédiger un rapport au retour d'une mission, comme lorsqu'il est allé au FBI, par exemple, il faut bien qu'il ait pris des notes en même temps qu'il lisait sur les lèvres. Comment fait-il, si les gens parlent dans le noir ou s'il ne peut les voir ?

— Il utilise un système de traduction simultanée assistée par ordinateur. Il vous en expliquerait le fonctionnement beaucoup mieux que moi. En gros, un sténotypiste assure la frappe, et le texte apparaît pour ainsi dire simultanément sur l'écran de Quickwater. Un peu comme les télésouffleurs. Au FBI, ils ont des sténotypistes qui se déplacent, mais l'appareil peut être branché en réseau de sorte que le sténotypiste et Quickwater n'ont pas besoin d'être dans la même pièce.

— Ils utilisent un téléphone et un ordinateur ?

— Exactement.

— Mais comment Quickwater se débrouille-t-il pour le reste ?

Façon détournée de demander comment il pouvait réagir face à un danger. Se mettre à couvert, s'il n'entendait pas son agresseur, par exemple.

— Quickwater est limité physiquement, c'est certain. Mais il a de l'expérience, il aime son métier, il a été blessé en service et nul à ce jour ne peut affirmer que sa surdité est définitive. Alors, l'administration doit bien s'en accommoder.

J'allais revenir à Dorsey quand Claudel s'est levé et a déposé un papier sur mon bureau.

À coup sûr, d'autres mauvaises nouvelles en perspective.

— L'analyse du sang sur le blouson retrouvé chez Dorsey, a laissé tomber le détective.

Je n'avais qu'à regarder sa tête pour connaître le résultat.

Chapitre 28

Claudel est parti, me laissant en plein chaos mental. L'analyse d'ADN avait établi que le sang sur le blouson était celui de Cherokee. En conséquence, Claudel avait raison et moi, tort. Dorsey avait tué Cherokee. Et il ne savait rien sur Savannah Osprey. Il m'avait raconté ce boniment pour sauver sa peau, et j'étais tombée dans le panneau. Résultat de ma visite à la prison : il s'était fait descendre.

Mais était-ce la vraie raison de son assassinat ? Avait-il été tué parce qu'il était le meurtrier de Cherokee ou parce qu'il ne l'était pas ?

De toute façon, quelle importance ! Dans un cas comme dans l'autre, quelqu'un avait eu peur qu'il me parle. Oui, j'étais bien la cause de la mort de Dorsey.

J'avais l'intérieur des paupières en feu.

« Ne pleure pas, ma vieille. Je t'interdis de pleurer ! »

J'ai ravalé ma salive.

Et Quickwater ? Contrairement à ce que j'avais cru, il ne passait pas son temps à fulminer, il se concentrait pour lire sur les lèvres. En fin de compte, qui de nous deux s'était mal comporté ? Mais ça non plus, je ne pouvais pas le deviner !

Et Kit, sur ces photos de filature ? Devant Claudel, j'avais soutenu qu'il s'agissait d'une rencontre fortuite, mais qu'en était-il en réalité ? Mon neveu traficoterait-il avec les Bandidos ? Cela expliquerait la subite apparition de ce Prêcheur dans le tableau. Quel était le véritable mobile de Kit pour venir à Montréal ? Sa dispute avec son père ? Son amour pour son imbécile de tante ?

Et l'œil sur le pare-brise ? Kit l'avait-il vraiment trouvé là ?

Claudel avait pondu un rapport. Et moi, où en étais-je du mien ?

J'ai bondi sur mes pieds et foncé dans le couloir. Louvoyant entre des secrétaires croulant sous les dossiers et des techniciens qui poussaient des chariots, j'ai atteint l'escalier et je suis montée au treizième étage. Direction : la section d'ADN. Par la vitre, j'ai repéré tout au fond du labo la personne que je cherchais : Robert Gagné. Il m'a saluée d'un joyeux « Bonjour, Tempe. Comment ça va ? » avant de s'exclamer :

— Tu as changé de coiffure, on dirait.

Avec ses cheveux admirablement coupés, bouclés, noirs et argentés aux tempes, il était bien placé pour me faire la remarque !

— On dirait.

— Tu va les faire repousser ?

— Difficile de les en empêcher !

— Ça te va bien, c'est sûr… a-t-il marmonné en reposant sa pipette. Si je comprends bien, a-t-il enchaîné, ce Dorsey va être condamné. Tu aurais dû voir le sourire de Claudel, quand je lui ai appris les résultats. Enfin, disons qu'il a froncé le nez.

— Est-ce que tu as eu le temps de faire ma comparaison ?

— Ton objet au numéro farfelu ?

Hochement de tête de ma part.

— Cet œil à comparer avec le LML 37729 ? a-t-il encore demandé, en se dirigeant vers une étagère bourrée de dossiers.

— Oui.

Ce Gagné, il a une mémoire d'éléphant pour les chiffres !

Il a passé en revue le casier du milieu et en a extrait une chemise, qu'il a parcourue pendant que j'attendais gentiment.

— La comparaison a bien été effectuée, mais le rapport n'est pas encore tapé.

— Et… ?

— C'est son petit frère.

— Sans doute possible ?

— Aucun. Œil et tissus proviennent du même individu.

« Ou des mêmes individus s'il s'agit de jumeaux », me suis-je dit tout en regagnant mon étage. Ainsi, je ne m'étais pas trompée. L'œil appartenait en effet à l'un des jumeaux Vaillancourt. Un Vipère devait l'avoir récupéré dans les décombres et conservé, Dieu sait pour quelle raison macabre. Mais qui l'avait mis sous mon pare-brise ?

Du couloir, j'ai entendu mon téléphone sonner. J'ai piqué un sprint. C'était Marcel Morin. Il appelait d'une salle d'autopsie, à en croire le vrombissement de scie en arrière fond.

— Tu nous as manqué à la conférence de ce matin.

— Désolée.

— Dis donc, pourrais-tu descendre me donner un coup de main ? Hier, un corps a été découvert dans le container d'un cargo à quai depuis quinze jours pour des réparations à effectuer sur une partie du fret.

— Gros, le container ? Comme ceux qui vont sur les camions dix-huit roues ?

— C'est ça. D'après le capitaine, il ne peut s'agir que d'un clandestin.

— Le bateau bat quel pavillon ?

— Malaisie. J'ai commencé l'autopsie, mais la décomposition est trop avancée. Je n'ai pas les compétences.

— Je descends.

J'ai fait un crochet par mon labo. Jocelyne s'y trouvait, comme j'ai pu le constater par la vitre, et penchée sur ma table. La délicieuse remplaçante portait aujourd'hui une jupe de cuir qui couvrait à peine le haut de ses bas résille. Au bruit de la porte, elle s'est redressée. Les perchoirs à pinsons qu'elle avait aux oreilles se sont mis à jouer les balançoires dans une cour d'école.

— De la part du Dr Morin.

J'ai saisi le formulaire qu'elle me tendait, surprise que Morin ne l'ait pas apporté lui-même.

— Super, votre nouvelle coupe !

Se fichait-elle de moi ? Je n'aurais su le dire au son de sa voix, faible et monocorde. Quoi qu'il en soit, elle était encore plus pâle que d'habitude, et ses cernes tout sombres faisaient comme des virgules sous ses yeux cerclés de rouge.

— Merci, Jocelyne.

J'hésitais à poursuivre, craignant d'être indiscrète.

— Vous allez bien ?

Ma question a paru la bouleverser.

— Ça va. C'est juste mes allergies. Au printemps, ça ressort, a-t-elle bredouillé, et elle s'est enfuie en me lançant un regard perplexe.

J'ai remisé les ossements Osprey dans leur boîte et je suis descendue faire la connaissance du clandestin malais, ou plutôt des asticots qui batifolaient dans ses chairs comme en terrain conquis. Je leur ai tenu compagnie toute la matinée.

À midi, remontant dans mon bureau, j'ai découvert un Kit installé dans mon fauteuil, ses pieds chaussés de grosses bottes sur le rebord de la fenêtre, un feutre à la Frank Sinatra piqué sur l'arrière du crâne. Notre rendez-vous pour le dîner, pris par l'intermédiaire du réfrigérateur, m'était complètement sorti de la tête. J'ai masqué ma surprise derrière mon admiration pour sa débrouillardise.

— J'ai seulement laissé mon permis de conduire au gardien et il m'a autorisé à monter, a-t-il expliqué en secouant le laissez-passer bleu des visiteurs épinglé à son col. Voyant que je me morfondais dans votre hall d'accueil, une dame m'a pris en pitié et m'a conduit jusqu'ici... Oh, oh ! Laissez-moi admirer !

Il avait ramené ses pieds sous lui et pivoté sur son siège. Un instant, j'ai cru que j'avais du noir sur la figure.

— Voilà ce que j'appelle une nouvelle tête ! T'es pas fâchée, au moins ?

Les deux index pointés sur moi, il a conclu :

— Ça te rajeunit, tu sais.

Je me suis contentée de répondre : « Allons-y ! » et j'ai attrapé mon chandail sur le portemanteau. Ça devenait lassant, ces commentaires sur mes cheveux !

Nous avons dîné d'un sandwich-frites dans un café et Kit m'a relaté sa virée à la campagne avec Lyle Crease, dont l'événement culminant avait été l'achat du feutre qu'il avait sur la tête. Quant aux Madonna et autres leurres pour la pêche, néant. Le soir, avant d'aller à la salle de rédaction, ils avaient pris un *smoked meat* chez Ben's.

— De quoi vous avez parlé ?

— Tu sais, c'est le grand manitou là-bas ! s'est extasié Kit, la bouche pleine de fromage et de charcuteries. C'est fou les choses qu'il peut savoir ! Sur la radio, sur la télé. Sur les motos aussi, il en connaît un rayon. Il s'intéresse à tout !

Ce qui m'intéressait, quant à moi, c'était de savoir si Crease se servait de mon neveu pour obtenir des renseignements sur mes enquêtes.

— Il t'a posé beaucoup de questions ?

— Un peu.

D'un coup sec, Kit a tiré une serviette en papier du distributeur en inox au bout de la table, pour s'essuyer le menton.

— Sur quoi ?

Il a fait une boule de la serviette et s'est tendu pour en attraper une autre.

— Je ne peux pas te dire, sur tout. Il est incroyable, tu sais. Tout le passionne.

Encore un peu, et mon neveu allait tomber dans l'idolâtrie. Après tout, cela ne me dérangeait pas. Un Crease onctueux valait mieux qu'un Prêcheur au ton arrogant.

Après le dîner, Kit a insisté pour remonter au labo avec moi. Je lui ai fait faire un petit tour des lieux, histoire de lui prouver que, dans son monde à elle, sa tante n'était pas non plus un sous-fifre. Kit n'a fait que deux commentaires, que je me rappellerais plus tard en regrettant de ne pas y avoir prêté plus d'attention. Le premier concernait Jocelyne, que nous venions de croiser devant la photocopieuse :

— C'est qui, cet agrès-là ?

— Une employée des archives.

— Combien tu paries qu'elle a la tête complètement gelée ?

— Elle souffre d'allergies.

— C'est ça, oui, au vaporisateur nasal !

La seconde remarque se rapportait à la collection d'armes à feu du département de balistique, qu'il a qualifiée de « mignonne ».

Kit parti, je suis retournée à mon identification du passager clandestin. Vers quatre heures et demie, je savais qu'il s'agissait d'un individu de sexe masculin, âgé de moins de trente ans. Ayant envoyé les os à bouillir à l'étage au-dessus, je me suis lavée et changée avant de passer dans mon bureau récupérer mon chandail.

Je tendais le bras pour l'attraper quand j'ai aperçu une photocopie couleur, placée en évidence sur mon sous-main.

Bravo, une autre photo ! Deux heures au moins que je n'en avais pas vu. Elle devait appartenir à la série de Claudel, me suis-je dit en la prenant pour la regarder.

Non, impossible. Malgré ses couleurs vives et sa définition parfaite, c'était quand même la photocopie d'une vieille image craquelée représentant des motards, hommes et femmes, sur une aire de repos ou dans un camping. Dans le fond, des pins Loblolly auxquels manquait la cime. Sacs à dos, glacières et sacs en papier s'entassaient sur des tables en bois rapprochées en U. Le sol était jonché de canettes et de bouteilles vides. Au premier plan, contre un pied de table, il y avait un grand sac de plastique au logo encadré en partie visible : « … ggly Wiggly ».

Aucune indication au dos de l'image.

J'ai raccroché mon chandail et me suis assise, loupe en main. Quelques instants plus tard, mes suppositions se voyaient confirmées par un King-Kong en gilet de jeans. Son bras énorme, égayé d'une swastika et prolongé d'un gant en cuir d'où émergeaient des phalanges ornées du sigle FTW, était posé en travers de sa poitrine, telle une autoroute traversant son t-shirt. Si le membre masquait le texte imprimé sur le tissu, en revanche les deux mots tout en bas étaient clairement lisibles.

Myrtle Beach !

Le cœur battant, j'ai entrepris de scruter tour à tour les visages grossis sous le verre de ma loupe. Je n'ai pas été longue à repérer dans la mer de têtes hirsutes une silhouette maigrichonne appuyée contre un arbre. La tête penchée de côté, elle se serrait dans ses bras maigres comme des allumettes. Des lunettes lui mangeaient la figure et l'un des verres renvoyait un rayon de soleil.

Savannah Claire Osprey !

Elle était trop loin pour que je puisse lire son expression, mais je la sentais tendue. Peur, excitation, gêne ?

J'ai continué l'inspection. À côté d'elle, un gars, tête renversée, buvait une Miller au goulot. Avec ses cheveux aux épaules et sa barbe à mi-poitrine, il sortait tout droit de *La Vie et la Mort de Cormac l'ébouillanté.*

Se tenait, de l'autre côté, un homme aux cheveux courts très grand, à la moustache et à la barbe hirsute. Sa tête étant dans l'ombre, c'est sa bedaine couleur pansement d'hôpital qui sautait aux yeux. Un gros ceinturon apparaissait sous les bourrelets. Impossible de déchiffrer l'inscription gravée sur la boucle ovale. J'ai relevé le verre grossissant, puis je l'ai rabaissé, sans grand résultat. Frustrée, j'ai fait remonter ma loupe le long du torse jusqu'au visage de l'homme dans l'espoir d'un déclic quelconque. Pas de chance ! Je suis redescendue étudier la boucle de ceinture, penchée sur la loupe à la toucher du nez.

Soudain, quelque part entre mes synapses, une étincelle a jailli ! Serait-ce possible ?

Retour immédiat au visage. Non, ce type-là était beaucoup plus gros… Mais il y avait tout de même une ressemblance… Non, je ne pouvais rien affirmer, j'étais arrivée trop tard sur les lieux, les dégâts étaient trop importants.

George Dorsey aurait-il su quelque chose, après tout ?

Le cœur battant, j'ai attrapé mon téléphone.

Chapitre 29

À peine Claudel avait-il décroché que j'ai plongé, tête première.

— Je ne vous ai pas tout dit. Dorsey ne m'a pas seulement parlé de Marcotte, il a également prétendu avoir des informations sur Savannah Osprey.

— La fille trouvée à Saint-Basile-le-Grand ?

— Oui. J'ai l'impression qu'il disait la vérité.

— Ben voyons !

Je n'ai pas relevé le sarcasme.

— Est-ce vous qui avez laissé une photo sur mon bureau ?

— Non.

— Eh bien, quelqu'un l'a fait. C'est un vieil instantané pris lors d'un rassemblement de motards.

— D'une grand-messe, peut-être ?

— Plutôt d'un pique-nique ou d'un rallye.

— Et alors ?

J'ai respiré un grand coup. Surtout, empêcher ma voix de trahir mon excitation !

— Il y a aussi Savannah Osprey.

— Vous m'en direz tant !

— La photo a été prise à Myrtle Beach.

— Comment le savez-vous ?

— Un des fidèles porte un t-shirt de Myrtle Beach.

— Mon fils a une chemise des Chiefs de Kansas City.

— Je sais faire la différence entre le chèvrefeuille et le pissenlit. Et j'ai reconnu un sac à provisions Piggly Wiggly.

— C'est quoi, ce nom-là ?

— Une chaîne de supermarchés implantée dans la région de Myrtle Beach.

— Drôle de nom pour un supermarché !

— J'ai l'impression qu'un des pique-niqueurs est Cherokee Desjardins.

Silence de mort pendant un moment, puis :

— Qu'est-ce qui vous fait croire ça ?

— C'est écrit « Cherokee » sur sa boucle de ceinture.

— Et à quoi il ressemble, votre type ?

Il commençait à m'énerver avec son scepticisme.

— À un pitbull en laisse qu'on tiendrait tranquille en le gavant de bouts de viande à longueur de journée.

— Je veux dire, est-ce que le gars au ceinturon ressemble à Cherokee Desjardins ?

— On ne voit pas bien ses traits. Et je n'ai pas eu le plaisir de contempler le visage de ce monsieur au temps où il en avait un.

Re-silence, suivi d'une expiration.

— Je vais chercher des photos de Desjardins et vous les apporterai demain matin.

— On peut probablement agrandir l'image.

— Faites-le. Mais vite. On s'attend à des problèmes à cause du meurtre de Dorsey. Toute l'escouade est sur un pied d'alerte.

J'ai repris le chemin de la maison, en proie aux doutes sur mes capacités.

J'avais eu la naïveté de me laisser embobiner par Dorsey. Résultat : il était mort.

Claudel ne croyait pas une seconde que l'homme sur la photo puisse être Cherokee. Si je me trompais cette fois encore, je lui aurais fourni une raison supplémentaire de me trouver nulle. Or, je m'étais déjà trompée sur toute la ligne au sujet de Quickwater, j'avais agi comme une imbécile avec lui.

Et avec Ryan, m'étais-je trompée aussi ?

Et avec Kit ?

D'où sortait cette photo déposée sur mon bureau ? Pourquoi n'y avait-il pas un mot l'accompagnant ou un message téléphonique ? Seul un enquêteur ou quelqu'un du labo pouvait l'avoir laissée sur ma table, personne d'autre n'aurait pu pénétrer dans ma salle.

Je conduisais comme une automate, sans prêter réellement attention à la circulation.

Et si je débarquais chez Ryan ? M'ouvrirait-il ? Probablement pas. De toute évidence, il avait choisi de se couper du monde. Mais comment pouvait-on l'accuser de toutes ces horreurs ? Un criminel, lui ? Non, je ne pouvais y croire.

Et Kit ? Était-il lié aux Bandidos ? Revendait-il de la drogue ? Était-il en danger ?

Et Dorsey ? Qu'avait-il voulu dire dans l'ambulance ? De qui parlait-il ? De Katy ? Ma fille serait-elle menacée par ces bandits ? Impossible. Elle était à bord d'un bateau, à des milliers de milles marins. Sa dernière lettre était postée de Penang. Mais qu'est-ce que je me racontais ? ! Dorsey avait bien été descendu, lui, alors qu'il était en prison et gardé par des surveillants armés ! Quand les motards décidaient de vous faire la peau, la distance ne comptait pas.

J'ai frappé le volant du bas de la main.

Shit !

En tous cas, si Ryan et Katy étaient injoignables, Kit ne l'était pas. Je pouvais agir pour lui. À commencer par tirer les choses au clair. Je me suis juré de le faire avant le coucher du soleil.

« Ou avant son lever », me suis-je dit, alors que je m'engageais dans la rampe du stationnement de mon immeuble. Je n'avais aucune idée de l'heure à laquelle il rentrerait. Qu'importe, je l'attendrais aussi tard qu'il le faudrait !

Cela n'a pas été nécessaire, car un « Salut, tante Tempe ! » parfumé au cumin et au curcuma m'a accueillie dès le pas de la porte. J'ai abandonné ma serviette dans l'entrée en m'écriant :

— Hmm… Miam-miam !

Chat et neveu étaient vautrés sur le canapé du salon au milieu d'un amoncellement de pages de journal. Le système Sony avait été rebranché et des fils serpentaient sur le plancher.

— J'ai fait un arrêt à *La Maison du cari*. Je me suis dit que c'était mon tour de faire la popote.

Des sonorités des Grateful Dead sortaient des écouteurs qui pendaient à son cou.

— Super. Qu'est-ce que tu as pris ?

— *Uno momento !*

Il a jeté ses écouteurs sur le divan à quelques centimètres de Birdie, qui a sursauté aux braillements soudains de Jerry Garcia tout contre ses oreilles, et il a filé chercher une feuille de papier à la cuisine.

— Tu attends une délégation du congrès de l'État ? me suis-je enquise, après l'avoir entendu énuméré un menu constitué de neuf plats.

— Non, madame. N'ayant pas le bonheur de connaître vos préférences, j'ai concocté un pot-pourri de recettes régionales.

Imitation parfaite du ton et de l'attitude d'un restaurateur, pour conclure dans le plus pur texan :

— Pas de panique ! Après le passage du troupeau, y'aura plus une herbe à brouter dans les pâturages.

— Le temps de me changer et on se met à table.

— Attends, faut d'abord que tu voies ça !

Il a plongé au cœur de la *Gazette* et en est remonté avec la première section, qu'il a ouverte et pliée en deux avant de me la tendre, le doigt sur un gros titre.

« LES GANGS FRAPPENT EN PRISON ».

L'article relatait l'assassinat de George Dorsey, associé aux Heathens, soupçonné de meurtre sur la personne d'Yves Desjardins, dit Cherokee, lui-même membre des Predators, mais inactif depuis plusieurs années. La mort présentant toutes les caractéristiques d'une exécution, on était en droit de supposer qu'elle avait été commandée en guise de représailles pour l'élimination de Desjardins. L'article évoquait le meurtre des jumeaux Vaillancourt et la fusillade au cours de laquelle Richard Marcotte, dit l'Araignée, et la petite Toussaint avaient trouvé la mort. Les funérailles de Dorsey se tiendraient dès que le coroner aurait autorisé la remise de la dépouille à sa famille. La police, concluait l'article, inquiète d'une possible escalade de la violence, allait multiplier les mesures préventives pour empêcher que l'enterrement ne soit utilisé comme une occasion de revanche par les sympathisants des Heathens.

J'ai relevé la tête. Kit me dévorait des yeux.

— Ça va être rock and roll, cet enterrement.

— Il n'est pas question que tu y ailles !

— Avec toute cette surveillance, ils seront sages comme des images.

— Non !

— Je vois d'ici les bolides. Et rien que des Harley !

— Je ne veux pas que tu y assistes, de près ou de loin !

— Roulant en formation... Le tonnerre sur deux-roues...

Geste de mains explicite, comme s'il tenait un guidon.

— Kit !

— Ouais ?

Ses yeux brillaient du zèle du pentecôtiste.

— Je ne veux pas que tu y ailles.

— Tante Tempe, tu te fais trop de souci !

Combien de fois ma fille m'avait-elle répété cette phrase !

— Je passe un jeans et on se met à table. J'ai une question à te poser.

J'ai attendu le dessert pour aborder le sujet.

— Un détective du Carcajou est venu me trouver aujourd'hui.

— Oui ? a fait Kit sans cesser de gratter le dessus de son pouding au riz.

— Ça se mange le glaçage, tu sais.

— On dirait de l'argent.

— C'en est...

Je faisais du surplace.

— Il m'a apporté des photos de filature prises par la police.

Coup d'œil interrogateur de Kit, avant de se resservir du pouding.

— De toi.

Nouvelle mimique du neveu. Cette fois, menton baissé et sourcils levés haut sur le front.

— À l'encan de Galveston. Tu y es en compagnie de Bandidos.

Sourire idiot de Kit.

— Oh, l'enfant terrible qui fraye avec de méchants messieurs !

— C'est ce que tu fais?

— Fais quoi?

— Traîner avec les Bandidos?

— Juste cette fois. Mais ce sont les grands qui m'avaient forcé.

— Je ne ris pas, Kit. Tu as été pris en photo avec des trafiquants de drogue!

Il a reposé sa cuiller et m'a décoché le plus charmeur des sourires. Je suis restée de glace.

— Tante Tempe, je vais au marché aux puces, les motards vont au marché aux puces et, parfois, on va aux mêmes marchés aux puces. On parle Harley. Ça s'arrête là.

— L'enquêteur dit que tu avais de la drogue sur toi quand tu as été interpellé.

Kit s'est rejeté en arrière, jambes tendues devant lui.

— Oh, misère! Encore cette rengaine!

— Quelle rengaine?

— Seigneur! Qu'est-ce que tu vas imaginer? Que j'ai fourni toute une maternelle?

Voix dure, dénuée d'humour. J'ai attendu qu'il s'explique.

— J'avais acheté un sachet de dix dollars pour une copine qui n'avait pas d'argent sur elle, et un agent m'a arrêté parce que j'avais tourné à gauche alors qu'il y avait un panneau l'interdisant. Il l'a trouvé dans ma poche. Plutôt con, hein, pour un revendeur professionnel?

— Et pour quelle raison as-tu été fouillé?

— J'avais pris une petite bière.

Il s'est mis à fourrager du pied dans la moquette. Son pouce était long et mince, noueux aux jointures, avec un ongle allongé. L'orteil de mon père. J'ai senti mon cœur se serrer. Par toutes les cellules de son corps, Kit me rappelait papa.

— Bon, d'accord. J'en avais bu plusieurs. Mais je touche pas à la drogue, je te l'ai déjà dit. *Shit!* je croirais entendre mon père!

— Tous les parents qui s'inquiètent réagissent de la même façon, ai-je répliqué sur un ton où l'amour le disputait à la colère.

— Oh, ça va! Je les ai effectués, mes travaux communautaires, et j'y ai assisté à leur séance débile sur la dope. Vous allez tous me faire chier encore longtemps?

Il s'est levé lourdement de sa chaise. Quelques secondes plus tard, la porte de la chambre d'amis a claqué.

«Bravo, Brennan. Médaille d'or pour tes talents d'éducatrice!» me suis-je félicité.

Une fois la table débarrassée et le lave-vaisselle chargé, j'ai appelé Howard au Texas. Pas de réponse. Quant à ma sœur, elle était toujours en vadrouille au Mexique. Je l'aurais tuée. «Va te faire foutre, Harry, pour ne pas m'avoir prévenue! Et re-va te faire foutre pour n'être jamais là quand on a besoin de toi!»

J'ai essayé Isabelle. Répondeur.

J'ai terminé la soirée avec le livre de Pat Conroy que j'avais abandonné deux semaines plus tôt. Pourquoi n'étais-je pas chez moi, en Caroline? Y avait-il plus bel endroit au monde?

Comme il fallait s'y attendre, Kit dormait du sommeil du juste quand je suis partie au labo le lendemain matin. De retour dans mon bureau après la réunion, j'ai eu le plaisir d'y découvrir Claudel. Laissant choir sur ma table le dossier qui venait de m'être confié, j'ai demandé :

— Vous avez trouvé qui a tué Dorsey?

Il m'a tendu une enveloppe sans mot dire. Son regard aurait métamorphosé une coulée de lave en banquise. Je me suis assise. J'ai ouvert le tiroir de mon bureau fermé à clef et lui ai remis en échange la photo de Myrtle Beach.

— De qui la tenez-vous, disiez-vous?

— Je ne vous l'ai pas dit pour la simple raison que je l'ignore.

Je lui ai passé ma loupe.

— Elle vous est tombée du ciel?

— Exactement, tout droit sur mon bureau. Hier. Et je n'ai aucune idée de l'heure à laquelle elle y a atterri.

Claudel promenait la loupe sur l'image. Il s'est immobilisé et s'est penché pour mieux voir.

— Vous parlez du type à côté de ZZ Top? a-t-il demandé en tournant la photo vers moi, le doigt sur un motard.

Sa référence musicale m'a étonnée. Je l'aurais catalogué amateur de musique classique exclusivement.

— Oui. La fille à côté, c'est Savannah Osprey.

Il a repris son étude.

— Vous êtes sûre ?

J'ai sorti de mon tiroir l'album de classe de Savannah que m'avait prêté Kate. Claudel a entrepris de comparer les photos. Classe, pique-nique et retour. J'avais l'impression d'avoir devant moi un fan de tennis à Wimbledon.

— Vous avez raison.

— Maintenant, regardez l'homme au ceinturon.

— Desjardins était costaud avant de tomber malade, a répondu Claudel en me montrant du doigt l'enveloppe qu'il m'avait remise et que je tenais toujours à la main.

Il a fait le tour du bureau pour venir regarder les photos avec moi.

Costaud, Cherokee Desjardins ? C'était un euphémisme. Le corps en partie privé de tête, avachi dans le fauteuil, n'était qu'un pâle souvenir de ce qu'avait été cet homme avant que le cancer le ronge. Oui, il avait été massif autrefois ! Un peu bouffi et avec un gros ventre qui pendait.

Les photos couvraient une période de plusieurs années. On y voyait Cherokee tantôt avec et tantôt sans barbe, tandis que son front se dégarnissait régulièrement. Quant à sa bedaine et aux traits de son visage, ils ne changeaient guère. Jusqu'à ce que le cancer et la chimio n'opèrent leur dégradation. Six mois avant sa mort, Cherokee n'avait plus un cheveu sur le caillou. On aurait dit un réchappé d'un camp d'extermination. Si la photo n'avait porté son nom, je n'aurais jamais supposé qu'elle le représentait.

« J'ai des yeux de cochon mort… »

Cette déclaration de Brando vieillissant m'est revenue en mémoire pendant que défilaient devant moi tous ces visages de Desjardins. Marlon avait beau jeu de se plaindre, ses yeux lui avaient fait bon usage. Alors que Desjardins avait un regard par en dessous plus sournois que celui d'un chien qui vient de voler un steak.

Malgré tous nos efforts, nous n'avons pu établir de façon formelle et définitive si le type au ceinturon et feu Cherokee, que personne ne pleurait, étaient bien une seule et même personne.

Chapitre 30

J'ai rassemblé les photos de Cherokee. Dans l'espoir d'en apprendre davantage, Claudel et moi avions décidé de les traiter numériquement. Nous commencerions seuls, à l'aide du logiciel Adobe Photoshop que je connaissais bien, et demanderions à un technicien de nous donner un coup de main avec des programmes plus performants, si nous n'aboutissions à rien. Nous sommes allés au département Imagerie. Nous étions attendus, l'équipement était disponible sans que nous ayons à patienter. Le technicien a branché le numériseur. Il a appelé à l'écran le logiciel requis et nous a laissés à notre affaire.

J'ai commencé par réduire la photo du pique-nique jusqu'à obtenir la scène dans sa totalité et je l'ai numérisée. L'ayant sauvegardée sur le disque dur sous le nom de « Pique-nique à Myrtle Beach », je l'ai fait réapparaître à l'écran. Un clic sur le visage du type au ceinturon et un zoom avant. Le visage a rempli tout l'espace. Après avoir nettoyé l'image de toutes ses poussières et craquelures, j'ai modifié les courbes de couleur, vert, rouge et bleu, réglé brillance et contraste et redonné de la définition au cadre. Claudel me regardait faire. En silence tout d'abord, puis en intervenant de plus en plus souvent. Visiblement, l'intérêt prenait le pas sur son scepticisme de départ. J'ai accentué les parties éclairées, les ombres et les demi-teintes, redressé certains arrondis, creusé les droites et, par métamorphose, des détails insoupçonnés sur l'original se sont peu à peu révélés.

En moins d'une heure, calés dans nos fauteuils, nous tenions entre les mains le résultat de notre intervention. Aucun doute n'était permis : l'homme au ceinturon était bien Yves Desjardins. Claudel a parlé le premier :

— Donc, Cherokee connaissait la petite Osprey.

— On dirait.

— Et Dorsey l'a descendu, a-t-il poursuivi, réfléchissant à haute voix. Quel renseignement pouvait-il vouloir nous donner en échange d'une remise de peine ?

— Peut-être que c'est Cherokee qui a tué Savannah, et qu'il était au courant ?

— Et Cherokee aurait ramené la petite ici ?

De nouveau, c'était davantage une pensée exprimée à haute voix qu'une question appelant une réponse de ma part. J'ai revu le petit visage inquiet, les grands yeux qui scrutaient le monde à travers des verres gros comme des cadrans.

— Dans ce cas, elle ne l'a sûrement pas suivi de son plein gré.

— Il a pu la tuer à Myrtle Beach et transporter ensuite son corps au Québec. Mais pourquoi si loin ? Pour réduire ses chances d'être découvert ?

La question cette fois m'était directement adressée. J'y ai répondu par une autre :

— Vous trouvez que ça leur ressemble à ces gars, cette façon de faire ?

— Non.

En voyant l'expression de Claudel, à la fois perplexe et empreinte de colère, j'en ai profité pour enfoncer le clou :

— Et où est le reste de son corps, à la petite ?

— Il lui a peut-être coupé la tête.

— Les jambes aussi, alors.

— Ça, ce n'est pas de mon ressort.

Il a chassé de sa manche un grain de poussière visible de lui seul, puis a resserré son nœud de cravate.

— Et comment a-t-elle abouti à côté de Gately et de Martineau ? ai-je insisté.

Pas de réponse.

— Et à qui sont les restes de Myrtle Beach, si ce ne sont pas les siens ?

— Demandez à vos petits camarades du SBI !

Agréablement surprise de découvrir un Claudel disert, j'ai voulu lui faire passer une idée.

— Cherokee n'a peut-être pas été tué par vengeance.

— Où voulez-vous en venir ?

— Peut-être que sa mort est liée à la découverte de la tombe de Savannah ?

— Peut-être, a-t-il lâché en se levant après avoir consulté sa montre. Comme j'ai peut-être été pressenti par les Spice Girls pour faire le baryton dans leur groupe. Mais voyez-vous, j'hésite. Je dois mettre la main au collet de quelques vilains garçons avant de leur donner ma réponse.

Il est parti, me laissant éberluée.

J'ai sauvegardé sur CD Rom le pique-nique de Myrtle Beach — original et modifications — ainsi que d'autres clichés provenant de la collection de Kate, de façon à jouer avec plus tard, à la maison.

De retour dans mon bureau, j'ai appelé le département d'ADN. Davantage pour retarder le moment de me replonger dans les photos de motards que poussée par la curiosité, car je me doutais bien de la réponse qu'allait me faire Robert Gagné. Il me dirait que mes tests n'avaient pu être effectués, qu'il en était désolé, navré, mais que son service ne pouvait traiter en priorité une affaire datant de 1984, et, surtout, que je ne désespère pas !

Ça n'a pas manqué. Bien fait pour moi ! Je n'aurais jamais dû réclamer en urgence ce test sur l'œil.

Restaient les lames de microscope, qui seraient certainement prêtes, elles. J'ai enfilé ma blouse de travail et j'ai filé au labo d'histologie. Denis s'y trouvait, occupé à rentrer des informations dans son ordinateur. J'ai attendu qu'il en ait terminé avec tous ses morceaux d'organes conservés dans le formol pour lui soumettre ma demande. Ayant reposé son bocal sur le chariot, il est allé prendre sur son bureau une petite boîte de plastique blanc et me l'a remise. Je l'ai remercié et m'en suis retournée dans mon labo. J'allais étudier au microscope à fort grossissement les prélèvements rapportés de Raleigh.

J'ai placé sous la lentille celui intitulé « tibia », j'ai réglé la lumière et je me suis penchée sur l'œilleton. Deux heures plus tard, j'avais ma réponse.

Les échantillons de tibia et de péroné provenant du squelette non identifié de Myrtle Beach ne présentaient pas de caractéristiques histologiques les différenciant de ceux prélevés sur le fémur de Savannah récupéré à Saint-Basile. Quant à l'âge de la victime d'après ces prélèvements, il entrait dans une fourchette compatible avec celui de Savannah à l'époque de sa disparition.

Compatibilité, mot préféré de l'expert appelé à la barre.

— *Pouvez-vous déclarer avec un degré de certitude raisonnable que les os récupérés à Myrtle Beach sont ceux de Savannah Osprey ?*

— *Non.*

— *Pouvez-vous déclarer que les os retrouvés à Myrtle Beach proviennent d'un individu ayant exactement le même âge que Savannah Claire Osprey ?*

— *Non.*

— *Que pouvez-vous dire alors à ce tribunal, Dr Brennan ?*

— *Que les os retrouvés à Myrtle Beach et ceux identifiés comme appartenant à Savannah Claire Osprey présentent une compatibilité, en ce qui concerne leur microstructure et l'âge de la victime.*

C'était déjà un début.

J'ai éteint la lumière et posé le bouchon sur la lentille du microscope.

Après avoir englouti une pizza végétarienne et un bâton glacé Mr. Big, je me suis rendue au Carcajou. Morin ayant achevé l'autopsie de Dorsey, le corps allait être rendu à la famille. Jacques Roy avait convoqué une réunion pour discuter des mesures de sécurité à prendre lors de l'enterrement. Il avait requis ma présence.

Dorsey était originaire du quartier Centre-Sud qui jouxte le centre-ville au sud-est. Délimité par le boulevard Saint-Laurent à l'ouest et par Hochelaga-Maisonneuve à l'est, c'est un entrelacs de voies étroites et de ruelles plus étroites encore. De minuscules balcons et des escaliers pentus zigzaguent sur les façades, reliant les uns aux autres des appartements surpeuplés. Haut lieu des affrontements les plus sauvages dans l'actuelle guerre des gangs, le secteur détient également le record des voitures volées. Fief des Rock Machine, c'est également l'endroit où est implantée la Sûreté du Québec, de sorte que je connais bien ses rues et ses terrains de jeux, ses quais et son pont, pour les traverser en voiture quand je me rends à mon travail.

Comme l'enterrement ne manquerait pas d'attirer une foule de voyous à moins de six pâtés de maisons de notre bâtiment, il était clair que la police allait prendre des mesures conséquentes. La cérémonie se tiendrait vendredi. Elle débuterait à huit heures à la paroisse de la famille, à l'angle des rues Fullum et Larivière. Après la messe, le cortège se dirigerait vers le cimetière de Notre-Dame-des-Neiges, au nord-ouest, en suivant la rue Fullum jusqu'à l'avenue du Mont-Royal, puis en passant par la montagne.

Après avoir reporté le déploiement des effectifs sur une carte de l'île et indiqué la position des barricades et des voitures de patrouille, Roy a abordé le détail du plan d'action. Le quartier autour de l'église serait placé sous haute surveillance. Même chose pour les rues avoisinantes, qui seraient bloquées à leurs intersections avec l'avenue du Mont-Royal. Là, le cortège n'aurait accès qu'aux voies allant vers l'ouest, et il serait encadré par un cordon de police. Au cimetière aussi, la sécurité serait maximale. En conséquence, les effectifs devaient être au complet. Tout congé était donc suspendu pour la journée de vendredi !

La partie diapo de la réunion a débuté sous un tollé de « Sacrament ! » et de « Tabarnac ! », tandis qu'à l'écran les funérailles se succédaient, sensiblement identiques d'une image à l'autre : motards fumant sur les marches de l'église ; ou bien roulant en colonne derrière un corbillard noyé sous les fleurs ; ou encore massés autour d'une tombe. Autour de moi, les visages viraient du rose au bleu ou au jaune au rythme des photos. Le projecteur bourdonnait et Roy ronronnait, dévidant son laïus sur un ton monocorde : dates, lieux des cérémonies, noms des participants célèbres. Il faisait chaud. Une bonne partie de mon sang avait déserté mon cerveau pour prêter main-forte à mon estomac en lutte contre Mr. Big. Mes paupières du haut n'ont pas tardé à rejoindre celles du bas, le poids de ma tête a dépassé la capacité de soutien des muscles de mon cou et je me suis sentie piquer du nez. Juste à ce moment-là, le projecteur a émis un déclic. Je me suis réveillée d'un coup.

À l'écran, un contrôle routier. Des policiers vérifiaient les papiers de motards. Certains d'entre eux chevauchaient encore leur Harley, d'autres s'étaient déjà éparpillés dans la nature. Tous arboraient le crâne et le casque ailé des Hells Angels. On ne pouvait lire les bannières du bas que sur deux d'entre eux : Durham et Lexington. Dans le fond, sur une camionnette jaune, on déchiffrait Metro Police, mais le nom de la ville était caché par un homme barbu photographiant l'auteur de la diapo que nous avions sous les yeux. À côté du barbu se tenait un homme qui fixait également le photographe d'un air provocateur.

— Où elle a été prise, celle-là ? ai-je demandé.

— En Caroline du Sud.

— C'est Cherokee.

— Le grand chef indien a en effet passé quelque temps dans le sud, dans les années quatre-vingt, a répondu Roy.

Sur le côté de l'image, un peu à l'écart des autres, se tenait un conducteur chevauchant sa moto. À moitié retourné, il avait le visage dans l'ombre mais son engin, photographié de profil et dans toute sa longueur, était clairement visible. J'ai eu brusquement la drôle d'impression de l'avoir déjà vu. J'ai demandé :

— Qui c'est le gars, complètement à gauche ?

— Sur le *chopper*, la moto sans accessoire ?

— Oui.

— Je ne sais pas.

— J'ai vu sa binette sur de vieilles photos, a dit Kuricek mais sur aucune récente. Il ne doit plus être dans le coup.

— Et sa moto ?

— Une œuvre d'art.

Merci, je m'en serais doutée.

Une discussion sur l'opération de vendredi a clôturé la séance. Quand tout le monde a été parti, j'ai demandé à Roy la permission d'emprunter la diapo de Cherokee Desjardins.

— Vous avez remarqué quelque chose d'intéressant ?

— J'ai l'impression de reconnaître cette moto.

— Génial, ça.

— On verra.

Je l'ai suivi dans son bureau. Il a sorti d'une armoire métallique un dossier et en a extrait le cliché réclamé qu'il m'a tendu en soupirant :

— Les motards n'ont plus cette allure de nos jours. Ils possèdent des fast-foods en franchise et portent des vêtements griffés Versace. C'était plus facile pour nous, du temps où ils avaient l'air de pouilleux.

— C'est vous qui m'avez fait déposer, il y a deux ou trois jours, une photo prise, elle aussi, en Caroline du Sud?

— Non. C'est quelque chose d'intéressant?

— Elle ressemble à celle-ci, sauf que la petite Osprey s'y trouve aussi. Je l'ai montrée à Claudel.

— J'aimerais savoir ce qu'il en pense.

Je l'ai quitté sur la promesse de lui rendre sa photo.

De retour au labo, je suis allée directement au département Imagerie pour rajouter cette photo à mon CD Rom, en vue de la comparer avec celle que j'avais à la maison. Une intuition qui ne mènerait probablement nulle part.

À quatre heures et demie, je suis rentrée chez moi, en faisant un crochet par l'Hôtel-Dieu. LaManche était toujours aux soins intensifs, seuls ses proches étaient autorisés à le voir. Pour pallier mon impuissance, je lui ai commandé un petit bouquet à la boutique de cadeaux de l'hôpital, en allant récupérer ma voiture au stationnement.

J'ai allumé la radio. La barre de présélection s'est promenée sur les ondes en s'arrêtant à toutes les stations. Sur une radio locale, l'animateur d'une tribune téléphonique invitait les auditeurs à se prononcer sur la façon dont la police faisait face à la guerre des motards. J'ai confirmé la sélection.

Si les opinions divergeaient, l'inquiétude était générale. Certains avouaient éviter des quartiers entiers de la ville, des mères ne pas laisser leurs enfants aller seuls à l'école, des fêtards ne pas se sentir rassurés quand ils regagnaient leur voiture pour changer de bar au milieu de la nuit. À cela, s'ajoutait la colère : ces hordes des temps modernes étaient pires que les Mongols ! Les auditeurs exigeaient d'en être débarrassés.

Rentrée à la maison, j'ai trouvé Kit au téléphone.

— Harry te dit *Buenos días* de Puerto Vallarta, m'a-t-il lancé, le combiné posé sur sa poitrine.

— Tu lui as demandé son numéro ?

— Elle a dit qu'elle se promènerait un peu et qu'elle rappellerait dans la semaine.

Cette chère Harry !

Kit a emporté le téléphone dans sa chambre pour continuer sa conversation. Quant à moi, je n'ai pas perdu de temps à m'inquiéter au sujet de ma sœur. J'ai préféré comparer la photo que m'avait prêtée Roy à celle de l'enterrement de Bernard Silvestre, dit le Rusé. Enterrement qui avait eu lieu dans le Sud, lui aussi. M'intéressait tout particulièrement la photo que j'avais regardée avec Kit : la moto au cimetière.

Par trois fois, j'ai passé en revue toute la collection de Kate sans arriver à remettre la main sur l'image en question. J'ai cherché dans mon attaché-case, je suis allée regarder sur le bureau de ma chambre, j'ai fouillé parmi les papiers autour de l'ordinateur. En vain. La photo restait introuvable.

Bizarre.

J'ai passé la tête dans la chambre de Kit pour savoir s'il ne l'aurait pas prise. La réponse était non.

Refais le parcours à l'envers, Brennan. Quand as-tu vu cette photo pour la dernière fois ?

Samedi soir avec Kit ?

Non.

Dimanche matin. Entre les mains de Lyle Crease !

La fureur a jailli de moi comme l'air d'un ballon sous l'effet d'un coup de poing. J'en avais la nuque moite et les doigts recroquevillés.

Shit ! L'enfant de chienne !

Cependant, ma fureur contre le journaliste n'était rien comparée à la rage que j'éprouvais contre moi-même. À force de vivre seule, j'avais pris l'habitude, fortement déconseillée par le labo, de rapporter chez moi des matériaux relatifs à une enquête. Résultat : j'avais perdu ce qui était peut-être une pièce à conviction.

Peu à peu, j'ai recouvré mon calme. En partie grâce aux paroles que m'avait dites un inspecteur de Charlotte alors que, assiégés par une meute de journalistes dans une demeure réduite en cendres, nous mettions en sac les restes de toute une famille de quatre personnes assassinées.

« Dans les pays libres, la presse fonctionne à la façon des égouts : elle aspire les gens et les passe à la moulinette jusqu'à ce qu'ils ne soient plus que des tas de merde. Et elle s'en prend surtout à ceux qui ne font pas attention. »

En l'occurrence, à moi.

Qui n'avais pas fait attention.

Et qui allais devoir récupérer ces photos.

Chapitre 31

Pour faire passer ma rage contre Crease, mon dégoût de moi-même et mon inquiétude pour LaManche, j'ai parcouru près de cinq kilomètres sur la piste de marche au centre sportif. J'ai fait ensuite trente minutes de lever de poids et je suis restée dix minutes dans le sauna. En rentrant à pied chez moi, j'étais épuisée physiquement, mais toujours dans le même état mental.

Le temps était lourd et humide. Des mouettes interpellaient à grands cris les nuages sombres qui piégeaient la ville dans un crépuscule précoce et plaquaient au sol l'odeur du Saint-Laurent. Tout en suivant la rue Sainte-Catherine, je me suis forcée à penser à des futilités. Pourquoi les mouettes des villes se battaient-elles avec des pigeons pour des ordures sans intérêt, alors que, un kilomètre et demi plus loin, l'un des grands fleuves du monde leur offrait du poisson à volonté ? Mouettes et pigeons étaient-ils de la même famille ?

Des oiseaux, je suis passée au menu du souper, puis à mon genou gauche qui me tirait et à la carie que j'avais, selon toute évidence. J'ai aussi réfléchi à différents moyens de me cacher les cheveux. Surtout, j'ai pensé à Lyle Crease. Et, là, j'ai compris la rage qui anime les islamistes et les employés des postes. J'allais appeler ce bon à rien et exiger qu'il me rende mon bien. Et ce reptile avait intérêt à ne plus jamais croiser ma route, parce que je ne répondrais plus de moi !

En tournant le coin de ma rue, j'ai aperçu un type qui s'avançait vers moi. Genre gros *redneck* en gilet de cuir, l'air aussi teigneux qu'une meute d'hyènes à lui seul. Sortait-il de mon immeuble ? Serait-ce l'un des nouveaux amis de Kit ? À cette pensée, mon plexus s'est noué. J'ai accéléré le pas, marchant au milieu du trottoir. Arrivé à ma hauteur, l'homme, au lieu de s'écarter, m'a bousculée avec une violence telle que j'ai failli en perdre l'équilibre. Vrillant mes yeux dans les siens, noirs et encore assombris par la visière de sa casquette de baseball, j'ai pensé de toutes mes forces : « Regarde-moi bien, espèce de con, et rappelle-toi de moi. Parce que moi, je ne t'oublierai pas ! »

Il s'est contenté d'avancer les lèvres en un baiser obscène. J'ai répondu à sa moue par un doigt d'honneur, avant de prendre mes jambes à mon cou. J'ai atteint mon immeuble et grimpé deux à deux les marches du perron. Le cœur battant à tout rompre et les mains tremblantes, j'ai réussi à mettre ma clef dans la serrure. J'ai traversé le hall d'entrée comme une flèche jusqu'à la porte de mon appartement.

Kit était dans la cuisine, en train de jeter des pâtes dans de l'eau bouillante. Une bière vide près de l'évier, une autre à moitié pleine à côté de son coude.

— Kit !

À mon cri, sa main a fait un bond.

— Hé, salut ! Ça va ?

Il a remué les nouilles avec une spatule en bois et a pris une gorgée de bière. Ton désinvolte, gestes saccadés, air crispé. J'ai gardé le silence, attendant qu'il parle.

— J'ai trouvé de la sauce toute faite. Ail grillé et olives noires. Il y a mieux comme recette, mais je me suis dit que ça te ferait plaisir de manger autre chose que du surgelé.

Il m'a décoché un de ces sourires enjôleurs dont il a le secret et s'est administré une nouvelle gorgée de Molson.

— Que se passe-t-il ?

— C'est le match de prolongation de la NBA, ce soir.

— Tu sais très bien de quoi je parle !

— Moi ?

— Kit !

Je ne cachais plus mon énervement.

— Quoi ? Interrogez-moi, Madame !

— Quelqu'un est venu en mon absence ?

Il a remué les tagliatelles, tapé la cuiller sur le rebord de la casserole et m'a fixée sans ciller. Pendant un moment, la seule chose à passer entre nous a été la buée qui montait de la casserole. Puis, paupières pincées, il a de nouveau tapé la cuiller et dévié le regard.

— Non.

Il a cligné les yeux et a tourné la tête vers moi.

— C'est quoi, ton problème ?

— Il y avait un drôle de bonhomme dehors, j'ai cru qu'il sortait d'ici.

— J'y peux rien.

Et d'enchaîner avec un sourire chiant :

— Vous les aimez *al dente*, Madame ?

— Kit...

— Tu te fais trop de souci, tante Tempe.

Ça commençait à devenir une rengaine.

— Tu as revu ces types du magasin de motos ?

— Présomption de relation avec les pâtes organisées ? a-t-il rétorqué, bras tendus en avant, poignets serrés l'un contre l'autre. C'est bon, je me rends. Tu peux m'arrêter.

— Tu les vois toujours ?

— Vous avez été engagée par qui pour me poser toutes ses questions, Madame ?

Il avait pris une voix sévère. Il était clair qu'il ne me dirait rien. Reléguant ma peur dans un coin de mon cerveau en sachant bien qu'elle n'y resterait pas, je suis allée me changer dans ma chambre.

J'en suis ressortie en ayant pris une décision : Kit allait rentrer à Houston !

Après le repas, nous nous sommes installés, lui devant la télé, moi devant l'ordinateur. Je venais à peine de faire apparaître à l'écran les images sauvegardées sur mon CD Rom que le téléphone a sonné. Kit a décroché. J'ai entendu des rires et des plaisanteries de l'autre côté du mur. Puis, sa voix a monté d'un ton. Forte, contrariée. J'ai même entendu quelque chose claquer. Je n'avais pas besoin de comprendre ce qui se disait pour deviner que Kit était fâché. L'instant d'après, il s'encadrait dans ma porte, dans un état d'agitation visible.

— Je sors pour un petit bout, ma tante.

— Tu sors ?

— Ouais.

— Avec?

— Des gars.

Sourire de la bouche seulement.

— Ce n'est pas suffisant comme réponse, Kit.

— Oh, sacrifice! Tu ne vas pas recommencer!

Sur ce, il s'est précipité dans l'entrée. J'ai bondi sur mes pieds en criant « *Shit!* » Un autre « *Shit!* », censé expulser mon restant de fureur, a jailli de ma bouche en découvrant Kit déjà dehors, alors que j'arrivais à peine au salon. J'allais m'élancer à sa poursuite quand le téléphone a sonné. Croyant qu'il s'agissait du type qui venait d'appeler, j'ai attrapé le combiné et rugi:

— Oui!

— Oh là, là! Tu deviens de plus en plus grossière, Tempe! Je ne sais pas, moi, tu devrais faire de l'exercice.

— Où est-ce que tu es, Harry?!

— Dans le grand État de Jalisco. *Buenas noch...*

— Pourquoi tu m'as caché que ton fils avait eu des problèmes à Houston?

— Quels problèmes?

— La drogue. Qu'il s'était même fait emprisonner!

J'en criais presque.

— Oh...! Ça?

— Ça!

— Ce n'était pas de sa faute, vraiment. Sans ces petits cons à la face de morts, il n'y aurait jamais touché!

— Mais il l'a fait, Harry, et maintenant il est fiché à la police!

— N'exagérons rien. D'abord, il n'a pas été emprisonné. Howard lui a trouvé un avocat et il s'en est tiré avec des travaux communautaires ou quelque chose comme ça. Il a travaillé pendant cinq nuits dans un centre de sans-abri, Tempe! Il mangeait là-bas, il dormait là-bas, et tout le reste. Ça lui a donné une bonne idée de la façon dont les moins fortun...

— Tu l'as fait suivre par un psychologue?

— C'était juste pour se faire remarquer. Il va très bien.

— Il a peut-être un problème grave.

— Mais non. C'est juste qu'il traînait avec des idiots.

J'étais exaspérée, à deux doigts d'exploser.

L'incapacité de ma sœur à regarder les choses en face me surprendra toujours. Elle gazouille avec ses fleurs, mais elle est incapable de communiquer avec son fils.

— Tu surveilles ses fréquentations, au moins ? Tu sais ce qu'il fait de son temps !

— Voyons, Tempe ! Il ne s'est quand même pas acoquiné avec Bonnie et Clyde pour dévaliser les banques !

— Il ne s'agit pas de ça.

— Je ne veux pas en discuter plus longtemps.

Ma sœur tout crachée, cette phrase ! Au concours de « tête dans le sable », elle serait sacrée championne toutes catégories. Ne tenant pas à ce que la conversation dégénère en dispute, j'ai prétendu que je devais me sauver.

— OK ! Vas-y. Je voulais seulement m'assurer que tout allait bien. Je vous rappelle.

— C'est ça !

J'ai raccroché. Debout au milieu du salon, je suis restée au moins cinq minutes à me demander que faire. Rien de ce qui me venait à l'esprit ne me satisfaisait. J'ai fini par prendre une décision. J'ai cherché une adresse dans l'annuaire, j'ai attrapé mes clefs et je suis sortie.

La circulation était fluide. Vingt minutes plus tard, j'avais atteint la rue Ontario et garais ma voiture le long du trottoir. J'ai coupé le moteur. Le trac me donnait des crampes d'estomac. Ce que j'allais entreprendre était pire que dix ans d'exfoliation au laser.

La Taverne des Rapides se trouvait exactement de l'autre côté de la rue, en sandwich entre un salon de tatouages et un atelier de réparation de motos. Le lieu était aussi mal famé que le laissaient imaginer les photos que m'avait montrées Claudel, sur lesquelles on voyait mon neveu. À travers des vitrines qui ne devaient pas avoir été lavées depuis l'ère du Verseau, on devinait à l'intérieur des réclames en néon Budweiser et Molson. J'ai enfoncé une canette de poivre de Cayenne au fond de ma poche à fermeture éclair et je suis descendue de voiture. J'ai verrouillé ma portière et traversé la rue. La musique qui faisait vibrer la taverne toute entière s'entendait du trottoir.

Fumée et relents de sueur et de bière m'ont saisi à la gorge, à peine la porte franchie. Un portier m'examinait des pieds à la tête. T-shirt noir décoré d'un crâne hurlant, barré par le slogan « *Born to die*».

— Chérie ! Je viens de tomber en amour !

Roucoulement langoureux, appuyé d'un regard libidineux à ma poitrine. Des dents en moins et une gueule digne des Gangsters Anonymes. J'ai ignoré son sourire.

— Viens trouver Rémi quand t'auras envie d'un p'tit spécial, bébé.

Il a glissé une main velue le long de mon bras et, du geste, m'a autorisée à passer. Rêvant de réduire sa dentition d'encore deux ou trois incisives, j'ai obtempéré. Une table de billard, un juke-box et des télés perchées sur les étagères dans les coins ; un comptoir sur toute la longueur d'un mur ; des banquettes sur celui d'en face ; des tables dans le vide au milieu. Lumière : néant, à part les guirlandes de Noël autour du bar et de la vitrine. On se serait cru dans un tripot du fin fond des Appalaches.

J'ai attendu que mes yeux s'accoutument à l'obscurité pour examiner la clientèle. Une majorité de mâles dominants hirsutes et débraillés, Visigoths tout droit sortis d'un mauvais casting. Les quelques femmes avaient des coiffures raidies de gel et les seins comprimés dans des entrelacs de lanières qui leur creusaient un sillon invitant.

Pas l'ombre d'un Kit à l'horizon.

Je me frayais discrètement un passage vers le fond de la salle quand des cris et des bruits de coups de pied m'ont arrêtée. Tête baissée, j'ai piqué un sprint entre les bedaines et je me suis aplatie contre un mur.

Près du bar, un Raspoutine à joues concaves et sourcils broussailleux bondissait sur ses pieds en beuglant. Du sang dégoulinait de son visage et noircissait les chaînes qu'il portait au cou. Le défiait du regard, séparé de lui par une petite table, un type bouffi, armé d'une bouteille de Molson qu'il tenait par le culot. Poussant un hurlement, Raspoutine a projeté une chaise à la tête de son adversaire. Bouffi et bouteille ont heurté le ciment dans un bruit de verre brisé. Les chaises et les tabourets de bar se sont vidés d'un coup, et leurs occupants se sont précipités comme un seul homme vers l'épicentre du scandale, avides de prendre part à l'action, quelle qu'elle soit. Est apparu le portier, un bâton de baseball à la main. Il s'est juché sur le bar. J'en avais assez vu. Mieux valait attendre Kit dehors.

J'étais à mi-chemin de la porte quand deux mains se sont violemment abattues sur mes bras. Impossible de me dégager. La prise écrasait douloureusement ma chair. Furieuse, je me suis retournée pour me trouver nez à nez avec un alligator des marais ou tout comme : cou épais formant un angle obtus avec la tête et longue mâchoire étroite, surmontée d'yeux de fouine en saillie.

Retroussant les lèvres, mon agresseur a émis un sifflement perçant. Raspoutine s'est immobilisé. Il y a eu un flottement général, le temps qu'acteurs et spectateurs du combat repèrent d'où venait le bruit. On a enfin pu entendre George Strait roucouler sa chanson.

— Arrêtez vos niaiseries, les gars, et regardez-moi ce trésor ! a lancé l'alligator d'une voix incroyablement haut perchée. Rémi, enlève l'osti de bouteille.

Le portier s'est laissé glisser en bas du comptoir et, bâton sur l'épaule, est allé se placer entre les adversaires. Il a posé un pied sur le poignet de l'homme à terre et appuyé légèrement. Le tesson a roulé hors de la main qui le tenait. Rémi lui a refilé un coup de pied avant de remonter sur ses jambes un Tank bafouillant.

— Ferme ta gueule pis écoute ! l'a coupé le type qui me maîtrisait.

— C'est-tu à moi qu'tu parles, J.J. ? a fait Tank tout en reprenant son équilibre, jambes écartées.

— Mets-en que c'est à toi ! Fais que, ferme-la !

L'autre a voulu rétorquer, mais J.J. criait déjà à tout le monde :

— Regardez-moi donc ça !

Certains, moins bourrés que les autres, ont tendu l'oreille, mais la plupart des gens sont retournés à leur ennui. Les Rolling Stones avaient succédé à George. Le serveur recommençait à remplir les verres, le tohu-bohu était reparti de plus belle.

— Tu parles d'une affaire ! a beuglé un homme du bar. Pour une fois qu'une pitoune le r'garde sans s'mettre à vomir !

Rires.

— Ouvre-toi les yeux, l'cave! a braillé J.J. de sa voix nasillarde. T'as pas entendu parler d'la bonne femme qui déterre les squelettes?

— On s'en crisse-tu!

— Celle qui a fait du terrassement chez les Vipères!

Il hurlait maintenant, les tendons de son cou raidis comme des amarres. Des gens se sont retournés, quelques-uns seulement. Perplexes.

— Y'en a pas un d'vous autres qui lit les journaux, gang d'épais?

L'alligator en perdait la voix tellement il s'égosillait pour se faire entendre. Mais les autres s'étaient déjà remis à boire ou à jaser. Seul Tank s'est ramené vers nous, de la démarche exagérément prudente de l'ivrogne bien imbibé. Soufflant lourdement, il s'est planté devant moi et m'a passé la main sur la joue. J'ai écarté la tête. M'attrapant le menton, il a ramené mon visage tout près du sien. Son haleine chargée de bière me levait le cœur.

— T'as pas l'air trop chiante, pourtant… T'es venue triper avec les bums, la plotte?

Comme je le fixais droit dans les yeux sans répondre, il a baissé d'une main la fermeture de son blouson et rejeté un pan en arrière. À la vue du .38 passé dans sa ceinture, la peur s'est propagée dans tout mon corps à la vitesse de l'éclair. Du coin de l'œil, j'ai aperçu un type au bar sauter de son tabouret et marcher vers nous. Petite poussée à Tank, avant de lancer:

— Tabarnouche, j'la laisserais jouer avec mes os n'importe quand, moi!

Pantalon noir pendant entre les jambes et chaînes d'or au cou. Lunettes de moto lui barrant le visage. Sous le gilet une peau blanche comme un ventre de poisson et, sur la poitrine et les bras, des œuvres du plus pur style carcéral. Muscles gonflés aux stéroïdes. Il avait un accent à couper au couteau. Tank m'a relâchée et a reculé d'un pas quelque peu titubant.

— C'est la chienne qui a r'monté Gately et Martineau du trou.

Je me suis forcée au calme.

— Tu veux pas r'monter Pascal, chérie ? Là, t'aurais vraiment pêché le gros lot.

Le Pascal en question a retiré ses lunettes. Ma peur a augmenté d'un coup : ses yeux, étincelants et vitreux, brillaient de la toute-puissance que donne le crac ou la méthédrine. Il a voulu me prendre la main. J'ai réussi à parer son geste.

— T'as un problème ?

Face à ses pupilles dilatées, je n'en menais pas large. Surtout, ne pas le montrer. J'ai répliqué :

— Y'a quelqu'un pour lui tenir sa laisse ?

De rouge, il a viré grenat. Les muscles de ses bras et de son cou se sont tendus comme des cordes.

— C'est qui c'te crisse de chienne-là ?

Il a de nouveau voulu poser la main sur moi, je lui ai redonné un coup. À vrai dire, j'étais terrorisée. J'ai craché d'une voix de tête :

— Ce n'est pas de votre faute si on ne vous a pas appris la politesse dans votre famille éclatée, mais ne me touchez plus jamais !

— Tabar… ! a rugi Pascal en serrant les poings.

— Tu veux que j'y tire dans l'cul ? a demandé Tank, la main sur son .38.

— Calme tes nerfs, ma salope, si tu veux pas laisser ta cervelle sur le mur ! a ricané J.J.

Il m'a poussée dans le dos et s'est fondu dans la foule. J'ai voulu fuir. Pascal m'a rattrapée et retournée d'une clef au bras dans le dos. Sous la douleur, ma vue s'est brouillée de larmes.

— Pas icitte, Pascal. Emmène-la ailleurs, a laissé tomber Rémi d'une voix éteinte, en venant se placer derrière mon assaillant, son bâton de baseball toujours sur l'épaule.

— Pas d'problème.

Se plaquant contre moi, un bras serré autour de mon cou, Pascal a appliqué une pointe froide et dure sur ma nuque. Je me tortillais en tous sens, sans pouvoir me libérer. Je ne faisais pas le poids contre la drogue qui irriguait ses veines.

— J'emmène la chienne faire un tour à l'opéra.

Et Pascal m'a tirée et poussée vers le fond de la salle.

Chapitre 32

— Non !

Je criais, incapable de conserver mon sang-froid malgré mes belles résolutions, tandis que Pascal me propulsait à travers la foule, emprisonnant d'un bras mon cou, comme dans un étau, et me tordant, de l'autre, le coude en arrière. La douleur, abominable, m'élançait jusqu'à l'épaule. La lame tressautait à chacun de mes pas et je sentais du sang couler sur le côté de mon cou. Mon cerveau, en proie à la rage et à la terreur, me hurlait des ordres contradictoires :

« Fais ce qu'il te dit ! »

« Non, surtout pas ! Ne pars pas avec lui ! »

Affolée, je me débattais en tous sens dans l'espoir de trouver du secours. Mais le serveur se contentait d'observer notre progression à travers le voile de fumée qui ondulait devant ses yeux, le juke-box braillait du rock, et les gens nous saluaient au passage par des sifflements et des hululements sans vraiment émerger de leur apathie. Personne ne s'intéressait à mon sort.

« Ne te laisse pas entraîner dehors ! »

Je n'étais pas de taille à lutter contre Pascal. Resserrant sa prise autour de ma gorge, il m'a fait franchir la porte de secours et descendre de force une volée de marches en fer. J'étais dehors. Un raclement de bottes m'a indiqué que Tank nous collait au derrière. Quand mon pied a touché terre, j'ai voulu plonger en avant en pivotant sur moi-même. Pascal n'a eu qu'à augmenter son étranglement pour m'immobiliser. Baissant le menton, j'ai planté mes mâchoires dans sa main avec la rage du désespoir. Il m'a projetée au sol en rugissant. Je me suis ramassée au milieu de papiers détrempés, de capsules de bière, de condoms usagés et de vieux mégots. Le nez dans l'urine et l'eau sale, défaillant presque, je cherchais à ouvrir ma poche pour y prendre le poivre de Cayenne, quand Pascal m'a aplatie sous sa semelle en grondant:

— Si tu penses que tu vas t'en tirer comme ça!

Je suis allée m'écraser sur le gravier. L'air a jailli de mes poumons et de la lumière blanche a explosé dans ma tête.

«Hurle!» m'ordonnait mon cerveau.

Mais j'avais le thorax en feu. Je n'aurais pu émettre le moindre son.

La botte s'est soulevée. Une portière de voiture s'est ouverte. Le souffle coupé, je me suis hissée à quatre pattes, cherchant de l'air. Mes coudes et mes genoux dérapaient dans la boue.

— C'est-tu aujourd'hui que ça s'passe, ma p'tite crisse?

Un canon de revolver s'est plaqué contre ma tempe, je me suis immobilisée. Tank avait le visage si près du mien que je sentais de nouveau son haleine.

Le gravier a crissé sous des pas.

— V'là ta limousine, ma salope! Tank, prends-la par les pieds!

Des bras m'ont soulevée brutalement, comme on le fait d'un tapis roulé. J'ai donné des ruades de tout le corps. En vain. La panique s'est emparée de moi. La ruelle était désespérément vide. Étoiles et toits ont subitement tournoyé dans mon champ de vision et j'ai été lancée à l'arrière d'une voiture. Tank, grimpé à ma suite, a aussitôt rabattu mon épaule sous sa botte. Le nez enfoui dans le tapis de sol, je ne voyais plus rien. Les relents de poussière, de vin, de tabac et de vomi m'ont immédiatement donné la nausée. Tout mon corps s'est mis à tressauter sous les spasmes.

Les portières ont claqué, la voiture a démarré, puis débouché dans la rue et accéléré. J'étais prisonnière. Et je suffoquais.

Ayant réussi à bouger un bras et à faire glisser ma main jusqu'à mon épaule, j'ai tenté de relever la tête. La botte ne s'est soulevée que pour s'enfoncer plus fort dans mon dos.

— Tu dis juste un mot pis j'te crisse une balle dans l'cul !

Voix de Tank. Dure. Élocution nettement plus assurée que dans le bar. Entre l'alcool et la drogue qui exacerbaient l'agressivité naturelle de ces types, mon avenir était certain : ils allaient me tuer sans l'ombre d'une hésitation. Mieux valait ne pas les provoquer tant qu'il n'y avait pas d'échappatoire. J'ai tenté de me raisonner : « Concentre-toi pour trouver une issue ! » J'ai baissé la tête et j'ai attendu.

Coups d'accélérateur et de frein se succédaient sans qu'on puisse les prévoir. Les mouvements du véhicule intensifiaient mon mal de cœur. Incapable de rien voir, je comptais les arrêts et les tournants pour tenter de mémoriser la route. La voiture a fini par s'immobiliser. Tank a relâché la pression de sa botte. Les portières se sont ouvertes et refermées avec des claquements secs. J'ai entendu les hommes parler et la portière arrière s'est rouverte. Pascal m'a attrapée par les bras et tirée au dehors.

Je tentais de retrouver mon équilibre quand j'ai aperçu Tank, son .38 braqué sur ma tête. Dans la faible lumière rosée de la rue, ses yeux jetaient des éclairs noirs. Il dégustait à l'avance sa sauvagerie. À partir de ma colonne vertébrale, la terreur s'est propagée par vagues dans mon corps tout entier. Par un suprême effort de volonté, j'ai résisté à l'envie de le supplier. Il était clair que mes prières ne feraient qu'aiguiser son appétit de sang.

Me poussant devant lui, Pascal m'a fait gravir le talus qui nous séparait d'un portail, derrière lequel apparaissait un bâtiment de briques à toit vert. Quand il a sorti ses clefs pour l'ouvrir, le calme si douloureusement construit en moi s'est effondré d'un coup.

« Enfuis-toi ! N'entre pas dans cette cour ! »

J'ai hurlé :

— Non !

— Bouge-toi l'cul, ma chienne !

— Non ! Je vous en supplie.

Mon sang cognait dans mes veines à une vitesse folle. J'ai tenté de coincer mes pieds sous un rebord, mais Pascal m'a dégagée et traînée sur toute la longueur de la cour. Tank suivait de près, son pistolet contre l'arrière de mon crâne. Toute fuite m'était interdite. Je sanglotais presque.

— Qu'est-ce que vous voulez de moi ?

— Tout c'que t'as et même plus, ma salope ! a braillé Pascal. Tu vas goûter à d'la marde comme t'en as jamais rêvé !

Il a parlé dans un interphone. Une voix métallique a répondu. Déclic. D'une poussée de l'épaule, il a accéléré l'ouverture de la porte blindée et m'a projetée à l'intérieur.

Il y a des moments dans la vie où il est évident que c'est la fin. Votre cœur bat à tout rompre, votre pression est à son maximum et vous savez que le sang qui va jaillir sous peu sera le vôtre et qu'il ne reviendra jamais couler paisiblement dans vos veines. Votre esprit bascule entre le violent désir de tenter un ultime coup de force et celui, tout aussi violent, de vous soumettre. J'avais déjà éprouvé ce sentiment une ou deux fois dans ma vie, mais jamais aussi durement. Cette nuit, je savais avec certitude que je ne quitterais pas cette maison vivante.

J'ai opté pour l'action brutale. Pivotant sur moi-même, j'ai balancé de toutes mes forces mon poing dans la figure de Pascal. Quelque chose a craqué. Mon poing est reparti, sous le menton cette fois. La tête de Pascal s'est renversée en arrière, il m'a lâchée. Sans réfléchir, j'ai foncé à gauche. Vers une porte ouverte.

Je me suis retrouvée dans une salle de jeux, copie conforme de celle du repaire des Vipères de Saint-Basile-le-Grand : même bar, même décoration en tubes de néon, même table de billard, mêmes jeux vidéo. À la seule différence que les écrans, allumés, baignaient la pièce et ses occupants dans une lumière bleutée.

J'ai couru jusqu'à l'autre bout de la salle et je me suis emparée d'une baguette de billard. Tout en fouillant ma poche à la recherche du poivre de Cayenne, j'ai balayé les lieux du regard en quête d'une issue quelconque, porte ou fenêtre.

Deux types étaient assis devant le bar, un autre se tenait derrière. Tous trois avaient suivi ma course éperdue. Quand Pascal a fait irruption, ils se sont retournés vers lui.

— J'vais la tuer, c't'enfant d'chienne ! Où c'est qu'elle est, sacrament ?

La lumière du panneau en néon, qui l'éclairait en oblique, creusait ses rides et plaquait des ombres sur ses yeux et ses joues.

— Arrête ! Tout de suite !

Voix de basse, dure comme du quartz.

Pascal s'est figé. On a entendu la porte d'entrée se refermer avec bruit. Visiblement, Tank avait préféré ne pas s'en mêler davantage.

J'ai regardé celui qui avait parlé. Costume brun à double boutonnage, chemise pêche et cravate assortie. Grandes mains couvertes de bagues. Bronzage artificiel. Le genre d'homme à laisser quatre-vingts dollars au coiffeur à chacune de ses visites.

À côté de lui : Andrew Ryan !

En jeans noirs, bottes et coton ouaté gris à manches découpées au rasoir. Le visage dur et tendu. Une barbe de plusieurs jours.

En le reconnaissant, mon cœur s'est presque arrêté. Ses yeux ont croisé les miens, sa paupière inférieure a frémi légèrement et il a dévié le regard. Prise d'une chaleur subite, j'ai flageolé. Si je ne m'étais appuyée contre la table de billard, je me serais effondrée. Plusieurs secondes se sont écoulées. Jambes étendues vers moi, Ryan a tourné sur son tabouret, le visage tordu par un sourire de mépris.

— Si c'est pas notre emmerdeuse nationale…

— T'a connais, c't'osti d'conne ? a jeté Pascal d'une voix qui tremblait de rage.

Il a essuyé de sa manche le sang qui dégouttait de son nez.

— Mets-en que j'la connais ! C'est la Docteure-aux-beaux-diplômes, a répondu Ryan, tout en tapotant un paquet de Marlboro tiré de sa poche.

Une cigarette a pointé le nez, qu'il a sortie et placée entre ses lèvres. Tous les regards étaient fixés sur lui, le mien compris. Il a ensuite extrait une pochette d'allumettes coincée entre le paquet et la cellophane d'emballage et, prenant tout son temps, a allumé sa Marlboro et exhalé lentement la fumée.

Je le dévorais des yeux. Ses gestes, sa façon de tenir la cigarette entre le pouce et l'index m'étaient si familiers

que j'ai senti les larmes me monter aux yeux. J'ai eu un ho-
quet.

Ryan s'était fourré l'allumette entre les dents et la mordillait. L'ayant recourbée, il l'a expédiée dans ma direction.
Elle a volé à travers toute la pièce pour atterrir sur le feutre
vert de la table, juste devant moi. Je n'ai plus pu me retenir.

— Salaud ! Vendu ! Crève, mon espèce de chien sale !

— Je l'ai dit qu'y faut y'apprendre les bonnes manières,
à cette conne ! a fait Pascal en s'essuyant de nouveau le nez.

— Mauvaise idée ! a laissé tomber Ryan, et il a tiré une
longue bouffée.

Le type en costume de gabardine a tourné la tête vers
lui. Des secondes interminables se sont écoulées dans une
tension palpable.

— Et pourquoi ça ? a-t-il demandé sur un ton tranquille.

— Parce qu'elle travaille avec la police, a dit Ryan avant
de tirer une autre bouffée. Et qu'ils ont déjà un dossier sur
Pascal pour une connerie du même genre.

— Dis plutôt que t'as pas d'couilles ! l'a défié l'autre.

— Crisse d'épais, a lâché Ryan, et il a exhalé sa fumée par
les narines. Ça t'suffit pas d'avoir foutu la marde en réglant
son compte à une de tes traînées ? Faut encore que tu nous
descendes un agent icitte, et une femme par-dessus le marché ? Tu veux que toute l'escouade rapplique te chauffer l'cul ?
Tu t'en sacres peut-être de t'faire ramasser pour le meurtre de
Barbie, mais pas nous autres ! Parce qu'on sera obligés de mettre au neutre tout ce qu'on a en marche, pendant que les
bœufs vont nous disséquer morceau par morceau.

— Elle m'a frappé, la chienne, a répliqué Pascal en
fixant Ryan d'un regard où se lisaient la rage et les effets de
la dope. J'vais lui perforer un deuxième trou au cul !

Un œil et un coin de sa bouche se sont tordus, et tout un
côté de son visage s'est mis à vibrer, pris de tics. Quant à
l'homme en costume, il n'avait pas lâché Ryan des yeux. Im-
passible. Au bout d'un moment, il s'est retourné vers Pascal.

— Tu vas rester tranquille, a-t-il déclaré calmement.

Pascal a fulminé.

— Tu veux du sang ? est intervenu Ryan. Tiens, r'garde !

Il est allé attraper une bouteille en plastique rouge à
l'autre bout du bar, puis il a fait le tour de la table de billard.

Planté devant moi, il s'est mis à décrire de grands mouvements circulaires tout en appuyant sur la bouteille, le goulot pointé sur moi. J'étais paralysée.

— Déchiffre-moi ça, Shakespeare! a-t-il laissé tomber d'un air suffisant, et il a tapé violemment le cul de la bouteille contre la table.

J'ai baissé les yeux vers ma chemise. Couverte de ketchup. Hurlant intérieurement des mots que je n'écrirai pas, j'ai regardé Ryan. Son sourire satisfait avait disparu. Ses yeux bleus de Viking étaient plantés dans les miens. Des secondes interminables ont passé. Enfin, il s'est détourné et a lancé à l'adresse de Pascal:

— Le party est fini!

— Y sera fini quand j'le dirai, a grondé l'autre, les pupilles plus larges qu'une bouche d'égout.

Et de prendre à témoin le compagnon de Ryan:

— Ce tas d'marde a pas d'affaire à m'parler sur ce ton-là! C'est même pas un...

— Oh oui! j'ai d'affaire! Le party est fini. Sacre ton camp, tout d'suite!

La phrase avait été dite à peine plus haut qu'un murmure.

Les sourcils de Pascal se sont rapprochés jusqu'à ne former qu'un trait. Une veine a grossi près de sa tempe. Sur un dernier «Enfant de chienne!», il a tourné les talons et vidé les lieux. Le type en costume n'avait pas cillé. Ryan s'est retourné vers moi.

— Toi, ma p'tite crisse, fais-toi pas d'idées! C'est pas pour tes beaux yeux. Tant qu'à moi, tu pourrais aussi bien te trémousser en haut, à quatre pattes avec Pascal.

Tout contre moi, il me martelait la poitrine du doigt, en scandant chaque syllabe. Je pouvais sentir l'odeur de son corps, une odeur qui m'était aussi habituelle que ma propre transpiration.

— Et retiens bien ça: y s'est rien passé icitte, à soir! C'est-tu assez clair?

Il m'a agrippée par les cheveux et tirée si violemment en arrière que j'en ai vacillé.

— Tu dis un mot pis c'est moi qui conduis Pascal jusqu'à ta porte. Astheure, disparais! On va t'ouvrir la grille.

Sur ce, Ryan est allé rejoindre l'homme près du bar. Il a tiré une dernière bouffée sur sa cigarette avant d'écraser le mégot contre la barre d'acier sous le comptoir. Des gerbes d'étincelles ont fusé en même temps qu'une boule compacte et glacée se formait en moi. Sans un mot, j'ai reposé la baguette de billard et déguerpi aussi vite que me le permettaient mes jambes flageolantes.

Dans la rue, de l'autre côté du portail, j'ai sorti le poivre de Cayenne de ma poche et j'en ai aspergé la maison, prise entre la rage et l'humiliation. Bien soulagée, aussi. Pleurant et claquant des dents, j'ai filé dans le noir, la canette serrée contre moi.

Le repaire de motards n'était pas à six pâtés de maisons de la Taverne des Rapides. J'ai rapidement parcouru cette distance. Saine et sauve dans ma voiture, portières verrouillées, je me suis laissée aller sur mon siège, incapable de contrôler mes spasmes, hébétée. Je me suis forcée à respirer lentement et à accomplir chaque geste posément. Ceinture. Contact. Vitesse. Accélérateur. Des éclairs zébraient le ciel et de grosses gouttes commençaient à s'écraser sur le pare-brise. J'ai roulé jusque chez moi sans même songer à la limitation de vitesse, l'esprit en tumulte.

Ses comparses pouvaient remercier Ryan du conseil qu'il leur avait donné. Éliminer un policier, serait-ce un subalterne comme moi, ne pouvait qu'engendrer de lourdes représailles et mettre leur organisation hors-jeu pendant un bon moment. À moins d'avoir des raisons extraordinaires, c'était une solution idiote, et l'homme en costume l'avait compris sans qu'on lui explique les choses en long et en large.

Mais quelle était la position de Ryan, en vérité ? N'était-il pour ces bandits uniquement leur *consigliore* ? Étais-je tombée sur le Ryan nouveau crû, affilié à des motards, ou bien d'autres motifs expliquaient-ils sa présence dans leur repaire ? Que signifiait cette scène du ketchup ? Avait-il voulu m'humilier, me faire entrer dans la tête que son ancienne vie était finie, que désormais il appartenait à l'autre bord ? Ou n'avait-il agi ainsi que pour me permettre de quitter les lieux saine et sauve ? Mais, dans ce cas, il avait mis en danger sa couverture ! Et seulement pour mes beaux yeux…

Mon devoir exigeait que je rapporte l'événement, et je le savais bien. Mais y avait-il un avantage à le faire ? Le Carcajou connaissait forcément l'existence de ce repaire. Pascal et Tank étaient de toute évidence fichés. Si Ryan était en mission d'infiltration, si tous les crimes dont il était accusé n'étaient qu'inventions destinées à étayer sa couverture, ne risquais-je pas de mettre sa vie en danger en allant faire un rapport ?

Le Carcajou. Claudel. Quickwater... J'en avais l'estomac tout à l'envers. Que diraient-ils en apprenant que j'étais allée de moi-même me jeter dans la gueule du loup ? À coup sûr, Claudel n'en serait que plus décidé à me faire rayer de mon poste d'agent de liaison entre le labo et l'escouade tactique.

Ryan était-il en mission ou pas ? C'était ça la question et je n'en connaissais pas la réponse, alors que je devais absolument prendre une décision. Que faire ?

J'ai fini par décider de taire ce qui s'était passé. Quels que soient les motifs de Ryan, je ne ferais rien qui risque de lui nuire.

Bien.

Mais... Et si j'attendais plutôt demain pour décider d'une stratégie ?

De retour à la maison, j'ai trouvé la porte de Kit fermée. On entendait de la musique jouer à l'intérieur.

« Bravo, ma tante ! C'est exactement pour ça que tu n'es pas une vraie policière ! », me suis-je dit en jetant mes vêtements sur le fauteuil.

Je me suis écroulée sur mon lit. Et c'est alors que j'ai songé : « Et si Pascal t'avait emmenée ailleurs que dans ce repaire, où en serais-tu maintenant ? »

Le sommeil ne m'est venu que beaucoup, beaucoup plus tard.

Chapitre 33

Le lendemain matin, je me suis réveillée aux alentours de dix heures, courbatue et endolorie. J'ai passé la matinée à me dorloter à coup de thé, d'aspirine et de bain chaud. J'avais une entaille le long de la nuque et des bleus aux jambes et dans le dos. Pour la figure, je m'en tirais sans trop de dégâts. J'ai apporté à mon maquillage plus d'attention qu'à l'ordinaire et j'ai mis un chandail à col roulé. Au labo, j'ai passé la journée à effectuer des tâches de routine et je n'ai pas fait état de ma rencontre avec Ryan. Le soir, j'ai soupé légèrement en compagnie de Kit. Il ne m'a pas posé de questions sur ma sortie nocturne, qu'il n'avait probablement pas remarquée. De mon côté, j'ai évité de parler de sa petite crise et lui-même n'a pas abordé le sujet.

Après le repas, j'ai décidé de faire la lessive. J'ai trié le linge, mettant à part les pièces qui requéraient un soin particulier. En prenant dans mes mains la chemise que je portais la veille, j'ai senti mon ventre se contracter. Je l'ai étendue afin de vaporiser un produit nettoyant sur les taches de ketchup. Au souvenir de Ryan et de son sourire suffisant pendant qu'il me martelait la poitrine, j'ai exercé une bonne pression sur la poignée. Pschitt! Noyer ce vendu sous le jet! Et voilà que ma main s'est immobilisée.

« Déchiffre-moi ça, Shakespeare! »

Deux six parfaits s'étalaient sous mes yeux au lieu des traces aléatoires que la sauce aurait dû laisser sur le tissu! Hypnotisée, j'entendais dans ma tête Ryan scander: « Déchiffre-moi ça, Shakespeare! »

Ryan, qui avait une passion pour les sonnets du poète...

Remontant du fond des âges, du temps où j'avais M. Tomlison comme professeur d'anglais à la polyvalente, un vers m'est revenu en mémoire.

Saint William, faites que ce soit ça !

J'ai foncé dans le salon. J'avais les *Œuvres complètes* de Shakespeare dans ma bibliothèque. Le souffle court, j'ai ouvert à la page du sonnet 66.

Et la perfection à tort déshonorée

À tort déshonorée...

Les larmes ont jailli de mes yeux. Oui, c'était bien un message que Ryan avait voulu me transmettre ! Les choses n'étaient pas tel qu'il y paraissait. La perfection... Voilà ce qu'il avait voulu me dire. Qu'il n'appartenait pas au monde des ténèbres, qu'il n'avait pas franchi la ligne.

Mais alors, que faisait-il chez ces bandits ?

S'y trouvait-il en mission d'infiltration ?

Si oui, pourquoi ne m'avait-il pas prévenue ?

Voyons, Brennan ! Il ne le pouvait pas, tu peux le comprendre. Et, de toute façon, quelle importance à présent !

Tout d'un coup, j'ai eu la certitude absolue que Ryan était resté l'homme que j'avais connu. Quoi qu'il ait fait. En temps et lieu, j'aurais le fin mot de l'histoire. Et j'ai su avec une lucidité tout aussi éclatante que je ne ferais pas de rapport sur les événements de la soirée. Pas question pour moi d'être celle qui mettrait sa vie en péril !

Je m'en suis retournée à mon linge sale, un sourire radieux aux lèvres. Bien sûr qu'un agent infiltré pouvait travailler des mois, voire des années, sur une opération mais, au moins, je savais à quoi m'en tenir. J'ai jeté ma chemise dans la machine. «Je peux attendre, Andrew Ryan, je peux attendre», me répétais-je, plus heureuse que je ne l'avais été depuis des semaines.

Chassant de mon esprit le souvenir de Pascal et de Tank, je me suis remise à l'étude des photos, abandonnée la veille. Je venais tout juste d'allumer l'ordinateur quand mon neveu est entré dans la pièce.

— J'ai oublié de te dire qu'Isabelle avait téléphoné. Elle doit partir quelque temps et ne voulait pas quitter Montréal sans t'avoir rappelée.

— Elle part pour où ?

— J'ai oublié. À une remise de prix, je crois.

— Quand ça ?

— J'ai oublié.

— Merci.

— Qu'est-ce que tu fais, là ? a-t-il demandé en regardant l'écran.

— Je traite des images pour mieux voir la tête des gens.

— Qui, ça ?

— Savannah Osprey sur une photo, et le type assassiné la semaine dernière sur l'autre.

— Celui qui a été zigouillé en prison ?

— Non, sa victime selon la police, l'homme qu'il est censé avoir tué.

— Cool.

Il a fait un pas dans la pièce.

— Je peux regarder ?

— Si tu me promets de ne rien dire à personne, tu peux te prendre une chaise. De toute façon, je ne crois pas que ces informations soient confidentielles.

J'ai fait apparaître à l'écran le pique-nique de Myrtle Beach et je lui ai désigné Cherokee Desjardins.

— Sacrifice ! On dirait qu'il a été radié de la WWF ! s'est exclamé mon neveu.

— Tu fais allusion aux lutteurs de la World Wrestling Federation ?

— Mais non, le World Wildlife Fund, le fonds pour la préservation de la vie sauvage... Dis donc, elle est pas vieille, la fille ! a-t-il ajouté en montrant du doigt Savannah.

— Tu sais, c'est courant chez les motards de droguer des jeunes filles pour les garder de force dans leurs bandes.

— Et puis, c'est pas non plus une adepte du bronzage. Tu as vu sa peau ? Elle est blanche comme un drap !

Soudain, l'idée m'est venue de montrer à Kit la photo de la moto que j'avais cru reconnaître. J'ai fermé l'image du pique-nique et fait apparaître celle du contrôle routier. Kit s'est penché en avant pour mieux voir.

— C'est le même gars ? a-t-il demandé en désignant Cherokee.

— Oui.

— On est toujours dans le sud des États-Unis ?

— En Caroline du Sud.

— On dirait une arrestation… *Shit !* s'est-il écrié en repérant la moto en bordure de cadre. S'cuse, ma tante. Elle date de quand, cette photo-là ?

— On ne sait pas. Pourquoi ?

— C'est la même moto qu'à l'enterrement.

Mon pouls s'est accéléré.

— Tu es sûr ?

— Voyons, tante Tempe ! C'est la plus belle pièce de ferraille produite dans le Milwaukee que j'aie vue à ce jour ! Une machine qui te pousse à la limite, je te jure !

— C'est pour ça que je te demandais si tu avais pris l'autre photo.

— Tu ne l'as pas retrouvée ?

— Non.

— Pas grave. C'est la même moto.

— Qu'est-ce qui te permet de le dire ?

— Tu peux l'agrandir ?

J'ai zoomé sur cette partie de l'image.

— Sacrifice ! Cinq cents livres de tonnerre à l'état pur !

— Explique-moi comment tu sais qu'il s'agit de la même moto ?

— Comme je te l'ai dit l'autre jour, c'est une vieille FLH de la police, débarrassée de ses accessoires et personnalisée. Mais ça, c'est rien. Le plus beau, c'est ce que le gars a mis, à la place des pièces qu'il a modifiées !

L'une après l'autre, il m'a énuméré les merveilles en question.

— Comme il voulait un bolide qui lève, il a changé le rapport poids-puissance et s'est fait poser des fourches plus longues. Ce qui a rallongé le cadre et relevé l'avant.

De l'ongle, il a tapé sur l'engin.

— C'est pas possible, ces petites chéries-là doivent mesurer soixante-dix centimètres de plus que celles d'origine ! Il a coupé aussi une partie du cadre. Et là, faut vraiment connaître son affaire.

— Pourquoi?

— Parce que si tu te plantes sur la longueur, ta moto peut se casser en deux au moment pile où tu roules à mort, et tu te retrouves en pleine face sur l'asphalte. Regarde le guidon. Il l'a relevé à l'aide de supports en acier qu'il a décorés d'os de chien.

— Mmm.

— Tu vois ces trucs-là, à l'avant? C'est des ressorts externes, pas des amortisseurs hydrauliques. Celui qui s'est fait poser ça, il se sacrait bien du confort. Et en plus, il a un cadre sans suspension.

— C'est-à-dire?

— Y'a pas d'amortisseur à l'arrière. Assis là-dessus, tu ressens tous les chocs directement dans les fesses. Sans rien pour les amortir.

Il a désigné des tiges latérales à l'avant de la moto.

— Puis regarde ces piquets-là!

J'ai dû avoir l'air perdu, car il a précisé:

— Les repose-pied supplémentaires. Il a aussi avancé les freins et le changement de vitesse afin de pouvoir allonger les jambes. C'est un vrai de vrai, ce motard-là!

— Et tu es sûr que c'est la même moto qu'à l'enterrement du Rusé?

— La même. Tu veux d'autres preuves? C'est pas difficile.

Je n'ai rien dit, j'étais déjà complètement étourdie. Cela n'a pas empêché Kit de poser le doigt sur le réservoir:

— Regarde-moi ça! Remodelé avec un matériau de moulage. Ça ne te dit rien, la forme?

Je me suis rapprochée. L'avant avait effectivement une forme bizarre. J'ai scruté l'image, forçant mes cellules grises à tirer un sens de cette ligne fuselée qui ne m'évoquait rien du tout. Et soudain, j'ai compris. J'ai demandé:

— C'est rare?

— J'en ai jamais vu de semblables. L'artiste qui a fait ça, c'est un vrai Rodin.

Kit fixait l'écran, paralysé.

— Libre comme l'air, sur une tête de serpent. *Hee Haw...*

Il s'est interrompu brutalement avec un drôle d'air. S'est penché en avant, s'est rejeté en arrière et a de nouveau basculé vers l'écran. On aurait dit un oiseau qui vient de découvrir un insecte.

— Tu peux grossir sa tête, au conducteur ?

— Plus je vais l'agrandir, plus il sera flou.

— Essaie quand même.

C'est ce que j'ai fait, en répétant les mêmes opérations qu'au labo, avec Claudel. Et tandis que traits et ombres s'écartaient et s'immobilisaient, que les pixels s'agençaient en formes momentanément reconnaissables pour se défaire aussitôt en ébauches colorées ne voulant plus rien dire, ce que mon neveu avait décelé s'est peu à peu révélé à moi aussi.

Vingt minutes plus tard, nous avions sous les yeux l'image agrandie au maximum. Nous n'avions pas échangé un mot de toute l'opération.

C'est moi qui ai fini par rompre le silence :

— À quoi tu l'as reconnu ?

— Je ne sais pas. À sa mâchoire, peut-être, ou à son nez. Ça m'a sauté aux yeux quand je t'ai montré la tête du serpent. Avant, je ne l'avais même pas regardé.

Nous fixions le pilote de cette incroyable machine. Lui, il fixait quelque chose que nous ne voyions pas, quelque détail appartenant à un passé révolu depuis longtemps.

— Il t'a dit qu'il avait roulé avec les Hells ?

— Il ne porte pas les couleurs.

— Est-ce qu'il te l'a dit, Kit ?

— Non.

— Est-ce qu'il se tient toujours avec eux aujourd'hui ?

— Oh, je t'en prie. Tu le connais !

Oui, je le connaissais : je l'avais vu sur une route du côté de Saint-Basile-le-Grand ; je l'avais vu à une soirée ; je l'avais vu aux infos du soir. Je l'avais même vu assis sur le canapé de mon salon.

Ce type sur la moto n'était nul autre que Lyle Crease !

Chapitre 34

Images et bribes de conversations se catapultaient dans ma tête : Pascal à demi éclairé par des néons ; George Dorsey balbutiant mon nom dans l'ambulance ; globe oculaire luisant au fond d'un bocal.

— ... que tu comptes faire ?

La voix de Kit m'a ramenée à la réalité. J'ai répondu :

— Appeler Isabelle et me coucher.

J'ai fermé l'ordinateur et rangé le CD Rom dans sa boîte.

— C'est tout ?

— C'est tout.

Parfois, quand mes idées se mettent à se bousculer, le mieux à faire est de me coucher et d'attendre qu'elles se remettent en place toutes seules.

— Tu n'as pas envie d'en savoir plus ?

— Bien sûr. Et je te jure que je saurai si Crease est oui ou non lié aux Hells Angels. Mais pas ce soir.

— Je pourrais me renseigner de mon côté.

— Surtout pas ! Il peut être dangereux ou avoir des amis qui le sont.

Kit s'est immobilisé. Évitant mon regard, il a laissé tomber un vague « comme tu voudras » et, sur un haussement d'épaules, a tourné les talons. J'ai attendu qu'il ferme la porte de sa chambre pour appeler Isabelle. Au bout de quatre sonneries, elle a décroché, un peu essoufflée.

— Mon Dieu ! J'étais au fin fond du placard en train de chercher mon sac Vuitton. Impossible de me rappeler où je l'ai fourré et je ne vois pas ce que je pourrais emporter à la place.

— Isabelle, dis-moi une chose.

— Oui?

Mon ton a dû la convaincre que je n'étais pas d'humeur à papoter valises.

— Parle-moi un peu de ce Lyle Crease.

— Ah! ah! ma petite coquine! Je me doutais bien que tu changerais d'avis.

« Plutôt crever! » ai-je pensé en mon for intérieur, mais tout haut, j'ai dit seulement:

— Qu'est-ce que tu sais de lui?

— Mignon, hein?

« Comme un gros ver de terre, oui! »

Autre réflexion que j'ai gardée pour moi.

— Eh bien, comme tu le sais, il est à CTV. Journaliste réputé pour ses enquêtes!

— Ça fait longtemps qu'il fait ce métier?

— Si ça fait longtemps?

— Oui. Depuis combien de temps?

— Mon Dieu! Depuis toujours.

— Combien d'années?

— Je ne sais pas, il est à la télé d'aussi loin que je me souvienne.

— Qu'est-ce qu'il faisait avant?

— Avant quoi?

— Avant d'être à CTV.

Interroger Isabelle, c'était pire que tirer les vers du nez à Dorsey.

— Laisse-moi réfléchir.

Petit cliquètement: l'ongle laqué d'Isabelle tapotant le combiné. Je le voyais comme si j'y étais.

— Ça me revient. Je le sais parce que c'est Véronique qui me l'a dit. Tu sais, celle qui a maintenant un talk-show à Radio-Canada... Mais oui... qui fait les interviews de stars? Tu la connais, elle a commencé en faisant la météo à CTV...

— Non.

Un début de vibration s'était emparé de ma paupière droite.

— Elle est sortie un moment avec Lyle et...

— Oui! Je suis sûre que je l'ai déjà rencontrée.

— Eh bien, je crois qu'elle m'a dit qu'avant, il travaillait pour un quotidien américain. Non, attends, ça va me revenir.

Tic, tic, tic…

— Un journal de l'Ouest. D'Alberta, je crois. Il est Américain, en fait. Ou alors, c'est là qu'il a fait ses études.

— Tu sais où?

— Dans un État du Sud. Ça devrait te plaire.

— Quand est-ce qu'il est arrivé au Canada?

— Comment veux-tu que je le sache!

— Tu sais où il habite?

— Pas très loin d'ici, je crois. Ou peut-être au centre-ville.

— Il a de la famille au Québec?

— Pardon?

— Tu le connais bien?

— Il ne me raconte pas ses secrets, Tempe.

Isabelle avait pris un ton légèrement défensif. Quant à moi, j'essayais de ne pas montrer mon irritation. Mais sans grand succès.

— Tu as quand même voulu provoquer un flirt entre nous.

— Tu y vas un peu fort! Ce monsieur m'a demandé de te rencontrer et je n'ai pas vu de raison de lui refuser ce plaisir. Surtout que, cette année, les amours ne se sont pas bousculées à ta porte, pour autant que je sache!

— Attends. Qu'est-ce que tu viens de dire? C'est lui qui a voulu faire ma connaissance?

Isabelle, toujours sur ses gardes:

— Oui.

— Quand ça?

— Je ne sais plus, Tempe. Je suis tombée sur lui à *L'Express*. Tu sais, ce bistrot, rue Saint-Denis…

— Oui.

— Il avait vu ta photo dans le journal. Ce fut le coup de foudre. Du moins, c'est ce qu'il a prétendu. Pas dans ces termes évidemment. Quoi qu'il en soit, nous avons bavardé et, d'une chose à l'autre, je n'ai pu faire autrement que de l'inviter à souper.

Tic, tic sur le combiné, avant de reprendre :

— Finalement, l'idée n'était pas si mauvaise. Il a été charmant.

— Ouais.

On pouvait dire la même chose du meurtrier Paul Bernardo.

Pendant un moment, nous n'avons rien dit, ni l'une ni l'autre.

— Tu es fâchée, Tempe ?

— Non. Je ne t'en veux pas.

— Je vais appeler Véronique…

— Non, laisse tomber. Ce n'est pas important. Simple curiosité de ma part.

Mettre la puce à l'oreille de Crease aurait été la dernière chose à faire.

— Bon voyage, Isabelle, ai-je enchaîné comme si de rien n'était.

— Merci. Dis donc, tu ne sais pas où j'aurais pu fourrer ce sac ?

— Tu as regardé dans le cagibi ?

— Bonne idée. Bonsoir, Tempe.

Nous avons raccroché. Et j'ai complètement oublié de demander à Isabelle où elle allait.

Dans mon lit, une heure plus tard, me bouchant les oreilles au tintamarre provenant de la chambre de Kit, un flot d'idées s'est mis à remonter des profondeurs de ma réserve subliminale sous forme d'images, de faits et de questions, pour entamer un ballet de poissons tropicaux à fleur de ma conscience.

Image : Lyle Crease me versant du vin à table.

Fait : C'était lui qui avait demandé à faire ma connaissance. Se trouvant à Saint-Basile-le-Grand, il était au courant des squelettes retrouvés là-bas. En outre, il avait lu l'article de la *Gazette* avant la soirée chez Isabelle.

Questions : Pourquoi tenait-il tellement à me rencontrer ? À cause de ces corps, que nous avions découverts ? Était-il en chasse d'un scoop ou avait-il des raisons personnelles de vouloir en savoir davantage ?

Image : Lyle Crease jeune, chevauchant son *chopper*.

Fait : Il avait des liens avec le sud des États-Unis.

Questions : Que traficotait-il avec les gars de chez moi ? Était-ce lui qui m'avait volé la photo de l'enterrement du Rusé ? Si oui, pourquoi ? Quelque chose dans son passé le menaçait-il aujourd'hui ? Avait-il peur de quelqu'un ?

Image : Le débile dans la rue près de chez moi, sa face d'hyène sous la casquette de baseball.

Fait : Par delà la peur qu'il m'avait causée, il avait déclenché dans mon subconscient un branle-bas de combat.

Questions : Qui était-ce ? Pourquoi avait-il soulevé en moi une réaction aussi violente ? Kit avait-il menti quand je lui avais demandé si des gens étaient venus le voir ? Mais pourquoi ?

Image : LaManche en réanimation, hérissé de tuyaux.

Fait : Mon patron, qui avait la soixantaine, ne prenait jamais le temps de faire de l'exercice ou de suivre un régime.

Questions : Vivrait-il ? Reprendrait-il son travail ?

Image : Ryan assis sur un tabouret de bar.

Fait : En réalité, il n'avait jamais trahi, il était en mission d'infiltration.

Questions : S'était-il compromis pour me protéger ? Était-il en danger ? Si oui, étais-je responsable ?

Ces interrogations s'entremêlaient de considérations plus terre à terre, du genre : comment réexpédier sereinement mon neveu à Houston, faire vacciner le chat, soigner ma carie, accélérer la repousse de mes cheveux.

Parallèlement à cette agitation mentale, je percevais un lancinant signal émanant de mon subconscient, fâché de ne pas obtenir de réponse aux questions qu'il me posait. Il était clair qu'il cherchait à me transmettre un message, et je me tournais et retournais dans mon lit en m'exaspérant de ne pas savoir le déchiffrer.

Ce *redneck* à casquette de baseball... J'ai fini par m'endormir.

À une heure et quart du matin, selon mon réveil, la sonnerie du téléphone m'a brutalement arrachée au sommeil.

Isabelle, qui pépiait :

— Oh, tu étais déjà au lit ! C'était l'université de Caroline du Sud.

Moi, à moitié réveillée :

— Quoi ?

— Lyle est bien natif de l'Ontario, a-t-elle claironné. De London plus exactement, mais il a fait ses études en Caroline du Sud. Surtout, ne t'inquiète pas, j'ai été d'une discrétion absolue !

Misère ! J'ai marmonné un vague merci.

— Rendors-toi. Ah, j'oubliais. J'ai retrouvé mon sac de voyage. Dans le placard de la salle de bains. Quelle idiote ! Bonsoir.

Tonalité.

Je me suis renversée sur mon oreiller. Tiens, ma chambre ne vibrait plus. Cela faisait-il longtemps que la musique avait cessé ? Kit serait-il sorti ? J'étais sur le point de me rendormir quand, dans un effort suprême, mon ça m'a renvoyé des images de l'hyène : bottes ; gilet de cuir ; cheveux longs et crasseux ; casquette.

Cas-quette !

Mes yeux se sont rouverts d'un coup et je me suis retrouvée, assise dans mon lit, fouillant ma mémoire.

Non, serait-ce possible ?

Au matin, j'étais debout bien avant que le réveil ne sonne. Un coup d'œil dans la chambre de Kit m'a appris qu'il était là, dormant à poings fermés. J'ai pris une douche, je me suis habillée et j'ai vaqué à diverses occupations jusqu'à ce qu'il soit l'heure de partir pour le labo.

Là-bas, je suis allée directement trouver Ronald Gilbert. Sans m'étendre sur mes raisons, qu'il n'a d'ailleurs pas cherché à connaître, je lui ai demandé l'autorisation de visionner sa cassette des taches de sang. Il est allé la prendre sur l'étagère pour me la remettre.

Direction : la salle de conférences. Le cœur battant, j'ai inséré la vidéo dans le magnétoscope. Ne sachant à quel endroit de la bande se trouvait ce que je recherchais, j'ai fait défiler les images en mode avance rapide. Des vues de l'appartement de Cherokee Desjardins se sont succédé à toute allure. Salon. Cuisine. Corps sans tête. Taches sur les murs. Enfin ! Plan général d'un angle de la pièce, zoom avant, zoom arrière. J'ai enfoncé la touche de lecture, le défilement est passé à la vitesse normale.

Deux minutes plus tard, je repérais mon objet. Coincé entre le mur et la cage à oiseaux contre laquelle était appuyée la guitare. J'ai enfoncé le bouton d'arrêt sur image.

Quatre lettres ressortaient sur le tissu lie-de-vin : COCK.

Ces lettres, que mon esprit avait décryptées comme une grossièreté lorsque j'étais sur les lieux, n'étaient en réalité que la partie d'un nom. D'un nom que je connaissais depuis toujours. Et qui me revenait en mémoire, maintenant que je scrutais cette casquette rouge et blanche. Un nom dont je pouvais épeler les lettres absentes, masquées par le sang de Cherokee : G, A, M, E... S. Tout simplement. Formant, avec les autres, le nom « GAMECOCKS ».

Les coqs sportifs !

L'équipe sportive de l'université de Caroline du Sud.

Je m'étais royalement trompée en imaginant, par association de pensées avec les affiches sur les murs, qu'il s'agissait de quelque obscénité ! C'était la casquette du débile qui avait titillé mon ça. Ensuite, me réveillant en pleine nuit, le coup de téléphone d'Isabelle avait permis à mon subconscient d'agencer de façon rationnelle les ordres incohérents qu'il m'adressait jusque-là, et le souvenir avait pu effectuer sa percée.

Voilà où j'en étais de mes réflexions quand Michel Charbonneau a passé sa tête de hérisson par la porte.

— Claudel m'a demandé de vous remettre le plan du grand jeu de demain. Roy tenait à ce que vous l'ayez.

— M. Claudel serait-il trop occupé pour se déplacer en personne ?

— Il travaille pour deux départements, vous savez, m'a rétorqué Charbonneau avec un de ses haussements d'épaules habituels. Desjardins ? a-t-il ajouté en regardant le moniteur.

— Oui. Venez voir.

Il a contourné la table pour venir se placer derrière moi. Je lui ai montré la casquette.

— Université de Caroline du Sud.

— « Vous ne baiserez pas nos Coqs. »

— Je vois que vous avez entendu parler de l'équipe.

— Avec une devise pareille, faut être sourd et aveugle pour l'ignorer.

— Ce n'est pas ça, leur vrai devise.

— Vu la décoration de l'appartement, j'aurais plutôt imaginé Cherokee en fan d'athlétisme.

Remarque à laquelle je ne me suis pas arrêtée, préférant lui demander si, sur les photos qu'il avait vues, Cherokee portait une casquette.

— Non… a-t-il répondu après un temps de réflexion. Pourquoi ?

— Parce que c'est peut-être la casquette de l'assassin.

— Dorsey ?

Je lui ai fait part de mes découvertes à propos de Lyle Crease.

— Ce gratte-papier aurait vécu en Caroline du Sud ? a-t-il répliqué. Et alors ? La moitié du Québec passe ses vacances là-bas !

— Pourquoi s'intéresse-t-il à moi juste après que j'aie déterré ces cadavres ?

— À part qu'il vous trouve plus mignonne que les petits animaux de plastique dans les boîtes de céréales ?

— Oui, à part ça.

— D'accord… Disons qu'on lui secouera un peu les puces quand les temps seront plus calmes. On le questionnera sur Gately et Martineau, mais pour ce qui est de Cherokee, on n'a rien qui l'y rattache.

Je lui ai parlé de la photo de Myrtle Beach, en insistant que la réunion n'avait rien d'un rassemblement de scouts.

— Ça remonte à l'ère glaciaire, votre affaire, m'a-t-il rétorqué. Et, vu son métier, il pouvait être là-bas en reportage.

Charbonneau a laissé tomber son enveloppe sur la table.

— Quant à Cherokee, il suivait des traitements de chimio. Il a peut-être adopté la casquette, le jour où il a compris qu'il pouvait dire au revoir aux peignes. Enfin, si ça peut vous rassurer, je me renseignerai.

Charbonneau parti, j'ai repris l'examen de la bande vidéo, l'esprit zigzaguant dans un labyrinthe d'explications plausibles. La casquette pouvait très bien appartenir à Dorsey. N'avait-il pas prétendu savoir des choses sur Savannah Osprey ? Peut-être était-il même allé en Caroline du Sud, lui aussi.

Arrivée au long panoramique du mur, j'ai rembobiné la bande et fait repasser la partie angle de la pièce. Taches de sang. Guitare. Cage à oiseau. Casquette. Zoom avant.

Paupières plissées pour mieux voir, je me suis tendue vers l'écran. Soudain, j'ai senti un frisson remonter le long de ma nuque. Il y avait quelque chose. Là ! Serait-ce le fruit de mon imagination ? Non, c'était là. Flou, mais là ! J'ai rembobiné la bande, éteint le magnétoscope et quitté la salle en toute hâte.

Si ce que je venais de voir se révélait exact, Claudel et Charbonneau devraient revoir leur copie.

J'ai foncé par l'escalier jusqu'au treizième étage et je suis allée prendre mon tour devant une grande ouverture donnant sur une pièce remplie d'armoires et de casiers. « Salle des pièces à conviction », spécifiait un petit panneau bleu sur la cloison. Il n'y avait qu'une personne avant moi, un agent de la SQ en uniforme, qui passait un fusil de chasse par-dessus le comptoir. J'ai attendu que la préposée remplisse les formulaires, donne un reçu à l'agent, étiquette son objet et aille le remiser dans la partie entrepôt de la salle. À son retour, je lui ai indiqué le numéro de l'affaire Cherokee.

— Je voudrais savoir si le stock comporte une casquette de sport ?

— Ça risque de prendre du temps, m'a-t-elle répondu tout en tapant les codes sur son clavier. La liste est plutôt longue.

Ses yeux ont parcouru le texte à l'écran.

— Oui, ça y est. Une casquette… Envoyée au département de biologie pour un test sur une tache de sang, a-t-elle ajouté en lisant les observations en annexe. Mais elle est de retour.

Elle a disparu entre les étagères pour en revenir quelques minutes plus tard, nantie d'un sachet en plastique à fermeture étanche qui contenait la casquette rouge.

— Vous voulez l'emprunter ?

— Ça vous dérange si j'y jette un petit coup d'œil ici ?

— Pas du tout.

J'ai fait glisser la casquette du sachet sur le comptoir et l'ai soulevée délicatement pour en inspecter l'intérieur.

Des pellicules ! Je ne m'étais pas trompée.

J'ai réintroduit la casquette dans son sachet et remercié la préposée.

Revenue dans mon bureau, je me suis jetée sur le téléphone.

Chapitre 35

Claudel et Quickwater n'étaient pas au Carcajou. Claudel ne se trouvait pas davantage au SPCUM et Charbonneau non plus. Je leur ai laissé à tous des messages et je suis allée rendre sa cassette à Ronald Gilbert.

— Ça vous a aidé?

— Je peux vous poser une question?

— Je vous en prie.

— Vous vous rappelez le coin de mur avec la guitare et la cage à oiseau?

— Oui.

— Il y avait une casquette, là.

— En effet.

— Vous avez mis par écrit vos observations?

— Certainement.

— Ce qui m'intéresse, c'est la position de la casquette au moment du meurtre. Vous en auriez une description?

— Je peux tout vous dire de mémoire. La tache et l'éclaboussure sur le mur proviennent d'un coup porté à la victime au moyen d'un objet contondant, alors qu'elle se trouvait près de l'angle du mur.

— Le sang ne vient donc pas de la blessure par balle?

— Non, la forme de la traînée aurait été complètement différente. De plus, son orientation est cohérente avec ce type de coup.

— Cherokee étant allongé par terre?

— Exactement.

— Est-ce que c'est lui qui portait la casquette?

— Sûrement pas. C'est même impossible. Elle était derrière la cage à oiseau quand elle a reçu le plus d'éclaboussures.

— Comment a-t-elle abouti là?

— Elle a dû voler pendant la bataille.

— Qu'est-ce qui vous fait croire ça?

— Le fait qu'il y ait du sang aussi bien dedans que dessus. L'agresseur a dû la perdre dans le feu de l'action.

— Ce n'est donc pas Desjardins qui la portait?

— Non, j'en mettrais ma main au feu.

— Merci.

Retour dans mon bureau. Dix heures trente. Pas de message et aucun cas à étudier. J'ai attendu, en pianotant d'énervement, les yeux rivés sur le téléphone. Qu'est-ce qu'il avait à ne pas sonner, celui-là?

J'ai appelé Harry à Houston. Répondeur, comme de raison. Message en très mauvais espagnol.

J'ai appelé Kit à la maison. Ma propre voix m'a répondu. Seigneur! Où était donc passé tout le monde?

J'ai rappelé Claudel, en laissant cette fois mon numéro de cellulaire. Même chose avec Charbonneau. En désespoir de cause, je suis partie, incapable de rester plus longtemps à attendre.

Dehors, il faisait un soleil aveuglant, les moineaux gazouillaient dans les branches. Des employés du labo et de la SQ déambulaient dans l'allée en bavardant ou s'octroyaient une pause cigarette-café, assis dans le jardin aux tables de pique-nique. J'ai pris une grande respiration. C'était le printemps et je l'avais oublié. L'enterrement de Dorsey aurait lieu dans vingt-quatre heures. À cette pensée, j'ai été prise d'une drôle d'envie: immobiliser le temps, le conserver tel quel. Avec les oiseaux qui chantaient, le soleil qui brillait et les femmes déchaussées, les pieds sur les chaises. Hélas, c'était irréalisable. Je me sentais aussi fébrile qu'un proton dans un accélérateur de particules.

« Tu es vraiment contrariante, Brennan. En haut, tu voulais que les choses aillent plus vite et maintenant, tu voudrais tout figer. Faudrait te nettoyer les neurones, ma fille! »

Hot-dog et frites m'ont paru tout indiqués. J'ai remonté la rue Parthenais, pris à droite la rue Ontario en direction de l'est, longé tout un pâté de maisons et j'ai poussé la porte de chez Lafleur. Lafleur, c'est la version québécoise des fast-foods de chez nous. Menu : hot-dogs, hamburgers et poutine. Décor : chrome et plastique. Clientèle : travailleurs. À onze heures du matin, il n'y avait pas foule et j'étais la seule au comptoir.

— Chien chaud, frites et Coke Diète, s'il vous plaît, ai-je annoncé au garçon à la caisse, m'étonnant intérieurement, et pour l'énième fois, que « hot-dog » se traduise en québécois.

— Steamé ou toasté ?

J'ai opté pour le pain cuit à la vapeur. Une seconde plus tard, un sac de frites luisant de gras à gauche était déposé avec bruit devant moi. J'ai réglé et emporté mon repas jusqu'à une table avec vue imprenable sur le stationnement, où j'ai mangé en détaillant les autres clients.

À gauche, quatre jeunes femmes en blanc. Manon, Lise, Brigitte et Marie-Josée, disaient les noms écrits sur leurs blouses d'infirmières. Des étudiantes de l'école technique de l'autre côté de la rue.

Derrière elles, deux peintres en combinaison de travail et couverts de taches au point que leurs bras, leurs cheveux et leurs visages auraient pu rivaliser avec notre salle d'expérimentation du sang. Silence intégral pendant qu'ils s'affairaient au-dessus d'un plat de frites dégoulinantes de fromage et de sauce brune. Dans une ville réputée pour sa cuisine, cet amour pour la poutine m'a toujours semblé une aberration.

De l'autre côté de l'allée, vis-à-vis des peintres, un homme à lunettes rondes qui faisait de son mieux pour se laisser pousser une barbiche. Jeune et obèse.

Mes frites avalées, j'ai vérifié mon téléphone cellulaire. Sonnerie au maximum, aucun appel enregistré. *Shit !* Pourquoi tout le monde s'était-il donné le mot pour ne pas me rappeler ? Puisque c'était comme ça, j'irais au centre sportif. De l'exercice physique. J'en avais grandement besoin.

J'ai fait deux heures de course à pied, de lever de poids, de roulades sur ballon de caoutchouc et d'aérobic. Tant et si bien que j'ai gagné les douches de peine et de misère. Mais, mon énervement s'était au moins dissipé en même temps que mon sang se lavait des toxines héritées du hot-dog et des frites.

Au labo, deux messages m'attendaient sur mon bureau. Morin et Charbonneau. Le premier voulait me parler de LaManche. Mauvais signe. J'ai dévalé le couloir jusque chez mon collègue. Sa porte était fermée à clef. Il ne reviendrait plus de la journée.

De retour dans mon bureau, j'ai appelé Charbonneau.

— Contre toute attente, j'ai trouvé pas mal de renseignements sur ce Crease, a-t-il attaqué d'emblée.

— C'est-à-dire ?

— Ses liens avec les Hells ne datent pas d'hier. Il est Canadien, mais il a fait ses études à l'université de Caroline du Sud. *Let's go!* les Cocks !

— Ça vous a marqué, on dirait.

— Ça se retient quand même mieux que les Redmen de McGill !

— Je me ferai un plaisir de transmettre votre opinion au conseil d'administration de l'université.

— Les Rouges, c'est pas politiquement correct.

Là, je n'avais rien à rétorquer.

— Notre reporter a obtenu son baccalauréat en journalisme en 1983 et s'est inscrit à la maîtrise, poursuivait Charbonneau. Sujet de mémoire : les gangs de motards. À propos, il s'appelait Robert à l'époque.

— Drôle d'idée, de changer son nom pour Lyle.

— C'est son second prénom. Quoi qu'il en soit, Bob a reçu une moto des frères et leur accord pour faire vroom-vroom avec la meute.

— Après sa maîtrise ?

— Non. Il n'a pas suivi les cours deux mois. Du jour au lendemain, les profs ne l'ont plus revu. Évanoui dans la nature !

— On ne sait pas où il est allé ? Permis de conduire, impôts, carte de crédit, abonnement vidéo ?

— *Nada.* Mais en 1989, voilà-t'y pas qu'il refait surface en Saskatchewan, couvrant les infos criminelles pour une feuille de chou locale. Il faisait aussi des apparitions au journal télévisé du soir jusqu'à ce qu'on lui propose un boulot à CTV. C'est comme ça qu'il a atterri au Québec.

— Donc, Crease s'intéressait déjà aux motards quand il était étudiant. À l'ère glaciaire, comme vous disiez.

— Il semblerait qu'il ait quitté la Saskatchewan assez vite, merci.

— Tiens donc !

— Vous avez entendu parler de l'opération CACUS ?

— Les informateurs du FBI infiltrés chez les Hells Angels ?

— Il n'y en avait qu'un, Tony Tait. Qui avait adhéré au chapitre de l'Alaska au début des années quatre-vingt et s'était élevé jusqu'à occuper un poste national. Et pendant tout ce temps-là, il portait un micro pour le FBI ! C'est fou, non ?

— Je croyais qu'on disait : « Hells un jour, Hells toujours. »

— Le Tony en question devait aimer le bon argent sonnant et trébuchant.

— Et qu'est-ce qu'il est devenu ?

— S'il est pas con, il a pris sa retraite grâce au programme de protection des témoins.

— Quel est le rapport avec Crease ?

— Il semblerait que notre police montée ait eu, elle aussi, des agents chez les Hells Angels dans ces mêmes années quatre-vingt.

— Lyle Crease aurait été un informateur pour la GRC ?

— Personne veut rien dire et y'a rien par écrit, mais j'ai toujours entendu chuchoter qu'on avait une taupe dans la place, à l'époque. J'ai un peu insisté auprès de deux ou trois gars qui travaillent là depuis un bout. Ils ont rien confirmé. Mais ils n'ont pas nié non plus…

Il s'est interrompu.

— Et… ?

— Mais ça reste entre nous, Brennan ?

— Je répète tout à ma coiffeuse.

Il a fait comme si je n'avais rien dit.

— Je me suis renseigné discrètement auprès de mes indics. Merde, j'en reviens pas d'être en train de vous raconter ça !

Raclements. Il devait changer le combiné de main.

— Y'a des rumeurs comme quoi un gars aurait accompagné les Hells à l'église, dans ce temps-là. Un Américain. Mais que la rue aurait été à double sens.

— Vous voulez dire qu'il aurait travaillé pour les deux côtés à la fois ?

— C'est ce que ma source prétend.

— Plutôt risqué.

— L'hémorragie cérébrale, c'est rien à côté de ça.

— Et ce type infiltré aurait pu être Lyle Crease ?

— Sinon, comment expliquer qu'il ait réussi à enterrer six années de sa vie ?

Au bout d'un moment, j'ai objecté :

— Il ne serait pas réapparu dans la peau d'un journaliste, quand même. On fait plus discret, comme métier !

— Il a dû se dire que l'étalage, c'était sa meilleure protection.

Le silence est tombé. Au bout d'un moment, c'est moi qui l'ai rompu :

— Claudel est au courant ?

— Je vais le prévenir.

— Et maintenant, qu'est-ce que vous comptez faire ?

— Creuser encore.

— Vous ne voulez pas interroger Crease ?

— Je préfère attendre. Inutile de lui faire peur. Surtout que, jusqu'à l'enterrement, je peux juste compter sur moi-même. Roy tient Claudel par les couilles. Après, je lui demanderai de m'aider à mettre la main sur ce monsieur.

— Vous croyez qu'il pourrait être impliqué dans le meurtre de Cherokee ?

— Rien l'indique, mais c'est pas impossible qu'il sache des choses.

— La casquette n'appartenait ni à Cherokee, ni à Dorsey.

— Comment le savez-vous ?

— Il y a des pellicules à l'intérieur.

— Et alors ?

— Dorsey se rasait le crâne, et Cherokee n'avait plus un poil sur le caillou à cause de sa chimio.

— Pas mal, Brennan.

— Gately et Martineau ont bien été abattus à l'époque où Crease vivait dans la clandestinité ?

— Exact.

— Et Savannah Osprey aussi ?

Le silence sur la ligne m'a paru assourdissant.

— Et si on interrogeait Rinaldi ?

— La Grenouille ?

— Oui. Il était si content de cracher le morceau à propos des tombes de Gately et de Martineau. Il sait peut-être quelque chose sur Cherokee ?

— D'après Claudel, ils l'ont cuisiné jusqu'à plus soif. Il voulait bien donner des infos sur Saint-Basile-le-Grand parce que c'était de l'histoire ancienne et qu'il pensait que les frères lui en voudraient pas, mais pour le reste… À propos, Brennan, rentrez la tête dans votre coquille. On a repéré des Bandidos, en ville. Mon petit doigt me dit que les Hells pourraient avoir envie de se dérouiller les muscles. Ne…

Il hésitait.

— Oui ?

— Vaudrait mieux que votre neveu s'abstienne d'assister au spectacle.

J'ai senti le rouge me monter aux joues. Visiblement, Claudel avait discuté du problème Kit avec ses collègues du SPCUM.

— Il n'assistera pas à l'enterrement, ni de près ni de loin.

— Bien. S'il y a des Bandidos, ça risque de mal tourner.

Nous n'avions pas raccroché que je me morfondais déjà : comment empêcher Kit de se rendre à l'enterrement ?

Les autres sujets d'inquiétude ne manquaient pas non plus.

LaManche. Était-il mort ? Que voulait m'annoncer Morin à propos de mon vieil ami ?

Ryan. S'était-il compromis en me portant secours ? Était-il en danger ? À cause de moi, tout comme George Dorsey ?

J'ai posé la tête sur le vert duveteux de mon sous-main et j'ai fermé les yeux. Lentement.

Chapitre 36

Crease me parlait. Nous étions sous l'eau. Dans l'obscurité glauque, que traversait un rai de lumière où miroitaient des particules, des algues ondulaient sous moi, comme les cheveux d'une noyée. Une crampe douloureuse me tirait à hauteur des cervicales. J'ai ouvert les yeux et me suis redressée, tournant la tête avec précaution. Mon bureau était plongé dans le noir, éclairé seulement par la lueur fluorescente qui tombait du carreau percé dans le mur à côté de la porte. Combien de temps avais-je dormi ?

Subitement, une alarme s'est déclenchée dans ma tête : il y avait quelqu'un, là, dans le couloir, juste devant mon bureau ! Je me suis figée, les yeux rivés sur la porte, l'oreille aux aguets. Tout était tranquille. Seuls les coups de mon cœur contre mes côtes déchiraient le silence.

La silhouette était immobile. Illuminée en contre-jour par la veilleuse de mon labo, de l'autre côté du couloir. Appeler la sécurité ? Je tendais la main vers le téléphone quand ma porte s'est ouverte, poussée de l'extérieur. Un visage fantomatique est apparu, flottant au-dessus d'un corps noir comme s'il en était détaché. Ovale blafard percé de trous sombres, les yeux et la bouche. On aurait dit une lanterne.

— Jocelyne ?

Elle n'a pas réagi. Je m'étais levée, ne voulant pas lui laisser l'avantage de la taille.

— Puis-je vous aider ?

Pas davantage de réponse.

— Vous voulez bien allumer la lumière, Jocelyne ?

Demande qui exigeait un geste en réaction. Et, de fait, la pièce s'est illuminée, révélant une Jocelyne aux cheveux en paquets dans le cou et aux vêtements plus froissés que si elle était restée des heures enfermée dans un bain de vapeur.

Elle a reniflé et s'est essuyé le nez du revers de la main.

— Que se passe-t-il, Jocelyne ?

— Vous faites rien que les laisser se tirer !

Sa voix vibrait de colère. Quant à moi, je tombais des nues.

— Qui ça ?

— Moi qui croyais que vous étiez différente !

— Différente de qui ?

— Personne n'en a rien à foutre. Les enquêteurs sont morts de rire. Encore un de crevé, qu'ils disent, un de plus qui nous débarrasse le plancher ! Vous croyez que j'les entends pas ?

— De quoi parlez-vous ?

J'avais la gorge sèche.

— Pis ça s'prend pour un carcajou ! Ha ! Ha ! Ha ! Ils auraient mieux fait de se choisir une tête de cochon comme mascotte !

Elle a expulsé l'air avec un petit sifflement. La haine que je lisais dans ses yeux me laissait perplexe.

— Dites-moi ce qui vous fâche.

Long silence pendant qu'elle me dévisageait. Son regard, tendu et concentré, semblait fondre sur moi et battre en retraite, en emportant chaque fois un peu plus de moi à évaluer dans un coin de son cerveau.

— Il méritait pas ça, saint ciboire ! Pas lui !

C'était bizarre de l'entendre jurer ainsi.

— Si vous ne vous expliquez pas plus clairement, je ne vois pas ce que je pourrai faire, ai-je dit en me forçant au calme.

— J'parle de George Dorsey. C'est pas lui qui a tué le vieux.

— Cherokee Desjardins ?

Haussement d'épaules en guise de réponse.

— Comment le savez-vous ?

Elle a plissé le front, se demandant probablement si la question cachait un piège.

— Ça prend pas une 100-watts pour comprendre ça.

— Ce n'est pas une raison très convaincante.

— Un plombier, un vrai, il aurait fait les choses comme du monde.

— Vous voulez dire…

— Vous allez m'écouter, oui ou non ?!

Je me suis tue.

— J'étais là quand c'est arrivé.

Elle a dégluti et repris :

— Je venais juste d'entrer quand un bonhomme s'est pointé. J'suis allée dans la chambre. Au début, ils ont parlé calmement tous les deux. Puis tout de suite après, ça s'est mis à cogner. J'me suis cachée dans le garde-robe.

— Qu'est-ce que vous faisiez là-bas, Jocelyne ?

Elle a lâché d'un ton sarcastique :

— Cherokee devait me parrainer pour entrer chez les Kiwanis.

— Continuez.

— J'suis restée là, le temps que ça se calme. Juste comme j'me disais que le gars était parti et que j'pouvais sortir, y'a eu le coup de feu. Câlice !

Ses yeux se sont fixés sur un point au-dessus de mon épaule. J'ai essayé de m'imaginer ce que de tels souvenirs pouvaient signifier pour elle.

— En l'entendant claquer les tiroirs pis virer toute la place à l'envers, j'me suis dit que c'était un drogué qui cherchait d'la dope. Là, j'en ai presque chié dans mes culottes parce que j'savais que Cherokee, il la gardait dans la chambre où j'étais, sa dope. Junkie ou pas junkie, j'avais intérêt à sacrer mon camp. J'ai cassé la vitre pis j'ai sauté dans la rue. J'ai couru jusqu'au coin. Et c'est là que le plus bizarre s'est passé. J'ai fait le tour de l'immeuble et j'ai regardé en arrière. Le p'tit crisse était encore devant l'appartement de Cherokee, en train de gratter dans la boue. Pis là, une auto a tourné dans la rue et y'est parti en courant.

— Qu'est-ce qu'il cherchait ?

— J'le sais-tu, moi, calvaire ?

— Et après, qu'est-ce qui s'est passé ?

— Quand j'ai été sûre qu'y'était parti pour de bon, j'suis revenue sur mes pas.

314

Au bout d'un long silence, Jocelyne a fait glisser le long de son bras une des bandoulières de son sac pour fouiller à l'intérieur, et en a sorti un petit carré plat, du genre sachet de pharmacie, qu'elle a jeté sur mon bureau.

— C'est ça que j'ai trouvé à l'endroit où le gars était accroupi.

La pochette contenait une photo dans un cadre en plastique. Sous la bruine de sang, on distinguait deux hommes debout côte à côte et se souriant, un bras passé sous celui du voisin, l'autre levé en l'air, majeur pointé au ciel. À droite, Cherokee Desjardins. Costaud et débordant de vie. Quand j'ai reconnu celui de gauche, ma gorge s'est bloquée et je me suis mise à haleter au point de ne plus entendre ce que Jocelyne disait.

— … sachet déchiré à côté. Quand les phares l'ont éclairé, y'a détalé comme un lapin.

Les flashes se succédaient devant mes yeux à la vitesse d'une réclame clignotante.

— … pourquoi y voulait ça, calvaire ? Comment veux-tu savoir c'qui se passe dans la tête d'un junkie !

Un visage.

— … aimé ça voir sa face !

Une casquette de baseball.

— … va s'en tirer, l'enfant d'chienne !

Des flocons d'or tourbillonnant dans l'eau.

— … ritait pas de s'faire descendre comme ça !

Péniblement, je me suis forcée à réintégrer la réalité. Affichant un masque indifférent, j'ai demandé :

— Jocelyne, connaissez-vous un journaliste de la télé qui s'appelle Lyle Crease ?

— Anglophone ?

— Oui.

— J'regarde pas la télé anglaise. Pourquoi vous écoutez pas c'que j'dis ? J'vous explique que Dorsey, y'a pas pu zigouiller Cherokee !

— Je sais bien que ce n'est pas lui.

Quant à savoir qui était l'auteur de ce crime, j'avais maintenant mon idée sur la question.

Jocelyne partie, j'ai téléphoné à Claudel. Absent. Cette fois, j'allais le contacter sur son téléavertisseur, la situation était grave. À la suite de son numéro, j'ai tapé le mien afin qu'il me rappelle. Il n'a pas été long à le faire. Je lui ai rapporté ma conversation avec Jocelyne.

— Elle pourrait identifier le gars ?

— Elle n'a pas vu sa tête.

— Fantastique !

— C'est Crease.

— Qu'est-ce qui vous le prouve ?

— La casquette trouvée chez Desjardins porte le sigle USC, et Crease a fait ses études à l'université de Caroline du Sud.

— Je sais, vous m'avez déjà...

— Charbonneau vous a dit, pour les pellicules ? J'ai eu le plaisir de souper en compagnie de Crease, il n'y a pas si longtemps. Il a tellement de pellicules qu'il pourrait ouvrir une station de ski.

— Son motif ?

Quand je lui ai décrit l'autre chose que j'avais vue sur la photo, Claudel n'a pu retenir un « Sainte Mère du Christ ! » C'était bien la première fois que je l'entendais jurer.

— Quels sont les rapports entre cette Jocelyne et Dorsey ?

— Elle n'a pas été très bavarde sur sa vie intime.

— On peut lui faire confiance ?

Il haletait si près du combiné que je sentais presque l'humidité de son souffle.

— C'est une droguée, évidemment. Mais je la crois.

— Pourquoi est-elle restée aussi longtemps dans la pièce à côté si elle avait tellement peur ?

— Elle a dû se dire qu'une fois le type parti, elle pourrait avoir une dose gratis.

Au bout de la ligne, les halètements ont repris.

— Charbonneau m'a parlé de votre découverte. Je crois qu'il est temps d'attraper ce journaliste.

L'entretien achevé, j'ai appelé une compagnie aérienne. Qu'il le veuille ou non, Kit allait rentrer au Texas. Et je ne le quitterais pas d'une semelle tant qu'il ne serait pas monté dans l'avion.

Je suis arrivée à la maison pour trouver mon neveu sous la douche.

— Tu as mangé? ai-je crié à travers la porte quand l'eau s'est arrêtée de couler.

— Pas vraiment.

«D'accord, mon cher! me suis-je dit. Tu vas voir que moi aussi, je sais faire cuire des nouilles!» Sur ce, j'ai filé au Faubourg acheter des fruits de mer. Je les ai fait revenir avec des oignons et des champignons, puis je les ai mélangés avec une sauce à base de yogourt, de moutarde, de citron et d'aneth et j'ai versé le tout sur de longs spaghettinis. J'ai servi mon plat, accompagné de salade verte. Kit en avait plein la vue.

Nous avons bavardé de choses et d'autres sans aborder de sujets importants.

— Qu'est-ce que tu as fait, aujourd'hui?

— Je me suis promené dans une île où je suis allé en métro. Il y avait une plage et plein de sentiers de randonnée. C'est pas mal.

— L'île Sainte-Hélène.

Cela expliquait la présence de la planche à roulettes dans l'entrée.

— Et toi, bonne journée? a-t-il demandé, tout en piquant un croûton dans le saladier.

— C'était bien.

«Je me suis juste fait accuser d'indifférence envers les motards par une droguée du labo! J'ai découvert aussi qu'un de tes petits amis qui joue à *Easy Rider* était probablement un tueur.»

— Cool.

M'armant de courage, j'ai ajouté :

— J'ai réservé une place d'avion.

— Tu repars en voyage?

— Pas moi. Toi.

— Oh, oh! On me fout à la porte à coups de pied dans le derrière!

Il s'est mis à fixer le saladier.

— Kit, tu sais que je t'aime et que je suis très heureuse de t'avoir auprès de moi. Mais je pense qu'il est temps que tu rentres à Houston.

— Comment on dit ça déjà? Que les invités, c'est comme le vieux poisson? À moins que le dicton ne s'applique qu'à la famille...

— Il ne s'agit pas de ça et tu le sais très bien. Ça fait près de quinze jours que tu es ici, tu n'as pas envie de retrouver tes amis ? De voir dans quel état est ton bateau ?

Haussement d'épaules agacé.

— Ils ne vont pas s'envoler.

— Je suis sûre que tes parents ont envie de te revoir.

— Ben, tiens ! Ils appellent si souvent que le téléphone ne dérougit pas !

— Du Mexique, ce n'est pas facile...

— Harry est rentrée depuis lundi.

— Quoi ? !

— Je ne voulais pas te le dire.

— Tiens donc !

— J'avais peur que tu me renvoies à Houston.

— Et pourquoi tu pensais ça ?

Il a laissé retomber sa main sur le saladier, les doigts raccrochés au bord. Dehors, une sirène a hurlé plaintivement. Un coup faible, un coup strident, un coup faible. Il continuait d'éviter mon regard.

— Parce que tu te débrouillais toujours pour garder tes distances quand j'étais petit. Tu avais peur qu'Harry soit jalouse si je te faisais un câlin. Qu'elle se fâche, qu'elle se sente nulle ou je ne sais pas quoi d'autre...

Il a piqué un croûton dans la salade et l'a laissé retomber. Des gouttes d'huile ont giclé sur la table.

— Kit !

— Tu veux que je te dise une chose ? Ça lui aurait fait du bien, à Harry, de se sentir nulle, une fois dans sa vie. Je ne lui dois aucun merci, sinon pour ne pas m'avoir enterré dans une boîte à chaussures, le jour de ma naissance... Bon, je vais ranger mes affaires.

Il a bondi sur ses pieds.

— Harry n'a rien à voir là-dedans. Je te renvoie au Texas, parce que j'ai peur pour toi. Peur des gens que tu fréquentes ici et de ce qu'ils peuvent te faire. Peur que tu sois mêlé à des histoires louches et que tu te retrouves en danger.

— *Bullshit !* Je ne suis plus un bébé ! Je vis ma vie comme je le veux !

J'ai revu la Grenouille, telle une ombre planant au-dessus d'une tombe. Gately et Martineau, Savannah Osprey,

George Dorsey... Des gens qui avaient décidé de mener leur vie à leur guise et qui en étaient morts. Non, je ne laisserais pas Kit prendre des décisions mortelles.

— S'il t'arrivait quelque chose, je ne me le pardonnerais pas.

— Qu'est-ce que tu veux qui m'arrive ?

— Je crois que tu t'es laissé entraîner dans une histoire qui te dépasse.

— Je n'ai plus six ans, tante Tempe. Tu peux me mettre à la porte de chez toi, mais tu ne peux pas me dire ce que je dois faire après.

Sa pomme d'Adam montait et descendait le long de son cou. Le silence est tombé. Nous étions à deux doigts de nous dire des choses irrémédiables et nous le comprenions tous deux. J'ai lâché prise. Kit a disparu dans le couloir, dans un bruit de pieds nus sur la moquette.

J'ai dormi comme une souche, ce soir-là. Et brusquement, je me suis réveillée en sursaut. Le store de ma fenêtre était encore tout noir. Je l'ai vu passer progressivement au gris foncé sans penser à autre chose qu'à mon neveu. Abandonnant tout espoir de me rendormir, je me suis fait un thé et je suis allée le boire sur la terrasse, emmitouflée dans la courtepointe de ma grand-mère, tout en regardant s'éteindre les étoiles. À Charlotte, quand Katy et Kit étaient enfants, nous nous amusions à inventer des constellations et à les baptiser du nom qu'elles nous évoquaient. Katy voyait tantôt une souris, tantôt des patins à roulettes ; Kit, toujours une mère et son enfant. Comment faire comprendre à mon neveu mes raisons d'agir ? Il était jeune et vulnérable. Il recherchait désespérément l'appréciation et la reconnaissance. Mais de la part de qui ? De moi ? Était-ce pour cela qu'il voulait rester à Montréal ? N'était-ce pas plutôt parce que je lui fournissais un port d'attache commode, à partir duquel mener ses petites affaires dont il ne voulait pas me parler ?

D'où lui venait sa bizarre apathie ? Dès le premier jour, ça m'avait étonnée. Katy aurait constamment cherché à rencontrer des gens de son âge, mais, lui, il semblait se satisfaire de quelques promenades, de ses jeux vidéo et de la compagnie d'une tante sur son retour d'âge et de son chat tout aussi décati. Le Kit d'aujourd'hui n'avait plus rien à voir avec l'enfant agité dont j'avais gardé le souvenir. Un garnement qui ne vivait pas un jour sans s'écorcher les genoux ou se casser quelque chose. Au point que, des années durant, ma sœur avait été à tu et à toi avec le personnel médical de tout son quartier.

Cela dit, que savais-je des occupations de Kit quand je n'étais pas là? Restait-il à la maison comme il le prétendait? Sa fatigue ne lui venait-elle pas plutôt de ce qu'il allait traîner avec Crease, le Prêcheur ou ce type à face d'hyène?

Au souvenir de la photo éclaboussée de sang sur laquelle Cherokee et son compère faisaient un doigt d'honneur à cette autre chose que j'avais également reconnue, un froid glacial m'a saisie. Et ce n'était pas mon thé, à présent tiédasse, qui pouvait me réchauffer.

Ne faisais-je pas une bêtise en renvoyant Kit? Il passait par un cap difficile, je pouvais avoir bonne influence sur lui. S'il était mêlé à des affaires dangereuses, ne valait-il pas mieux le garder auprès de moi?

Non! La situation était trop explosive. Mon choix était le bon. Kit devait rentrer au Texas, et ce, avant l'enterrement de George Dorsey!

L'aube s'est faufilée sous l'horizon, escortée d'une ondée qui a ravivé la couleur des arbres du jardin et de la pierre des vieilles maisons d'en face. Une brume légère a peu à peu estompé les contours des choses et la ville s'est mise à ressembler à une aquarelle toute en douceur, signée Winslow Homer.

Toile de fond idyllique pour des funérailles au pays des gangs.

J'ai jeté ma dernière tasse de thé sur la pelouse et je suis allée réveiller mon neveu.

Sa chambre était vide.

Chapitre 37

Kit m'avait laissé un mot sur la porte du réfrigérateur. Mes mains tremblaient tellement que j'ai préféré le lire là où il était.

Merci pour tout. Ne t'en fais pas. Je suis chez des amis.

J'ai cru que mon cœur s'arrêtait de battre. J'ai jeté un coup d'œil à la pendule : les obsèques commenceraient dans un peu plus d'une heure. J'ai appelé Claudel sur son télé-avertisseur et je me suis préparé un café. À sept heures et quart, j'étais habillée, mon lit fait. J'ai bu mon café, tout en me mordillant une petite peau autour de l'ongle entre deux gorgées. Du calme, Brennan. La terre continuait de tourner. Les plaques tectoniques progressaient inexorablement et, sous l'effet des pluies acides, six hectares de forêt tropicale allaient disparaître à jamais de la surface du globe. Je suis allée me coiffer dans la salle de bains. Petites touches de fond de teint, un coup de fard à joues et retour à la cuisine pour une seconde tasse de café.

Sept heures et demie. Où était passé ce con de Claudel ?

Retour à la salle de bains pour me mouiller les cheveux et les recoiffer.

Je cherchais la soie dentaire quand le téléphone a sonné.

— Je ne vous imaginais pas lève-tôt.

Claudel, enfin. Sur fond de circulation.

— Kit a disparu.

— Cibole !

— Où êtes-vous ?

— Devant l'église.

— Comment ça se présente ?

— Mickey Mouse au pays des sept péchés capitaux. Paresse et gourmandise sont assez bien représentées.

— Vous ne l'avez pas vu, je suppose ?

— Non, mais je raterais Fidel Castro dans cette foule. À croire que tous les motards du continent ont rappliqué.

— Et Crease ?

— Pas vu non plus.

Quelque chose dans sa respiration m'a laissé deviner qu'il ne me disait pas tout.

— Quoi d'autre ?

— Nous avons creusé un peu sa biographie, avec Charbonneau. De 1983 à 1989, il n'était pas agent infiltré mais plutôt correspondant étranger. Du genre à rédiger ses papiers sur des formulaires à remettre au gardien de sa cellule.

— Vous voulez dire qu'il a fait de la prison ? me suis-je écriée, ébahie.

— Six ans. Au sud de la frontière.

— Au Mexique ?

— À Juárez, très exactement.

Mon cœur s'est mis à battre à toute vitesse.

— Kit est sûrement avec ce tueur.

— Ne vous en mêlez pas, Mme Brennan ! m'a coupée Claudel d'une voix de policier glaciale. Il risque d'y avoir du grabuge. Ces motards sont comme les requins qui ont senti le sang.

— Et je laisserais Kit leur servir de hors-d'œuvre ?!

Prenant conscience du ton suraigu de ma voix, je me suis interrompue net. Je devais coûte que coûte conserver mon sang-froid.

— Je vais envoyer une patrouille visiter Lyle Crease.

— Vous ne croyez pas qu'il va venir à l'enterrement ?

— Qu'il y pointe seulement le bout de son nez et on l'embarque !

— Et si mon jeune de dix-neuf ans se fait pincer en même temps ?

J'en criais presque.

— Tout ce que je vous dis, c'est de ne pas venir ici !

— Alors, attrapez ce salaud !

J'avais à peine raccroché que mon cellulaire a sonné.

Kit?

J'ai foncé jusqu'à ma chambre. J'ai eu juste le temps de sortir l'appareil de mon sac.

— Faut que vous sachiez ce qu'ils veulent faire!

La voix, entrecoupée de hoquets comme celle d'un enfant qui a pleuré longtemps, m'a jetée dans la confusion, puis a soulevé en moi un flot de reconnaissance avant de me replonger dans un abîme d'angoisse.

— Qui ça, Jocelyne?

— Faut que ça se sache. Ces chiens sales de Heathens ont décidé de transformer la ville en abattoir!

Elle a reniflé bruyamment et a enchaîné:

— Et votre jeune va se retrouver au fond du trou.

Mon ventre s'est transformé en une boule compacte.

— Qu'est-ce que vous voulez dire? Que vient faire Kit dans l'histoire?

— J'veux de l'argent et une protection.

Elle parlait maintenant d'une voix plus assurée.

— Dites-moi ce que vous savez.

— Je dirai rien tant qu'on n'aura pas passé un marché.

— Je ne suis pas habilitée à le faire.

— Vous connaissez ceux qui le sont.

— Je veux bien essayer de vous aider, mais j'ai besoin de savoir si mon neveu est en danger.

Silence.

— Oh, et pis crisse! De toute façon, j'suis déjà un cadavre ambulant.

Elle avait la voix lourde de quelqu'un qui a perdu tout espoir.

— Rendez-vous dans vingt minutes à la station de métro Guy, sur le quai qui va vers l'ouest. J'attendrai dix minutes. Si vous êtes en retard ou que vous vous ramenez avec quelqu'un, j'sacre mon camp. Pis quand on écrira cette histoire dans les journaux, votre jeune sera juste une p'tite note en bas d'page.

Elle a raccroché.

J'ai rappelé Claudel sur son téléavertisseur et j'ai laissé mon numéro. Après, je suis restée à fixer mon téléphone en réfléchissant aux options qui s'offraient à moi: je ne pouvais attendre que Claudel me rappelle ; Quickwater était injoignable ; Claudel ne m'avait pas interdit de prendre le métro. Bien. J'irais retrouver Jocelyne et rappellerais le détective quand j'aurais du nouveau.

J'ai composé le numéro du Carcajou sur mon cellulaire mais, au dernier moment, je n'ai pas appuyé sur le bouton de connexion. Au lieu de cela, j'ai attrapé mon sac et foncé dehors.

* * *

Jocelyne était assise au bout du quai, sur le banc qui faisait l'angle, comme si le mur en béton derrière elle devait la protéger du danger. Un sac en toile sur les genoux, un autre par terre à ses pieds, elle scrutait les voyageurs qui attendaient sur les deux côtés de la voie, en rongeant son pouce. Elle m'a repérée alors que j'étais encore au milieu du quai. Mon cœur battait si fort dans mes oreilles que son bruit étouffait tous les autres. L'air souterrain, respiré et re-respiré par des légions d'usagers, était lourd et confiné. J'ai dégluti fortement pour faire passer le goût amer que j'avais dans la bouche. Jocelyne m'a regardée m'asseoir à côté d'elle sans dire un mot. Dans la lumière blafarde, sa peau crayeuse avait une teinte violacée, le blanc de ses yeux paraissait jaune. J'ai voulu parler, elle m'a arrêtée de la main.

— Je répéterai pas deux fois c'que j'vais dire. Tout de suite après, je partirai. Alors, ouvrez vos oreilles !

Je n'ai rien répondu. Ses yeux balayaient les gens debout le long des quais. Ses gestes étaient désordonnés.

— J'suis une junkie, vous l'avez sûrement remarqué. J'ai beau être aussi une pute et une menteuse, j'viens du même milieu que vous : j'passais mes étés dans des camps de scouts à manger du thon en conserve. Ça vous en bouche un coin, hein ? Sauf qu'en chemin, j'ai rencontré les clowns du Cirque des horreurs pis y veulent plus me lâcher.

Dans l'ombre violette, ses yeux étaient cadavériques.

— Ces temps-ci, j'ai tellement de haine en'dans que j'en chie. J'haïs tout l'monde, moi la première.

Elle a essuyé une coulure brillante sous ses narines.

— Quand t'as envie de vomir chaque fois que tu t'vois dans un miroir, c'est parce que le *last call* a sonné pour toi.

Elle a tourné vers moi des yeux de lobotomisée où brûlaient la rage et la culpabilité.

— Peut-être qu'on va me tuer pour vous avoir parlé, mais faut que ça sorte. J'veux que ces cochons-là payent !

— Qu'est-ce que vous voulez nous donner ?

— Des renseignements sur l'Araignée et la p'tite fille.

— Je vous écoute.

— C'est George Dorsey qui a fait l'coup. Mais c'est plus important, astheure qu'il a crevé.

Son regard s'est détourné et s'est reposé sur moi.

— Revanche des Heathens sur les Vipères, pour la mort des frères Vaillancourt. C'est George pis un membre en règle des Heathens qui ont assassiné Marcotte. Il s'appelle Sylvain Lecomte. Pour la p'tite, c'est une erreur.

Elle a ramené son pied contre le sac de tissu.

— George pensait que ce coup-là allait le couvrir d'honneurs. Mais les Heathens l'ont éliminé pour pas qu'il aille vendre Lecomte.

Elle a ricané et s'est tapé le menton.

— Le soir du meurtre, Georges m'attendait près de chez Cherokee. Après, quand les frères ont appris qu'on l'avait mis en'dans et qu'en plus, il avait demandé à vous voir, y'ont décidé d'le passer pour pas qu'y dénonce Lecomte... C'est un gars important, Lecomte, a encore lâché Jocelyne. Une grosse merde, qui a abattu une p'tite fille...

— C'est tout ?

Elle a haussé les épaules.

— Les tombes de Saint-Basile. J'ai vécu neuf ans là-bas. J'ai plein d'infos à échanger.

— Vous voulez bénéficier du programme de protection des témoins ?

— J'veux de l'argent pis me tirer de là.

— Vous ne voulez pas du programme ?

Elle a de nouveau haussé les épaules.

— Qu'est-ce que vous savez de Cherokee ?

— C'est lui qui a trimballé les os de Caroline du Sud jusqu'à Montréal. Mais j'ai écrit tout ça. J'donnerai ma lettre quand j'serai en sécurité loin d'icitte.

Elle avait beau le formuler à voix haute, elle ne semblait pas y croire.

— Alors pourquoi me dites-vous tout cela, maintenant?

— Parce qu'ils ont descendu Dorsey. Y'avait fait leur job pis ils l'ont descendu!

Elle a tourné la tête et s'est remise à sa surveillance.

— Moi, je vaux pas mieux qu'eux autres, astheure.

Sa voix a sombré. Elle se haïssait.

— C'est moi qui ai tendu le piège au journaliste.

— Qui ça?

— Lyle Crease. Quand vous m'avez demandé si j'le connaissais, j'ai trouvé ça louche. J'ai regardé les nouvelles à la télé anglaise. C'est bien lui qui se trouvait chez Cherokee. J'ai échangé son nom aux Vipères contre un sac de poudre.

— Seigneur!

— J'vous l'ai dit que j'étais une crisse de junkie! a-t-elle crié. Quand t'es au fond du trou et que tout l'monde te crache dessus, y'a plus rien qui compte. Pas même ta mère… Y'a juste ta dose. J'ai pas fini.

Ses mains se sont mises à trembler et elle a appuyé ses doigts contre ses tempes.

— Après, j'ai appelé Crease pour lui donner rendez-vous au cimetière.

Elle a de nouveau éclaté de ce rire plein de haine contre elle-même.

— Encore une montagne de sucre à glacer. Ça vous dit que'que chose?

— C'est eux qui vous ont demandé d'arranger le rendez-vous?

— Ouais. Y vont éliminer le journaliste pis quelques Heathens.

— Et mon neveu dans tout ça?

J'avais la bouche si sèche que je pouvais à peine articuler.

— Crease leur a dit de rien tenter parce qu'il aurait le jeune avec lui.

Bruit sourd et prolongé. Une rame de métro approchait.

Elle a de nouveau secoué la tête. De profil, son expression était plus dure encore.

326

— Cet enterrement-là, ça va être une exécution en direct sur écran géant. Votre neveu, il pourrait bien avoir un des premiers rôles dans l'film.

Accouplé au grondement, un changement dans la pression de l'air a annoncé l'arrivée de la rame. Les gens se sont rapprochés du bord du quai. Lèvres pincées et paupières plissées, Jocelyne scrutait le quai en face. Soudain, sa bouche s'est arrondie et ses yeux se sont ouverts tout grand. Baissant la main vers son sac en toile, elle a hurlé :

— Lecom… !

Dans un fracas de tonnerre, le métro allait entrer dans la station. Subitement, la tête de Jocelyne est partie en arrière et le mur dans son dos s'est recouvert d'un nuage sombre. Je n'ai eu que le temps de me jeter à plat ventre, mains sur la tête.

Hurlements de la foule et crissements des roues.

J'ai voulu me faufiler derrière le banc, il était vissé au mur. Toute fuite m'était interdite. Les portes des wagons se sont ouvertes. Bousculade des passagers qui montaient et descendaient en même temps. Cris. Têtes qui se tournaient vers nous, les traits figés d'horreur et d'effroi. Puis, le métro est reparti en trombe et le fond sonore s'est modifié : mouvement de panique. Les gens couraient dans tous les sens.

J'ai laissé passer une minute entière, au cas ou j'entendrais d'autres coups de feu, et je me suis relevée avec mille précautions. Ma veste était couverte de sang et de particules de chairs. J'avais l'estomac révulsé, la bile remontait dans la bouche.

Des cris. En anglais. En français.

Attention !

Sacrifice !

Call the police !

Elle est morte ?

Ils arrivent.

Oh my God !

Débandade vers les escaliers roulants, confusion générale.

Jocelyne avait encore des soubresauts. Une traînée de salive coulait de sa bouche. Odeur d'excrément et d'urine. Mare de sang sur le banc et par terre.

J'ai revu Cherokee. D'autres cadavres encore sont passés devant mes yeux, comme les éclairs d'une torche qui s'allume et s'éteint : Gately, Martineau, Savannah Osprey, Emily Anne Toussaint. Toutes ces morts que je n'avais ni causées, ni su prévenir. Que pouvais-je pour Jocelyne ? Rien. Mais je pouvais empêcher que mon neveu soit le prochain sur la liste ! Non, je ne permettrais pas que les motards fassent un mort de plus. En tout cas, ni Kit, ni Harry, ni moi ne serions leurs victimes.

Flageolant sur mes jambes, j'ai grimpé les escaliers. Dehors, deux véhicules de la police bloquaient déjà l'entrée du métro, portières ouvertes et gyrophares allumés. Des sirènes annonçaient l'arrivée de renforts. La foule qui fuyait la tragédie m'a emportée dans son flot.

Je sais que j'aurais dû rester sur place. Faire une déposition et laisser la police s'occuper du reste, mais j'étais au bord de l'évanouissement. Ce carnage que nous étions incapables d'arrêter me donnait la nausée. Ma terreur pour Kit, ancrée en moi comme une douleur physique, brouillait mon jugement et mon sens du devoir.

Réussissant à me dégager de la foule, j'ai pris mes jambes à mon cou.

Chapitre 38

Mes mains tremblaient toujours quand j'ai ouvert la porte de mon appartement. Sans grand espoir, j'ai crié : « Kit ! » Silence total pour réponse. J'ai couru prendre dans ma serviette le plan du déploiement des effectifs que m'avait remis Charbonneau et, l'ayant consulté, j'ai foncé au garage.

Les embouteillages de l'heure de pointe commençaient à se résorber mais, au centre-ville, la circulation était encore loin d'être fluide. Agrippée au volant, les mains moites, j'avançais au ralenti, le cœur battant à tout rompre. J'ai enfin réussi à me dégager et à filer vers la montagne. Je me suis garée dans un stationnement en face du lac aux Castors.

Les cimetières du mont Royal, en amont du chemin Remembrance, étirent à perte de vue leurs étranges et belles cités des morts. Jardins élégants et architecture funéraire se succèdent sur les versants. Il y a là le cimetière Mont-Royal, le cimetière juif et le cimetière Notre-Dame-des-Neiges, entouré d'une grille de fer forgé. Ce dernier, créé à l'intention des catholiques, renferme aussi bien des mausolées prétentieux que de modestes concessions ne dépassant pas dix ans. Crématoriums, columbariums et autres funérariums sont à la disposition de ceux pour qui la tradition n'est pas un vain mot. Depuis le milieu du XIXᵉ siècle, plus d'un million de défunts ont été ensevelis là, dans les diverses sections réservées aux Polonais, aux Vietnamiens, aux Grecs ou aux Français. Aux Anglais également. Le visiteur peut obtenir un plan où sont répertoriées les sépultures des personnages illustres de Montréal.

La famille Dorsey avait son caveau dans la section de Troie, non loin du monument élevé à Marie Travers, chanteuse des années trente connue sous le nom de La Bolduc. Si ce détail en soi n'était pas essentiel, le fait que la tombe se trouve à moins de dix mètres du chemin Remembrance et à vingt mètres du portail sud était, quant à lui, capital dans la mise en place du plan de sécurité. Ce lieu, le plus difficile à protéger, était considéré par la police comme le plus propice à une attaque dans l'enceinte du cimetière.

Le cortège devait pénétrer par le portail est, exactement en face de là où je me trouvais. J'ai frotté mes mains sur mon jeans et regardé ma montre. Ça n'allait plus tarder.

En temps ordinaire, il n'y a guère de monde sur la montagne aussi tôt le matin, mais, aujourd'hui, les gens occupaient les bas-côtés de la route ou s'agglutinaient près du portail, quand ils ne se promenaient pas déjà dans le cimetière, parmi les arbres et les pierres tombales : Heathens et Rock Machine venant porter en terre avec magnificence le camarade abattu par eux. Ce spectacle était d'une telle hypocrisie qu'il en devenait surréaliste.

Un grand nombre de fourgons de police, gyrophares allumés, étaient stationnés des deux côtés du chemin Remembrance. Les radios grésillaient. J'ai fermé ma portière à clef et traversé le chemin en courant, glissant sur l'herbe nouvelle qui en verdissait le milieu. J'ai inspecté la foule. Des jeunes, blancs pour la plupart. Je n'ai repéré ni Kit, ni Crease. J'ai seulement aperçu Charbonneau, appuyé contre une voiture de patrouille. À l'entrée de la grille, un agent en uniforme m'a arrêtée.

— Hep, madame, un instant ! Un enterrement va avoir lieu bientôt, cette porte est condamnée. Vous devez faire le tour.

Bras étendus, il me barrait le passage comme s'il se préparait à utiliser la force contre moi. Je me suis identifiée. À la façon dont ses traits se sont tordus quand j'ai dit « Carcajou », il était clair qu'il ne me croyait pas.

Un coup de sifflet a déchiré l'air. Bref. Un maître appelant son chien. D'un même mouvement, nous nous sommes retournés.

Claudel.

Juché sur une butte en retrait de la tombe de Dorsey, il nous faisait signe de le rejoindre. L'agent m'a désignée, Claudel a approuvé d'un geste. D'un air réprobateur, le policier m'a autorisée à franchir la grille.

Courant sur le sentier, j'ai escaladé le monticule où Claudel avait pris position. Son accueil n'a pas été des plus chaleureux.

— Qu'est-ce que vous foutez ici ?

— Kit est avec Crease et ils arrivent ! me suis-je écriée, hors d'haleine.

— Vous n'en faites toujours qu'à votre tête, Mme Brennan ? m'a-t-il jeté, sans détacher les yeux de la foule. On a déjà eu un meurtre, ce matin !

J'ai revu le métro : Jocelyne fouillant les quais des yeux, Jocelyne agonisant avec des râles.

— J'étais avec elle.

— Quoi ? !

Le regard de Claudel s'est abattu sur moi, puis est descendu sur ma veste tachée de sang et de matières cérébrales. Je lui ai rapporté les faits.

— Et vous avez quitté les lieux ? !

— Je ne pouvais plus rien faire.

— Je ne vous soulignerai pas l'évidence.

— Elle était morte !

Peur, colère et culpabilité s'entremêlaient dans ma tête, et la froideur de Claudel n'arrangeait pas les choses. J'ai eu un sanglot. « Non ! Pas ça ! Je t'interdis de pleurer ! »

Sur ces entrefaites, la tête de Quickwater est apparue au bas de la pente où nous nous tenions. Il est venu chuchoter quelques mots à l'oreille de Claudel puis est reparti, sans un geste pouvant me donner à croire qu'il avait remarqué ma présence. Quelques secondes plus tard, il est réapparu en contrebas. Se traçant un chemin entre des pierres tombales ouvragées, il est allé se placer derrière un obélisque en granit rose.

— Quand je crierai « À terre », vous vous mettrez à couvert sans poser de questions ! m'a intimé Claudel. Pas d'héroïsme, compris ?

J'ai acquiescé. Il n'a pas poursuivi la conversation. C'était aussi bien. Je n'avais envie de partager avec personne ma peur pour Kit, comme si le fait de la formuler tout haut pouvait la faire se matérialiser. Quant à mentionner à Claudel ce Lecomte dont avait parlé Jocelyne, cela pouvait attendre.

Cinq minutes ont passé. Et cinq autres. Je scrutais l'assistance : pot-pourri de costumes chics, de chaînes, de svastikas, de clous et de bandanas.

L'arrivée du cortège s'est signalée par un grondement sourd, bien avant qu'il ne se découvre à nos yeux. Le roulement s'est mué en clameur dès qu'ont débouché du tournant les deux voitures de police qui ouvraient la voie au corbillard. Suivaient une limousine et une demi-douzaine de voitures. Est apparue ensuite une phalange de motos roulant à quatre de front, puis à deux ou à trois plus loin derrière, et, bientôt, la route n'a plus été qu'une colonne interminable de chromes étincelants sous le soleil.

Le cortège a ralenti et pénétré dans le cimetière. L'air a résonné des pétarades et des vrombissements des motards qui changeaient de vitesse pour casser la formation et se regrouper près de l'entrée. Les conducteurs ont mis pied à terre et se sont avancés vers le portail. Barbes, lunettes et Levi's graisseux.

— Sacrebleu ! On aurait dû garder tout ça à l'extérieur, s'est exclamé Claudel, en contemplant le zoo humain à ses pieds.

— D'après Roy, il n'y avait pas moyen de faire autrement.

— Maudite charte des droits ! Je t'aurais interdit l'accès à cette vermine, moi, quitte à se faire poursuivre par leurs avocats !

Le cortège a tourné à gauche et longé l'allée bordée d'arbres qui délimitait la section Troie. Arrivé tout au bout, il s'est arrêté. Le directeur des funérailles est allé ouvrir les portières de la limousine. Un vieil homme dans un costume usé, deux dames d'un certain âge en robe noire et fausses perles, une jeune femme en robe à fleurs, un garçon en veston trop court pour lui, enfin un prêtre âgé en sont descendus, avec l'air étonné des gens qui n'ont pas l'habitude d'être servis. Le petit groupe a marché jusqu'à des chaises pliantes installées sous un auvent de toile vert vif, où patientait un catafalque drapé de tissu, tel une civière à l'entrée du bloc opératoire.

Pendant ce temps, l'autre famille de Dorsey effectuait son rassemblement et, à grand renfort de plaisanteries et de cris, formait un semblant de fer à cheval à l'extérieur de l'auvent. D'un pas nonchalant, un détachement de huit motards en jeans et lunettes est allé se placer à l'arrière du corbillard. Sur un signe du directeur, un employé des pompes funèbres a proposé à la ronde des gants qu'un mastodonte aux cheveux retenus par un bandeau a envoyés valser d'un coup de coude. Et c'est mains nues que les porteurs ont extrait le cercueil du corbillard et l'ont porté jusqu'à l'auvent, en chancelant sous son poids.

Les motos s'étaient tues. Les branches au-dessus de ma tête s'agitaient doucement, l'odeur des fleurs et de la terre fraîchement remuée m'arrivait par vagues. Un sanglot s'est échappé de l'auvent et, porté par la brise, a survolé les tombes environnantes.

— Sacrebleu ! s'est écrié Claudel.

Je me suis retournée vers lui. Il fixait le portail. J'ai suivi son regard. Horreur ! Crease et Kit se frayaient un chemin parmi les gens à l'entrée. Dépassant le demi-cercle des parents et des proches, ils sont entrés dans l'ombre d'une stèle en bronze, un ange de taille humaine aux bras étendus comme un nageur faisant du surplace. J'ai voulu parler, Claudel m'a fait signe de me taire. Les yeux braqués sur Quickwater, il levait sa radio. Celui-ci lui a répondu en pointant discrètement son appareil d'abord à droite, puis devant lui. J'ai scruté la direction indiquée : à l'écart de la foule, des hommes, dont l'attention ne se portait certainement pas sur la cérémonie, se dissimulaient entre les pierres tombales et les arbres. À l'instar de Claudel et de Quickwater, ils étaient munis de radios et leurs yeux surveillaient tout ce qui se passait. Mais, à la différence des officiers du Carcajou, ils étaient chaussés de bottes de cuir et couverts de tatouages.

J'ai interrogé Claudel du regard.

— Service de surveillance des Rock Machine.

Sous l'auvent, le vieux prêtre ouvrait son missel. Des mains se sont levées pour faire le signe de la croix. Retenant d'un doigt arthritique les pages du gros livre, le prêtre a entamé l'office. Des paroles se perdaient, happées par la brise, d'autres planaient sur les lieux, à l'intention de tous.

— ... *qui es aux cieux que ton nom soit sanctifié...*

J'ai senti Claudel se durcir. À une vingtaine de mètres sur la gauche, un homme venait d'émerger d'un groupe de statues et, tête baissée, marchait vers l'auvent.

— ... *ton règne... ta volonté...*

J'ai regardé Quickwater. Il avait les yeux rivés sur les sentinelles Rock Machine, dont l'un parlait au walkie-talkie à un comparse à l'autre bout du rassemblement. Le constable a levé sa radio. Sans lâcher de l'œil le type qui marchait vers la fosse, Claudel a enfoncé sa touche d'écoute pour entendre son coéquipier.

— ... *Pardonne-nous... à ceux qui nous ont offensés...*

— Un problème? lui ai-je demandé.

— Ce n'est pas un Rock Machine, peut-être un Bandido. Les sentinelles Rock Machine ne sont pas sûres.

— Comment Quickw...?

— Il l'a lu sur leurs lèvres.

— Et vous, vous le connaissez?

— Tout ce que je peux dire, c'est que ce n'est pas un policier.

J'avais les nerfs à fleur de peau.

Sa tenue ne différenciait pas l'homme en question du reste de l'assistance : foulard sur la bouche et casquette au ras des yeux. Pourtant, quelque chose dans son allure détonnait. Son blouson, par exemple, beaucoup trop chaud pour la saison ; et ses bras, un peu trop près du corps.

Soudain, un rugissement de moteur a déchiré l'air. Une Jeep remontait le chemin Remembrance et obliquait vers la grille. En même temps, dans une pétarade, une Harley franchissait en trombe le portail. Ce qui s'est passé ensuite m'a paru durer une éternité, comme si les événements se déroulaient au ralenti. J'ai su plus tard que le tout avait duré à peine deux minutes.

Un homme au milieu du fer à cheval des motards est subitement parti en vrille contre un des poteaux qui soutenaient l'auvent. La tente s'est affaissée dans les hurlements et les coups de feu. La foule, un instant paralysée, s'est éparpillée en tous sens.

— À terre! a hurlé Claudel, en me projetant au sol d'une poussée dans le dos.

Recrachant la terre entrée dans ma bouche, j'ai vu un barbu s'échapper en rampant de l'amas de tissu et filer vers un Christ de pierre aux bras ouverts en signe d'accueil. À mi-course, son dos s'est arqué et il a basculé en avant. Il s'est traîné un peu sur le sol et, après un dernier soubresaut, s'est aplati tout à fait. J'ai tendu le cou pour regarder. Une balle est venue s'encastrer dans le châtaignier derrière moi.

Quand j'ai rouvert les yeux, le type au blouson se trouvait à l'abri d'un monument et, penché vers le socle, faisait jouer la culasse d'un semi-automatique, dont l'acier, en coulissant, a jeté un éclat dans le soleil. Gardant le bras le long du corps, l'homme s'est dirigé vers l'ange nageur.

Kit!

N'écoutant que ma peur, je me suis élancée en rampant vers le sentier qui menait à la statue.

— Brennan, revenez! a hurlé Claudel.

Je l'ai ignoré. Prenant appui sur mes mains, je me suis hissée sur mes pieds et j'ai dévalé la pente. Veillant à rester sur le côté pour éviter les balles, j'ai couru, pliée en deux, bondissant d'un tombeau à l'autre et me raccrochant à tout ce qui me tombait sous la main. Tout autour, pistolets et revolvers s'en donnaient à cœur joie. Les Hells Angels étaient là pour récolter leur vengeance, les Rock Machine leur rendaient chaque balle. Les projectiles faisaient des ricochets sur les tombes et les dalles de granit. Un liquide chaud a coulé sur mon visage : un éclat m'avait entaillé la joue.

Je contournais la statue quand l'homme au blouson trop chaud a brusquement surgi devant moi. Crease et Kit étaient à mi-chemin entre nous. Le tireur a levé le bras. J'ai hurlé : « Couche-toi! » Au même instant, le reporter, harponnant Kit, le faisait pivoter pour s'en faire un rempart.

Une sueur, glacée par le vent, a dégouliné de mes cheveux.

Kit ne réalisait pas le danger. Ce n'est qu'au bout d'une éternité qu'il a songé à faire demi-tour sur lui-même et à balancer son genou dans l'entrejambe de Crease. La bouche du journaliste a formé un O parfait et ses coudes sont partis en l'air. L'une de ses mains a lâché prise. L'autre, restée agrippée à la chemise de Kit, retenait ses contorsions et ses tentatives de s'échapper à droite.

Déflagration assourdissante, amplifiée par le bronze de la stèle : le tireur avait pressé la gâchette.

Mon neveu gisait à terre, immobile au pied de l'ange.

— Kit !

Mon hurlement s'est noyé dans les pétarades et les tirs.

Second coup de tonnerre : un trou s'est ouvert dans la poitrine de Crease, en même temps qu'un flot rouge giclait de son front. Le reporter s'est figé un instant et s'est écroulé à côté de mon neveu.

Je me suis précipitée vers Kit pour le couvrir de mon corps. Ses mains remuaient faiblement, une tache bourgogne s'élargissait dans son dos. Du coin de l'œil, j'ai perçu un mouvement derrière la stèle, puis une silhouette qui grossissait et grandissait jusqu'à remplir tout l'espace entre l'ange et la tombe voisine. Pieds écartés, mains tendues en avant, elle braquait un pistolet sur le tireur debout au-dessus de Kit et de moi. Un éclair s'est échappé du canon.

Nouveau roulement de tonnerre. L'œil du tireur a éclaté, du sang a fusé de sa bouche, et il s'est écroulé juste à côté de nous.

Mes yeux ont alors croisé du bleu plus bleu qu'une flamme de butane. Aussitôt, Ryan a fait demi-tour et a disparu.

Au même instant, Quickwater a surgi d'un renfoncement sous l'ange. Nous attrapant, Kit et moi, il nous a tirés vers le socle, avant de courir s'accroupir devant Crease et l'assassin, tous deux étendus sur le dos. Là, à l'abri du monument, il s'est mis à faire de grands signes avec son bras.

J'ai essayé d'avaler ma salive, j'avais la bouche plus sèche qu'un désert. Des balles mitraillaient le sol juste à côté de moi. J'ai de nouveau pris conscience de l'odeur de la terre et des fleurs. De la cavité où j'étais, je voyais des gens courir dans tous les sens. Quickwater, ramassé en boule, prêt à bondir, balayait la scène des yeux. On entendait des sirènes et des moteurs au loin.

Nouvelle explosion. J'ai ressenti comme une décharge d'adrénaline. J'ai appuyé de toutes mes forces sur le dos de Kit pour obturer sa blessure, tout en enfonçant de mon mieux un mouchoir dans le trou qu'il avait à la poitrine. Le temps ne signifiait plus rien.

Subitement, le silence s'est abattu. Le cimetière entier a paru se figer.

Ensuite, par-delà Quickwater, des gens ont commencé à s'extraire de dessous l'auvent, hirsutes et en larmes. Des motards, sortis de leurs abris, se sont réunis par petits groupes furieux, brandissant le poing comme des chanteurs hip-hop pris de rage. D'autres gisaient à terre, immobiles.

Ryan n'était nulle part en vue.

Des sirènes ont mugi tout en bas de la montagne. J'ai jeté un coup d'œil à Quickwater. Nos regards se sont croisés. Mes lèvres tremblaient sans qu'aucun son n'en sorte. Il a essuyé le sang qui coulait de ma joue et a doucement repoussé mes cheveux en arrière. Et ses yeux, plantés dans les miens, ont admis la réalité de ce que j'avais vu, l'instant auparavant : Ryan, ici, avec nous !

Secret que nous partagions désormais, lui et moi.

J'ai eu un sanglot, les larmes brûlaient mes paupières. Je me suis détournée. Surtout ne pas montrer ma fragilité. Mes yeux sont tombés sur un portrait scellé dans le ciment aux pieds de l'ange. Le visage solennel, décoloré par des années de soleil et de pluie, me fixait par-delà la mort.

Seigneur, je vous en supplie. Pas Kit !

J'ai baissé les yeux sur mes mains. Le sang coulait entre mes doigts. J'ai fondu en larmes sans plus me cacher. J'ai appuyé plus fort sur la blessure de Kit.

Fermant les yeux, je me suis mise à prier.

Chapitre 39

— Voulez-vous bien me dire ce qui vous a pris? m'a apostrophée Charbonneau.

— Je ne sais pas. J'ai suivi mon instinct.

— Vous n'étiez même pas armée!

— Si, de ma fureur!

— En face d'un semi-automatique, on repassera!

Une semaine s'était écoulée depuis la tuerie de Notre-Dame-des-Neiges, et nous avions déjà débattu du problème une bonne douzaine de fois. Nous étions dans mon labo et il me regardait emballer les ossements de Savannah Osprey pour les expédier à Raleigh. Le séquençage d'ADN avait permis d'établir que les restes trouvés à Saint-Basile-le-Grand appartenaient bien au squelette de Myrtle Beach. De son côté, Kate Brophy avait appris que la mère de Savannah était morte, et elle était parvenue à localiser une tante maternelle. L'enterrement aurait lieu en Caroline du Nord.

Rien que de penser à cette cérémonie solitaire, j'en avais le cafard. Certes, j'éprouvais de la satisfaction à avoir identifié Savannah, mais je ne pouvais me rappeler sans tristesse ce qu'avait vécu cette jeune hydrocéphale, si fragile et solitaire, détestée par son père et abandonnée dans la mort par sa mère. Y aurait-il une seule personne pour venir se recueillir sur sa tombe?

Quelle idée avait donc pu subitement lui traverser la tête, ce jour-là, la décider à se rendre à Myrtle Beach? Mystère. J'ai demandé à Charbonneau son avis.

— D'après Crease, ils ne l'ont pas forcée. En tout cas, ça a été une décision mortelle.

J'ai regardé l'enquêteur, étonnée de découvrir que ses pensées faisaient écho aux miennes. Tant de gens avaient pris des décisions mortelles tout au long de cette histoire. Gately et Martineau, Jocelyne Dion, George Dorsey, les Hells Angels responsables de l'attaque au cimetière. Pour d'autres, il s'en était fallu d'un cheveu que leurs choix ne les conduisent au même résultat. Kit et Crease, notamment, qui avaient survécu tous les deux.

En fait, en apprenant de Jocelyne que le reporter était le meurtrier de Cherokee Desjardins, les Vipères avaient demandé aux Hells Angels des États-Unis de dépêcher un escadron de la mort pour le supprimer, et ces derniers avaient choisi de s'exprimer sur la place publique, afin de bien faire passer le message qu'on ne tuait pas impunément un des leurs. C'est ainsi que le cimetière avait été élu comme lieu de « représailles ».

L'affaire était bien montée. Parmi les tueurs chargés d'éliminer Crease, celui à moto aurait dû parvenir à s'échapper si Quickwater et Ryan n'étaient intervenus. Comme le bolide était sorti indemne de la fusillade, la version officielle offerte au public n'avait pas fait état du conducteur abattu. Quant aux assassins à bord de la Jeep, connaissant mal les lieux, ils avaient fait un tonneau alors qu'ils tentaient de fuir. Les deux passagers à l'avant étaient morts sur le coup. Le troisième, hospitalisé avec de nombreuses blessures, offrait une coopération limitée. Se trouvant sous le coup d'un mandat d'arrêt pour meurtre, comme l'avait fait apparaître la vérification de routine, il tergiversait, préférant être incarcéré à vie au Canada plutôt qu'exécuté par injection létale dans son État d'origine, New York, même si aucune exécution n'y avait été pratiquée depuis 1963.

Pour ce qui était de Lyle Crease, six heures de chirurgie l'avaient arraché à la mort, et il demeurait toujours aux soins intensifs. Néanmoins, des éléments de sa biographie se révélaient peu à peu, à mesure que rallongeaient ses périodes de lucidité.

Au début des années quatre-vingt, abandonnant ses études pour les charmes de la vie de motard, il avait sillonné le pays à la suite des Hells, en compagnie de Cherokee. Ces deux-là étaient devenus amis à cause de leurs communes racines canadiennes. Pourtant, à l'inverse de son compagnon, Crease ne souhaitait pas véritablement adhérer au gang. Selon ses dires, c'était à Myrtle Beach qu'ils avaient fait la connaissance de Savannah Osprey. Ils lui avaient proposé une balade à moto. Plus tard, dans la soirée, quand elle avait voulu partir, les choses s'étaient gâtées. Savannah avait été étranglée et son corps caché dans les bois par Cherokee.

— Crease reconnaît avoir participé au meurtre ?

— Non. Mais il admet être retourné sur les lieux avec Desjardins pour récupérer les os afin d'en décorer le repaire.

— Les salauds !

J'ai éprouvé à nouveau la fureur et la répulsion qui m'avaient saisie au labo, le soir où Jocelyne m'avait remis la photo tachée de sang, trouvée dans l'appartement de Cherokee. Car la personne que j'y avais reconnue, debout à côté de Cherokee, c'était Crease ! Tous deux posant, mains levées et majeurs dressés, sous une chose qui m'avait bouleversée. Une chose qui se voulait une imitation de drapeau de pirate. Une chose que j'avais identifiée sur-le-champ à cause d'un petit trou sur le côté : le crâne de Savannah au-dessus de ses fémurs croisés !

Je m'étais toujours abstenue d'interroger quiconque à propos de cette photo, mais, là, j'ai demandé à Charbonneau où elle avait été prise.

— À Saint-Basile, m'a-t-il appris. Au repaire des Vipères. L'hiver qui a suivi le meurtre, Crease et Cherokee se sont dit qu'ils feraient un malheur en rapportant le crâne de Savannah aux frères du Québec, et ils sont retournés à Myrtle Beach. Ils ont effectivement retrouvé le crâne et les fémurs, intacts sous la plaque de tôle. Le reste avait été démembré et dispersé par des animaux. Ils ont rapporté leur butin ici.

J'étais trop dégoûtée pour trouver une quelconque répartie.

— Le crâne et les fémurs de Savannah ont décoré le bar du repaire pendant des années, jusqu'à ce que les Vipères les enterrent dans le bois par crainte d'une descente de police.

— Mais pourquoi si près de Gately et de Martineau ?

— Pure coïncidence. Ceux-là, c'est par affaires qu'ils se sont fait éliminer. En 1987, les Hells avaient l'œil sur un bar appartenant à Gately. Ils ont fini par l'avoir. Comme l'un d'eux avait pas mal harcelé Gately, son ami Martineau a décidé de tirer sur le Hells en question.

— Mauvaise idée.

— En effet !

— Si Crease est innocent du meurtre de Savannah, pourquoi tenait-il tellement à récupérer cette photo ?

— Quand il a vu que les ossements faisaient la une des médias, il a eu la chienne que son passé réapparaisse au grand jour.

— Et c'est pour protéger sa carrière qu'il a tué Cherokee ?

— Il en est pas encore arrivé jusque-là dans ses souvenirs, mais ça devrait pas tarder. De toute façon, avec son blouson taché de sang, il va se retrouver en dedans pour le restant de ses jours.

— Sauf qu'il niera tout lien avec cette photo. Et comme le seul témoin qu'on avait ne peut plus parler…

De fait, Jocelyne avait été déclarée morte à son arrivée à l'Hôpital général de Montréal.

— Ses pellicules le condamneront.

— Encore faut-il que le séquençage d'ADN soit concluant.

— Aucune importance. Il s'est mouillé, il va avouer !

Voilà ce que nous pensions.

Du moins pendant les neuf heures qui ont suivi.

Le soleil qui filtrait par les stores baissés posait des rayures claires sur les murs de la chambre d'hôpital. Harry feuilletait un magazine de mode et Kit suivait une émission de variétés à la télé, le son baissé au minimum. Sorti des soins intensifs quatre jours auparavant, il était encore très pâle. Des traînées violettes, qu'on aurait dit tracées à la peinture, soulignaient ses yeux. Il avait la poitrine bandée et le bras gauche relié à une perfusion. Quand il m'a aperçue, son visage s'est éclairé.

— Comment te sens-tu ? lui ai-je demandé en caressant le dessus de son bras.

— En pleine forme !

— Je t'ai apporté des fleurs.

Je lui ai fait sentir le bouquet choisi pour lui à la boutique de l'hôpital.

— La sélection du printemps. C'est fait pour redonner du cœur au ventre aux esprits les plus défaillants. Résultat garanti.

— Avec toute la photosynthèse qui se fait dans la pièce, il va bientôt falloir qu'on demande un permis !

Prenant appui sur ses pieds, il s'est remonté dans son lit pour attraper son jus d'orange. Incapable d'atteindre le plateau, il a laissé retomber son bras en faisant la grimace.

— Attends, je vais t'aider.

Je lui ai tendu son verre. Bien calé dans ses oreillers, il a serré les lèvres autour de la paille.

— Pas trop de mal à respirer ?

— Ça va, a-t-il répondu en reposant le verre sur sa poitrine.

La balle destinée à Crease l'avait frappé de biais, avant de ressortir dans son dos en traversant un muscle. Il avait deux côtes brisées et le poumon perforé. Il n'aurait pas de séquelles.

— Est-ce qu'on les a arrêtés, ces chiens sales ?

Je me suis tournée vers ma sœur assise dans un coin de la pièce, ses longues jambes repliées sous elle à la façon d'une contorsionniste chinoise.

— L'homme à moto a réussi à filer. Celui qui a survécu à l'accident de Jeep a été inculpé de tentative de meurtre et d'autres choses aussi. Il coopère.

— Si jamais je mets la main...

— Harry, pourrais-tu demander un vase à l'infirmière ?

— C'est l'heure de la conversation ma tante-neveu ? OK. Je vais aller absorber ma dose de nicotine.

Ayant ramassé son sac, elle a déposé un baiser sur le sommet du crâne de son fils et s'est éclipsée dans un sillage de parfum Cristalle. Je me suis assise au bord du lit et j'ai palpé la main de Kit. Elle était fraîche et souple.

— En pleine forme, hein ?

— Si tu savais comme je m'emmerde ici, tante Tempe ! Toutes les cinq minutes, il y a une infirmière qui rapplique pour m'enfoncer une aiguille ou un thermomètre dans les fesses. Et crois-moi, elles ont rien à voir avec la belle « Hot Lips » Houlihan de *Mash*. Elles sont maigres comme des piquets, ces bonnes femmes-là !

— Tu m'en diras tant !

— En plus, elles prétendent que je ne sortirai pas avant deux ou trois jours.

— Les médecins veulent être certains que ton poumon ne se rouvrira pas.

— Le score est de combien ? a-t-il demandé après une hésitation.

— Du côté des attaqués, il y a quatre blessés : Crease, toi et deux membres de la famille ; et aussi trois morts, Heathens et Rock Machine. Du côté des attaquants, un Hells abattu et deux morts dans l'accident de la Jeep. Le troisième passager était seulement blessé. Lui, il a été arrêté, mais le type à moto a réussi à s'enfuir. On avait rarement vu un tel bain de sang au Canada.

Il a baissé les yeux et s'est mis à gratouiller la couverture.

— Et lui, comment il va ?

— Il s'en sortira et sera inculpé du meurtre de Cherokee.

— Lyle n'a pas pu tuer ce gars-là, il en serait incapable.

— Il n'a pourtant pas hésité à te sacrifier pour se protéger !

Kit n'a rien répondu.

— Et il se servait de toi pour obtenir des informations.

— Ça, peut-être. C'est possible. Mais il ne tuerait pas quelqu'un.

J'ai revu le crâne et les fémurs de Savannah, mais je n'ai pas cherché à détromper mon neveu.

— Pourquoi t'a-t-il emmené à cet enterrement ?

— C'est moi qui ai insisté, je voulais voir à tout prix ce rassemblement de motos. Je lui ai dit que j'irais même sans lui. Je sais bien qu'il m'a emmené chez un concessionnaire de Harley, sacrifice, mais il n'avait rien à voir avec ces motards-là. Au cimetière, il essayait de faire le gars cool, mais ça se voyait qu'il ne connaissait pas vraiment personne.

Avec le recul, l'idée que Lyle Crease ait pu être un agent infiltré qui aurait retourné sa veste, comme nous l'avions supposé un moment, Charbonneau et moi, me paraissait ridicule. Tout comme mes angoisses à propos du Prêcheur et de son gang éventuel, alors que c'était du journaliste que j'aurais dû me méfier.

À force de triturer le couvre-lit, Kit venait d'en tirer un fil.

— Je voulais te dire, ma tante... Je m'excuse si je t'ai fait de la peine.

Il a dégluti et s'est remis à tortiller le fil.

— Le Prêcheur et les autres, c'est juste des nuls. Même pas capables de faire ce qui faut pour se payer une moto.

Je savais déjà tout cela par Claudel, mais je l'ai laissé poursuivre.

— Je t'ai fait croire qu'ils étaient des gros motards pour avoir l'air cool et, à cause de moi, tu as failli te faire tuer.

— Kit, c'était qui le type que j'ai vu dehors près de la maison ?

— Je n'en sais rien, je te jure. Un abruti qui passait par-là. Peut-être qu'il allait se présenter pour un emploi de coiffeur à ton salon, a-t-il ajouté avec le sourire.

Je lui ai envoyé une petite bourrade dans son épaule valide. Cette fois, je le croyais.

— Hé, tu ne vas pas brutaliser un handicapé, quand même !

Il a fini son jus de fruits et m'a tendu son verre.

— Et l'œil ?

— D'après la police, ce sont les Vipères qui l'ont mis sous mon essuie-glace pour me décourager de continuer.

Nous sommes restés un moment sans parler. À l'écran, un homme présentait les nouvelles tandis que les cours de la Bourse défilaient sous son buste.

— De retour au Texas, je crois que je vais aller faire un tour du côté de l'université, des fois qu'ils auraient un cours intéressant. Je verrai si ça marche.

— Excellente idée, Kit.

— Tu dois croire que je suis aussi con qu'un bar à grande gueule.

— Qu'une perche, peut-être.

— J'espère que t'as pas perdu tout espoir en moi ?

— Jamais de la vie !

Gêné, il a changé de sujet.

— Comment va, ton patron ?

— Beaucoup mieux. Il fait damner les infirmières.

— Eh bien, on peut se serrer la main. Et ton Ryan ?

— Eh, mêle-toi de tes affaires, la perche !

Harry s'était encadrée dans la porte.

— Tu crois qu'il va rester encore longtemps à rêvasser ici en attendant qu'on lui apporte des fleurs et des bonbons ? a-t-elle lancé du seuil, avec un sourire du même rouge éclatant que le vase qu'elle tenait dans ses mains.

De l'hôpital, je suis rentrée à la maison. J'ai soupé en compagnie de Birdie et je me suis attaquée aux tâches ménagères. Retour à la normale par immersion dans le quotidien. Tel était mon plan et il fonctionnait.

Jusqu'à ce que la sonnette émette son gazouillis !

Huit heures et quart, trop tôt pour que ce soit Harry. Abandonnant ma brassée de chandails, je suis allée jeter un coup d'œil à l'écran de contrôle, intriguée.

Mains derrière le dos, le sergent-détective Luc Claudel se balançait dans le hall de l'immeuble, faisant passer le poids de son corps de la pointe de ses pieds à l'arrière du talon. C'était ça, le retour à la normale ? Que se passait-il encore, bon Dieu ? Tout en grommelant, j'ai déclenché l'ouverture.

— Bonsoir, monsieur Claudel.

— Bonsoir. Désolé de vous déranger chez vous, mais il y a du nouveau.

Il a eu une crispation des mâchoires. Ce qu'il avait à me dire devait le pousser aux limites de la civilité.

— Je tenais à vous en informer moi-même.

Claudel courtois ? J'ai craint le pire. Birdie s'est mis à faire des huit autour de mes chevilles sans m'offrir d'hypothèse susceptible de résoudre l'équation. J'ai reculé en invitant du geste le détective à entrer. Il a obéi et attendu, raide comme la Justice, que je referme la porte. M'ayant suivie au salon, il s'est assis sur le divan. J'ai pris place dans le fauteuil où je m'étais assise, le soir où Jean Bertrand, le coéquipier de Ryan, était passé me voir. Comme toujours au souvenir d'Andrew, j'ai senti mon estomac se serrer. J'ai prié tout bas : « Seigneur, faites qu'il soit en sécurité ! »

J'ai écarté cette pensée, et j'ai attendu que Claudel prenne la parole. Il s'est éclairci la gorge et a fixé un point derrière moi.

— Vous aviez raison à propos de George Dorsey. Ce n'est pas lui qui a tué Cherokee Desjardins.

Apparemment, une révélation allait suivre.

— Et ce n'est pas Crease non plus.

Je l'ai dévisagé, trop étonnée pour intervenir.

— Dans une lettre envoyée à sa mère peu de temps avant de mourir, Jocelyne Dion a donné des informations sur toute une série de crimes et de délits perpétrés par les motards. Entre autres choses, sur la fusillade au cours de laquelle Emily Anne Toussaint et l'Araignée ont été tués, et sur le meurtre de Cherokee Desjardins.

— Quelle raison avait-elle de faire ça ?

— Toutes sortes, plus ou moins complexes. D'abord, elle craignait pour sa vie et pensait que ses déclarations la protégeraient mieux que tout. En outre, elle souffrait de la mort de Dorsey. Au fait, elle vivait avec lui. Elle n'acceptait pas qu'il ait été assassiné. Surtout sur les ordres de son propre gang.

J'ai senti la chaleur envahir mon cou, mais je n'ai pas dit que Jocelyne m'avait déjà renseignée à ce sujet.

— Est-ce qu'elle y dit que Dorsey a été tué parce qu'il m'avait parlé ?

Claudel a ignoré ma question.

— Enfin, elle éprouvait du remord pour avoir commis certains actes. Notamment, pour avoir tué Cherokee Desjardins.

— Quoi ! ?

— Vous avez bien entendu. C'est Jocelyne Dion qui a assassiné Desjardins.

— Mais elle m'a dit qu'elle avait entendu Crease le tabasser et l'abattre ensuite avec une arme à feu.

— Apparemment, l'employée de votre labo aimait assez conserver des petits bouts de vérité pour son usage personnel.

Joignant les mains, il a posé le menton sur ses doigts et a enchaîné :

— D'après sa lettre, elle se trouvait chez Desjardins pour acheter de la drogue quand Lyle Crease a surgi pour récupérer l'infâme photo du bar. Les deux hommes se sont disputés, Crease a assommé Cherokee avec un bout de tuyau

346

et a mis l'appartement à l'envers. En entendant du bruit dans la chambre, il a pris peur et s'est enfui. Crease parti, votre Jocelyne, qui était défoncée, a vu dans la situation l'occasion rêvée de remplir son armoire à pharmacie sans que cela lui coûte un sou. Apparemment, elle avait de grosses habitudes et un petit budget. Elle a frappé Cherokee qui gisait par terre, inconscient, l'a traîné jusqu'au fauteuil et lui a fait sauter la cervelle avec un fusil.

— Mais pourquoi le tuer ?

— Elle craignait qu'il se venge. N'oubliez pas qu'elle était défoncée. Mais pas assez pour ne pas se rendre compte qu'elle devait effacer ses traces. Elle a donc maquillé la scène en crime de motards. Sur ce point, vous aviez raison.

Il a baissé ses mains et s'est éclairci la gorge avant de reprendre :

— Jocelyne Dion a ramassé le sachet perdu par Crease en croyant qu'il contenait de la drogue, alors que c'était la fameuse photo de Cherokee et lui. L'idée de lui faire du chantage lui est venue plus tard, quand elle a compris que c'était pour cette photo qu'il avait tabassé Desjardins. Elle s'est dit qu'il payerait sûrement pour la récupérer.

— Entre-temps les Heathens avaient appris que j'étais allée voir Dorsey en prison, et l'ont fait descendre.

À cette pensée, ma raideur dans la nuque s'est accrue.

— Craignant pour sa vie, poursuivait Claudel, Dion a monté de toutes pièces un scénario selon lequel Crease aurait assassiné Desjardins. L'information est revenue aux oreilles des Vipères qui ont décidé de répliquer, Desjardins étant un Hells et son assassin, un ex-Hells que les frères méprisaient. Il devait donc mourir. Ils ont persuadé Jocelyne de l'attirer à l'enterrement de Dorsey. Par ailleurs, les Vipères n'avaient toujours pas vengé la mort de Marcotte. Ils ont appelé New York pour avoir du renfort et décidé de profiter de l'enterrement pour faire la peau à deux ou trois Heathens, histoire de remettre le compteur à zéro.

Une pause.

— Et le blouson ensanglanté ? ai-je demandé.

— Pour une fois, cette anguille de Dorsey disait la vérité. Ce n'était pas le sien, mais celui de Jocelyne qui était sa maîtresse, et il ne pouvait pas le dire sans la vendre.

— Il s'est fait tuer parce que je suis allée le voir, ai-je dit, et je me suis mordu les lèvres.

— Dorsey est mort parce que les frères ont eu peur qu'il les dénonce. Si vous n'étiez pas allée le voir, il aurait contacté quelqu'un d'autre.

J'ai dégluti et demandé :

— Vous croyez que Jocelyne dit la vérité ?

— En gros, oui. Avant de prendre connaissance de sa lettre, nous soupçonnions déjà Lecomte d'avoir assassiné Marcotte et Toussaint. On le surveille de très près, mais on ne peut pas encore l'arrêter, car le procureur n'est pas sûr que le fait que vous ayez entendu Jocelyne crier son nom soit suffisant comme motif. On connaîtra bientôt sa décision.

— Et c'est Jocelyne qui a laissé filtrer les informations aux médias.

— Son emploi lui permettait d'espionner pour le compte des Heathens, et il ne lui déplaisait pas de papoter avec des journalistes, à l'occasion.

— À condition d'avoir l'aval de ses véritables employeurs.

— Exactement.

Claudel a inspiré avec bruit et expiré lentement par le nez.

— Ces gangs de motards sont la mafia du nouveau millénaire. Ils ont une influence colossale sur les gens qui se laissent épater. Jocelyne Dion était de ces fourmis ouvrières qui alimentent le gang tout au bas de l'échelle : prostituées, maquereaux, strip-teaseuses, petits revendeurs de rue. Elle n'aurait pas pu accompagner sa mère à la messe le dimanche sans autorisation préalable. Au niveau juste au-dessus, il y a ceux qui réussissent mieux : les propriétaires d'atelier de motos, les tenanciers de bar, les receleurs, les gens qui blanchissent l'argent du club ou rendent d'autres services. Bref, tous ceux qui ont le droit de frayer avec les membres proprement dits. Un cran plus haut encore, on a les responsables des réseaux de drogue, qui portent le badge entier, eux. Et, tout au sommet de la pyramide, il y a les hommes directement liés aux cartels mexicains et colombiens ou à leurs homonymes de par le monde.

Pris d'une exaltation que je ne lui connaissais pas, Claudel a poursuivi :

— Et qui sont ces dégénérés qui font du fric sur le dos des faibles ? La plupart d'entre eux n'ont même pas les capacités intellectuelles et morales pour terminer des études secondaires et fonctionner dans le cadre des lois du marché. Ils utilisent les femmes parce que, au fond, ils en ont peur. Ils sont sans instruction, aveugles sur eux-mêmes et, dans bien des cas, impuissants. Voilà pourquoi ils se tatouent, s'inventent des surnoms et se rassemblent en bandes pour donner plus de poids au nihilisme qui les unit.

Il a pris une longue inspiration et secoué lentement la tête.

— À présent, Sonny Barger a pris sa retraite. Probablement en train de pondre ses mémoires, que des millions de gens liront et dont Hollywood tirera un film. Ces sauvages seront à nouveau présentés sous un jour romantique, leur légende mystifiera une nouvelle génération.

Il s'est frotté le visage dans ses mains.

— Et la drogue continuera d'inonder nos cours d'école et les ghettos des démunis.

Il a tiré sur ses manches et redressé ses boutons de manchette en or avant de se lever. Quand il a repris la parole, sa voix était dure comme de l'acier trempé.

— C'est drôle. Pendant que les Hells Angels faisaient leur carnage au cimetière, les Heathens s'occupaient eux aussi de nettoyer leurs rangs. Je ne sais pas qui de ces sous-hommes a tué George Dorsey et je ne détiens encore aucune preuve me permettant d'affirmer que c'est Lecomte qui a abattu Jocelyne Dion, Roger Marcotte, dit l'Araignée, et Emily Anne Toussaint. Mais je l'aurai un jour. Ça, oui.

Immobile, il a planté son regard dans le mien.

— Tant que je n'aurai pas extirpé ce mal de ma ville, je n'aurai pas l'esprit en paix.

— Vous croyez que c'est possible ?

Il a acquiescé et, après une hésitation, a ajouté :

— On fait équipe ?

Sans hésiter, j'ai hoché la tête.

— Oui !

Chapitre 40

Le lendemain matin, j'ai dormi tard. Je suis allée au centre sportif et j'en suis revenue chargée de cafés et de beignes à partager avec ma sœur. Puis Harry est partie pour l'hôpital et j'ai téléphoné au labo. Comme aucune affaire ne réclamait les compétences d'une anthropologue, j'ai eu tout le loisir de réactiver le programme de la veille interrompu par la visite de Claudel.

Après avoir mis mes chandails à tremper, je me suis attaquée au réfrigérateur. Les aliments ayant plus d'un mois d'âge ont atterri dans la poubelle sans chagrin, de même que tout ce qui ne pouvait être identifié.

J'avais l'humeur au beau fixe, cela ne m'était pas arrivé depuis des semaines. Claudel avait été obligé de reconnaître ma valeur en tant que collègue et je ne doutais pas que, aidé de Charbonneau et de Quickwater, il poursuive l'enquête et parvienne à mettre derrière les barreaux les meurtriers de Dorsey et de Jocelyne Dion.

J'avais présenté mes excuses à Quickwater, qui ne semblait pas me garder rancune. Il avait même esquissé un petit sourire dans ma direction.

LaManche était en bonne voie de guérison.

Le meurtre de Savannah Osprey était résolu, et ses ossements en route vers sa famille.

Kit s'en tirerait, dans tous les sens du mot.

Katy serait de retour dans deux semaines.

Jusqu'à mes cheveux qui présentaient des signes de croissance.

Une seule ombre demeurait au tableau : Ryan.

Je m'inquiétais pour lui. Il s'était compromis pour me sauver la vie. J'espérais de tout mon cœur, je priais, pour que son courage ne lui coûte pas la sienne. Pour que cet acte généreux ne se révèle pas à son tour une *deadly* décision.

Et la perfection à tort déshonorée...

Au souvenir du vers de Shakespeare, j'ai senti mes yeux se remplir de larmes. Ryan ne pouvait pas me contacter, et je n'avais aucune idée du jour où je le reverrais.

Tant pis. J'attendrais...

J'ai jeté un vieux morceau de Cheddar dans la poubelle.

Ça prendrait peut-être pas mal de temps...

Deux pots de confitures ont pris la même direction.

J'aurais vraiment besoin d'un petit air pour passer à travers.

I've got sunshine on a cloudy day...

Remerciements

Bien des gens m'ont apporté leur aide pour l'écriture de ce livre. Mes collègues, médecins légistes et policiers, ont fait montre d'une patience exemplaire à mon endroit. J'adresse mes remerciements les plus sincères au sergent Guy Ouelette, de l'Unité du crime organisé à la Sûreté du Québec, ainsi qu'au capitaine Steven Chabot, au sergent Yves Trudel, au caporal Jacques Morin et au constable Jean Ratté, de l'escouade Carcajou, de Montréal.

Au sein des forces policières de la Communauté urbaine de Montréal, je tiens à remercier le lieutenant-détective Jean-François Martin, de la section des Crimes majeurs, le sergent-détective Johanne Bérubé, de la section des Agressions sexuelles, et le commandant André Bouchard, de la section Moralité, alcools et stupéfiants au Centre opérationnel Sud, pour avoir répondu avec tant de patience à toutes mes questions, notamment sur le fonctionnement des diverses unités. J'adresse des remerciements particuliers au sergent-détective Stephen Rudman, superviseur, de l'Unité Analyse et liaison au Centre opérationnel Sud, pour ses explications détaillées, pour les cartes qu'il m'a fournies et pour la visite du centre de détention que j'ai pu effectuer en sa compagnie.

Parmi mes collègues au Laboratoire de sciences judiciaires et de médecine légale, je dois remercier le Dr Claude Pothel pour ses commentaires sur la pathologie, et François Julien, de la section Biologie, pour ses démonstrations en matière d'étude des taches de sang. Pat Laturnus, analyste en tache de sang au Collège de police d'Ottawa, m'a également ment offert son expertise.

En Caroline du Nord, je voudrais remercier le capitaine Terry Sult, de l'Unité de renseignements de la police de Charlotte-Mecklenburg, Roger Thompson, directeur du Laboratoire criminel de la police de Charlotte-Mecklenburg, Pam Stephenson, analyste aux services techniques et de renseignements du Bureau d'investigation d'État de Caroline du Nord, Gretchen C. F. Shappert, du Bureau du procureur général des États-Unis, de même que le Dr Norman J. Kramer, du Groupe médical de Mecklenburg.

Parmi les autres personnes qui m'ont offert leur temps et leur savoir, je tiens à citer le Dr G. Clark Davenport, géophysicien à la Necro-Search International, le Dr Wayne Lord, du Centre national d'analyse des crimes violents à l'Académie du FBI de Quantico, en Virginie, et Victor Svoboda, directeur de la communication à l'Institut neurologique de Montréal. Quant au Dr David Taub, il a été mon gourou en matière de Harley Davidson.

Je dois aussi bien des choses à Yves Sainte-Marie, directeur de département au Laboratoire de sciences judiciaires et de médecine légale, au Dr André Lauzon, responsable de section au Laboratoire de médecine légale, et au Dr James Woodward, recteur honoraire de l'université de Caroline du Nord, pour leur indéfectible soutien.

Un merci particulier va à Paul Reichs, pour ses précieux commentaires sur le manuscrit.

Et comme toujours, je tiens à remercier mes extraordinaires éditeurs, Susanne Kirk, de chez Scribner, et Lynne Drew, de chez Random House, ainsi que mon infatigable agent, Jennifer Rudolph Walsh.

Si, malgré les conseils avisés dont m'ont fait bénéficier tous ces experts, des erreurs s'étaient glissées dans ce roman, j'en suis seule responsable.

Achevé d'imprimer
en mars deux mille un
sur les presses de Quebecor World Lebonfon
Val-d'Or, P.Q.
Imprimé au Canada